水坠坝设计与施工

主　编　郑新民　王英顺
副主编　贾泽祥　王逸冰

黄河水利出版社

内 容 提 要

水坠筑坝是我国劳动人民在长期生产实践中创造的一种筑坝技术，其工效高、速度快、质量好。本书根据《水坠坝技术规范》(SL302—2004)，在总结分析30多年来水坠筑坝试验研究成果和工程实践经验基础上，系统论述了水坠坝的发展过程和形成机理，工程规划、设计、施工技术，质量控制、监测及其管理与养护。可供水利、水土保持工程技术人员参阅使用，也可作大专院校相关专业师生参考用书。

图书在版编目(CIP)数据

水坠坝设计与施工/郑新民，王英顺主编．—郑州：黄河水利出版社，2006.12

ISBN 7-80734-165-3

Ⅰ.水…　Ⅱ.①郑…②王…　Ⅲ.①水坠坝-设计②水坠坝-工程施工　Ⅳ.TV641.6

中国版本图书馆CIP数据核字(2006)第154616号

出 版 社：黄河水利出版社

地址：河南省郑州市金水路11号　　邮政编码：450003

发行单位：黄河水利出版社

发行部电话：0371-66026940　　传真：0371-66022620

E-mail：hhslcbs@126.com

承印单位：河南省瑞光印务股份有限公司

开本：787 mm×1 092 mm　1/16

印张：19

字数：339千字　　印数：1—2 000

版次：2006年12月第1版　　印次：2006年12月第1次印刷

书号：ISBN 7-80734-165-3/TV·488　　定价：45.00元

《水坠坝设计与施工》编写人员

主　　编　郑新民　王英顺

副 主 编　贾泽祥　王逸冰

编写人员　郑新民　王英顺　贾泽祥　王逸冰

赵永军　王向晖　朱莉莉　段菊卿

田安民　刘煊娥　王鸿斌

前 言

《水坠坝技术规范》(SL302—2004)(以下简称《规范》)是由《水坠坝设计及施工暂行规定》(SD122—84)修订编写而成的。为满足水坠坝技术发展的需要,在认真总结近30年水坠坝技术发展和成果经验的基础上,《规范》增加了土工织物和聚乙烯微孔波纹管在水坠坝中的应用、沙土水坠坝的有关技术要求、在干旱缺水地区拦蓄洪水修筑水坠坝等方面的内容;压缩了与《碾压式土石坝设计规范》(SL274—2001)、《碾压式土石坝施工规范》(DL/T5129—2001)以及《水土保持治沟骨干工程技术规范》(SL289—2003)重复的内容;调整了观测设备部分的内容;增加了强制性条文,强化了《规范》的强制性作用。《规范》的颁布实施,是水利部贯彻落实国务院《建设工程质量管理条例》的一项重要措施,对进一步规范水坠坝工程的设计与施工,全面加强水坠坝工程的质量管理,推动水坠坝技术的不断完善和发展具有十分重要的意义。

水坠法筑坝是我国劳动人民在长期的生产劳动实践中逐步创造并不断完善的一种筑坝技术。早在古代,黄河流域劳动人民就已经采用类似水坠法筑坝的施工方法,开展引水拉沙造田,将荒滩荒沟改造为高产稳产的基本农田。近代以来,人们在引水拉沙造田、引水拉土修渠、筑坝的基础上,通过科学试验研究,逐步发展为引水冲土修筑土坝的技术。

新中国成立以来,水坠筑坝技术得到长足的发展。20世纪50~80年代,水坠法筑坝技术的试验研究工作由陕西、山西两省向全国各地发展;清华大学、河海大学等高等院校的参与为水坠坝技术理论的不断完善做出了贡献。在应用区域上,水坠坝由陕西、山西两省逐步推广到内蒙古、甘肃、宁夏、青海、新疆、河南、广东、广西、云南等省(区);在工程类型上,由拦泥淤地的水土保持淤地坝扩展到蓄水运用的水库工程;在筑坝土料上,由沙土发展到轻、中、重粉质壤土及花岗岩、砂岩风化残积土、冰积风化土、砾质黏土等;在坝型上,由均质坝推广到非均质坝;由有边埂的黄土均质坝,发展到采用分选办法修筑的砂砾石坝壳黏土心墙坝,以及利用水坠泥块拍筑的泥质边埂均质坝;在筑坝规模上,由小型逐步发展到中型,由最初数米高的低坝向六七十米的高坝发展;在筑坝的方法上,有单纯的水坠坝,有水坠与碾压结合坝,也有定向爆破与水坠法筑坝相结合的施工方法。

20世纪80年代以后，随着《水坠坝设计及施工暂行规定》(SD122—84)的颁发，以及黄河中游水土保持治沟骨干工程的开展，水坠坝施工技术得到广泛应用。据统计，1986～2003年，在黄土高原陕、晋、蒙、甘、宁、青、豫等7省(区)，共兴修治沟骨干工程1 852座，其中水坠坝262座，占总工程数量的26.2%。这一时期，虽然水坠坝的建设速度比70年代相对减缓，但筑坝技术更加成熟，工程质量与效益进一步提高。

黄土高原地区是水坠坝的发源地，同时也是推广应用的重点地区。当前，淤地坝建设作为黄土高原地区改善生态环境、全面建设小康社会、解决黄河洪水与泥沙问题、实现黄河长治久安的的重要工程措施之一，建设力度与速度明显加快，也为水坠坝技术的应用开拓了广泛的空间。

《规范》是水坠坝设计与施工的重要技术依据，是建设管理单位与规划、设计、施工、监理单位，以及相关技术人员从事水坠坝的技术工作中必须认真遵守的技术标准，也是各级水行政主管部门对水坠坝工程建设实施监督的重要依据。贯彻执行《规范》的关键是相关技术和管理人员能够正确理解和准确把握《规范》的相关内容。为了更好地开展《规范》的宣传贯彻和技术培训工作，黄河上中游管理局应广大工程技术人员的要求，按照上级的安排，组织编写了《水坠坝设计与施工》，以期加深工程技术人员对《规范》的理解与掌握。

本书共分11章。第一章概述，简要介绍了水坠坝的发展过程、形成机理与特点；第二章水坠坝规划，阐述了水坠坝的坝系规划与工程规划包含的内容；第三章工程选型与填筑标准，重点叙述了水坠坝的坝型选择、土料选择与填筑标准；第四章坝体断面设计，主要介绍了水坠坝的坝高、坝顶、坝坡、边埂、中心防渗体及坝面排水的设计；第五章坝基处理、坝体与坝基及建筑物的连接，简要介绍了水坠坝的坝基处理、坝体与坝基、坝体与混凝土等刚性建筑物的连接；第六章坝坡稳定和固结计算，重点介绍了水坠坝稳定计算的主要参数、固结规律和稳定计算方法；第七章施工组织设计，介绍了水坠坝的施工导流、场地布设、机具选择与安装和施工总进度的编制；第八章工程施工，分别介绍了均质坝、非均质坝和定向爆破－水坠筑坝的应用条件、设计与施工；第九章工程质量控制与施工安全，介绍了水坠坝质量控制方法与要求，以及施工安全要点；第十章水坠坝监测，介绍了水坠坝监测的项目、站点布设与监测方法；第十一章水坠坝的管理与养护，介绍了水坠坝的运行管理、养护维修与常见问题的处理方法。书中列举了一些工程计算实例,可供工程设计、施工人员参考。

水坠坝的设计与施工还有不少问题有待进一步研究。由于作者水平有限,错漏之处在所难免,敬请各位读者批评指正。

编　者

2006年10月

目 录

第一章　概　述

第一节　水坠坝及其发展过程

一、水坠坝及其相关术语

(一)水坠坝

水坠坝又称为水力冲填坝,亦叫“泥浆坝”、“拉沙坝”和“流泥坝”。它是利用水力和重力将高位土场土料冲拌成一定浓度的泥浆,引流到坝面,经脱水固结形成的土坝,故又称泥浆自流式水力冲填坝(见图1-1)。“水坠坝”这个词是陕北群众的习惯叫法,含有从高位土场用水带土下坠(流)之意。1984年,水利电力部颁发了《水坠坝设计及施工暂行规定》(SD122—84),逐步使其名称统一下来,2004年水利部颁发的《水坠坝技术规范》(SL302—2004),沿用了“水坠坝”这一名称。

1.水坠均质坝

水坠均质坝简称均质坝。坝体由泥浆非分选冲填而成,冲填土料的颗粒在全断面内分布较为均匀,无明显分离现象。这种类型的水坠坝适用于筑坝的各类土料。

2.水坠非均质坝

水坠非均质坝简称非均质坝。坝体由泥浆分选冲填而成,冲填土料的颗粒在水的冲力和自重作用下,由粗到细逐步沉积,形成坝壳区、过渡区和中心防渗区。这种坝型适用于花岗岩、砂岩风化残积土。

淤地坝是在水土流失严重地区支、毛沟内修建的以滞洪拦泥、淤地造田为主要目的的水土保持工程,按库容大小可分为大型(含水土保持治沟骨干工程)、中型和小型淤地坝。20世纪70年代以来,水坠坝技术在淤地坝的建设中得到广泛应用。据统计,1986～2003年,黄河上中游地区兴建的水土保持治沟骨干工程中约有1/4为水坠坝。

图1-1为陕北水坠筑坝施工现场的图片。

(a)冲填坝面及库区

(b)冲填土场及造泥沟

图1-1　施工中的陕西省横山县赵石畔小流域寺好峁水坠坝

(二)水坠坝相关术语

1.冲填泥浆

用以冲填坝体的泥浆。

2.起始含水率

对均质坝是指冲填泥浆进坝时(即输泥渠末端处)的泥浆含水率,它反映了泥浆的浓度;对非均质坝是指冲填泥浆经稀释分选后坝面冲填层的含水率,它不反映冲填泥浆进坝时的泥浆浓度。

3.干容重

单位体积内土粒的质量(或重量)。

4.起始干容重

相应于起始含水率的干容重。

5.稳定含水率

冲填坝体在土层自重压力作用下基本固结时的含水率。

6.稳定干容重

相应于稳定含水率的干容重。

7.流态区

冲填坝体内含水率大于液限的区域。

8.冲填速度

单位时间内坝体泥面上升的高度。

9.冲填强度

单位时间内坝体冲填土方的数量,一般指日冲填土方量。

10.边埂

在水坠坝上、下游坝坡处填筑的挡泥围埂。

11.泥拍边埂

沙土坝用冲填泥浆形成的泥块拍筑的挡泥围埂。

12.导流埂

非均质坝坝壳区和过渡区内修筑的、用以引导泥浆流向、防止粗颗粒进入中心防渗区的临时性土埂。

13.分选冲填

非均质坝的冲填方法。即用低压水枪射出的水流对进入坝面的泥浆进行稀释,在水的冲力和颗粒的重力作用下,粗颗粒留在坝壳区、中间颗粒冲到过渡区、细颗粒进入中心防渗区的一种冲填方法。

14.造泥沟

土场内用水冲土,拌成泥浆的沟渠。造泥沟位于土场的上游。

15.输泥渠

将泥浆输送至坝面的沟渠。输泥渠位于土场的下游。

16.沉淀池

非均质坝中心防渗区内控制细颗粒沉淀的泥池。

17.垂直透水墙

中心防渗区内用透水材料填筑,通常与排水竖井相连,用以排除泥浆中的水分,兼作运输便道的纵向堤。

二、水坠坝的发展过程

水坠法筑坝技术是我国劳动人民在长期的生产劳动实践中创造和逐步完善的一种筑坝技术。早在古代，在黄河流域就已经采用类似于水坠法筑坝的施工方法，开展引水拉沙造田，将荒滩荒沟改造为高产稳产的基本农田。在引水拉沙造田、引水拉土修渠的基础上，逐步发展为引水冲土修筑土坝。近代以来，国外也曾采用水力冲填方法建设土坝。

陕西省榆林市靖边县1942年起用引水拉沙造地，至今已造地逾千公顷（见图1-2）。

图1-2　陕西省榆林市靖边县杨桥畔引水拉沙造地

在沟壑中修筑土坝是黄土高原水土保持的主要工程措施之一。鉴于常规的夯填或碾压坝费工费时，不能适应水土保持迅速发展的需要，20世纪50年代后期，随着水土保持工程建设的发展，尤其是水土保持淤地坝工程的广泛开展，陕西、山西两省群众在沟道治理实践中，把引水拉沙造地技术逐步发展为引水拉沙（土）建坝，先后进行了各种加快筑坝技术的探索，如水中倒土、土中灌水、定向爆破－水坠筑坝等，并在实践中不断地创造和完善了水坠筑坝的施工方法。由于水坠坝具有工效高、施工机具简单、操作技术易于掌握的特点，为这项技术的推广和发展创造了极为有利的条件。20世纪60～70年代，在各级领导的重视和关怀下，水坠筑坝技术很快得到普及。这一时期，水坠法筑坝技术发展之快，推广数量之多，都是空前的。

新中国成立后，水坠坝的发展经历了以下几个阶段：

(一)水坠坝的初步试验阶段(1957～1972年)

1957年,黄河水利委员会水利科学研究所与绥德水土保持科学试验站合作,采用水力冲填筑坝的技术,在陕西省绥德县韭园沟内,用水力冲填黄土,修筑了一座4m高的试验土坝。1961年,黄河水利委员会西峰水土保持科学试验站用水力冲填黄土修复南小河沟花果山水库20m高的土坝(见图1-3),并撰写了《泥流筑坝初步试验分析》一文,于1963年12月在黄河流域水土保持科学研究工作会议上交流。由于当时机具、油料等条件的限制,没有继续进行试验推广。

图1-3 黄委会西峰水土保持科学试验站南小河沟花果山水库

1970年,黄河水利委员会绥德水土保持科学试验站通过对米脂县的调查,总结了该县高渠乡群众用水枪冲黄土筑坝的经验,并在杜家石沟小流域内的崔家圪塄等3个村进行水力冲填筑坝试验,实测了泥浆含水率、冲填速度及坝体脱水固结情况,同时在米脂县内进行推广。1970年冬至1971年7月,山西保德县贾家峁公社、山西省水土保持科学研究所,总结当地群众筑坝施工经验,采用水力冲填施工技术,在黄石崖沟完成坝高分别为20m、29m、31m的三座大中型淤地坝,并进行了施工方法、泥浆浓度、坝体干容重、施工工效、筑坝成本等试验观测。三座坝总库容258万m^3,可淤地66.7hm^2,总投工9.4万个,土石方20.5万m^3,其中土方18.4万m^3,平均冲填工效20.6m^3/工日。1971年秋,陕西省水土保持局又组织人员调查了陕北10个县、29个乡的水坠坝,总结了群众的经验,进行了土壤物理性质试验分析,编写了《水坠坝》一书,这是“水坠坝”一词最早在正式出版物上的使用。书中肯定了水坠坝的优越性,系统总结了水坠坝的设计、施工、维修养护和事故处理的经验,以及研究和推广中的问题,对水坠坝的建设起了十分重要的推动作用。

(二)水坠坝试验研究阶段(1973~1983 年)

1973 年 4 月,原水利部部长钱正英在延安参加黄河中游水土保持工作会议期间,了解有关水坠坝情况后,要求进行技术总结,解决存在问题,以利于对水坠坝的规划、设计、施工技术进行科学指导。同年 7 月,由黄河水利委员会、陕西省水土保持局、山西省水利厅共同主持在西安召开协作会议,成立陕晋水坠坝试验研究工作组和领导小组。领导小组成员有黄河水利委员会水利科学研究所仝允杲,陕西省水土保持局石元正(后由蒋德麒接任)、周梦亮,山西省水利厅袁步森、山西省水利科学研究所曹素滨等。主要参加单位有黄河水利委员会系统和陕西、山西两省与所属有关地县水利水土保持局、水利科学研究所、水土保持科学研究所,以及清华大学等大专院校水利系等共 43 个单位,100 多位科技人员。试验研究工作组根据黄河中游的土质特点及群众建坝中普遍出现的工程技术问题,提出针对施工中的滑坡问题作为试验研究的突破口,在陕北、晋西、关中、豫西等地区先后选定 6 座重点坝、4 座副点坝和 8 座联系坝,建立了陕北、关中、晋西 3 个试验研究组,分别进行定点试验研究。

研究工作大致分为三个阶段:

第一阶段从 1973 年开始,着重研究轻粉质壤土和中粉质壤土水坠坝的施工技术与稳定分析方法,主要研究防止滑坡问题,结合调查总结群众经验,摸索出一套办法,1976 年编印《水坠坝施工须知》,指导群众建坝。

第二阶段从 1975 年下半年开始,为适应水坠坝向水库工程发展的需要,着重研究重粉质壤土水坠坝的施工技术和边埂的稳定分析方法。通过现场观测、室内模型试验和电算分析,对水坠坝的破坏模式、受力条件进行了探讨,提出了 5 种边埂稳定计算方法。1978 年编印了《水坠坝设计要点》,作为中小型水库水坠坝的设计依据。

第三阶段从 1978 年开始,为适应水坠法筑坝向更广大的地区和修筑较大水库工程发展的需要,采用比奥固结理论,按有限元法,开展了坝体应力应变分析、抗震稳定性及设计理论和计算方法的探讨,取得了初步的成果。

1979 年 5 月在山西省太原市召开了水坠坝技术经验交流现场会,1980 年编写出版了《水坠坝》一书,并起草了《水坠坝设计及施工暂行规定》(SD122—84)。陕西、山西两省水坠坝试验研究工作圆满结束。其研究成果 1978 年获全国科学大会科技成果奖,1981 年获国家科委和国家农委科技推广奖,1985 年获国家科技进步二等获。

20世纪60～70年代，随着水土保持群众运动的迅速发展，水坠坝也随之普及。特别是近几年来，在各级领导的重视和关怀下，水坠法筑坝发展较快，推广数量也很多。据陕西、山西两省不完全统计，至70年代中后期，共建成水坠坝8 000余座，其中坝高在15m以上的5 000余座。当时建成的陕西省延安市吴起县长城水库，最大坝高70m，土方202万m^3，库容达6 900万m^3。从全国来看，内蒙古、甘肃、宁夏、青海、新疆、河南、广东、广西、云南等省(区)，都建成了一批水坠坝。其中内蒙古建成大小坝1 500多座；广东、广西建成坝高15m以上的水坠坝有100多座。

1979年12月，根据各省(区)要求，经水利部批准，在郑州成立了黄河流域水坠坝科研协调组，组长单位为黄河水利委员会、陕西省水土保持局和山西省水利厅。由黄河水利委员会水利科学研究所仝允杲、陕西省水土保持局蒋德麒、山西省水利科学研究所曹素滨等三人负责，成立领导小组，主要参加单位有黄河上中游7省(区)和新疆维吾尔自治区所属水利水保局、水保站。协作单位有水利部西北水土保持科学研究所、西北农学院水利系、陕西机械学院水利系、华北水利学院农水系、中国科学院工程力学研究所和内蒙古农牧学院水利系。1980～1983年，各省(区)开展试验研究的定点试验坝9座、联系试验坝2座，分别进行了沙土与粉质壤土施工技术和稳定分析研究、抗震性能研究、重粉质壤土坝体脱水固结及施工技术研究，以及运用期坝体质量和运用情况研究。

(三)水坠坝推广应用阶段(1984年以后)

1984年，水利电力部颁发了《水坠坝设计及施工暂行规定》(SD122—84)。至此，水坠坝施工技术逐步趋于完善。

20世纪80年代以后，随着《水坠坝设计及施工暂行规定》(SD122—84)的颁发，以及黄河中游水土保持治沟骨干工程建设的不断发展，水坠坝施工技术在黄土高原地区得到广泛推广与应用。

这一时期，虽然水坠坝的建设速度比70年代相对减缓，但筑坝技术、施工方法、工程效益则比以前有了较大的提高。80年代初期，农村普遍实行了联产承包责任制，农业生产开始由计划经济逐步转向市场经济。为了加快对黄土高原水土流失的治理，国家进一步重视和加强了黄土高原地区的淤地坝建设及水土保持科学技术措施的研究。各地在认真总结前30多年筑坝淤地经验教训的基础上，在淤地坝的坝系规划、工程结构、设计标准和建坝顺序等方面进行大量的试验研究工作，取得许多科研成果，其中“以坝保库，以库保坝”、“小多成群有骨干”等经验、成果为广大群众所共识。

1984年春，根据国家计委和水利电力部的要求，黄河中游治理局提出了在黄土高原地区建设水土保持治沟骨干工程的初步方案，主要内容是在黄土高原水土流失最严重地区（侵蚀模数 5 000t/(km^2·a)以上），配合坡面上的梯田、林草与沟头防护措施，在集水面积 3～5km^2 的支沟内兴修水土保持治沟骨干坝工程，单坝设计库容大部分为 50 万～100 万 m^3，少数为 100 万～200 万 m^3，个别可达 500 万 m^3。作为控制性工程，用以提高沟道中坝系的防洪标准，同时可拦泥淤地，阻止并减少泥沙下泄，从根本上减少入黄泥沙。

1985 年底，黄河中游治理局提出了《黄河中游水土保持治沟骨干工程规划》，作为《黄河流域黄土高原地区水土保持专项治理规划》的一个重要组成部分，经上级审查原则同意，1986 年开始进行试点，国家计委和水电部每年拨出专款，支持有关省（区）开展此项工程建设。图 1-4 为采用水坠法筑坝建成的陕西省横山县石老庄小流域坝系中的风山骨干坝。该工程坝高 33m，总库容 213.4 万 m^3，坝体总土方 15.3 万 m^3，系由沙壤土修建的均质水坠坝。该坝于 2004 年 3 月 1 日开工，当年 10 月 20 日竣工，总工期 230 天。该工程的建成，解决了上游 3 个乡镇、7 个自然村、5 000 多人的交通运输问题，使下游 73hm^2 坝地变为水田，有力地促进了当地农村经济的发展，为全面控制上游水土流失，减少入黄泥沙，改善生态环境起到极为重要的作用。

图 1-4　陕西省横山县石老庄小流域坝系风山骨干坝

据统计，1986～2003 年，在陕西、山西、内蒙古、甘肃、宁夏、青海、河南、山东等 8 省（区），共兴修水土保持治沟骨干工程 1 852 座，其中水坠坝 486 座，占总工程数量的 26.2%。各省（区）所建骨干工程总数与水坠坝数量见表 1-1。

表 1-1 1986～2003 年各省区建设治沟骨干工程总数与水坠坝数量

项目	青海	甘肃	宁夏	内蒙古	山西	陕西	河南	山东	合计
骨干坝总数	87	255	100	386	468	470	63	23	1 852
水坠坝数量	29	52	7	75	61	262	0	0	486
水坠坝占总数(%)	33.3	20.4	7.0	19.4	13.0	55.7	0	0	26.2

为加快黄土高原淤地坝建设，水利部组织黄河水利委员会编制完成了《黄土高原地区水土保持淤地坝规划》。根据规划，到 2020 年，建设淤地坝 16.3 万座，其中骨干坝 3 万座。黄土高原地区主要入黄支流基本建成较为完善的沟道坝系。淤地坝年减少入黄泥沙达到 4 亿 t，为实现黄河长治久安、区域经济可持续发展和全面建设小康社会提供保障。工程发挥效益后，区域拦截泥沙能力达到 400 亿 t，新增坝地面积达到 50 万 hm^2，促进退耕面积可达 220 万 hm^2。

淤地坝建设将以多沙粗沙区为重点，近期优先安排原有坝系配套和改建工程，以及窟野河、秃尾河、孤山川、皇甫川和"十大孔兑"等入黄一级支流淤地坝工程。工程建设根据总体规划，按小流域坝系组织实施，退耕还林、农村能源建设、生态移民、水土保持综合治理等工程与淤地坝工程配套，沟坡兼治，综合治理，发挥生态建设的整体效益。淤地坝工程建设投资实行中央、地方和群众共同投入的机制，骨干坝以中央投资为主，中小淤地坝以地方和群众投入为主。

2003 年以来，水利部全面启动实施了黄土高原地区水土保持淤地坝工程，并把黄土高原地区淤地坝建设作为全国水利"三大亮点工程"之一，给予极大的重视与支持。至此，经过科学规划设计、技术论证后的淤地坝工程建设，在黄土高原地区大规模展开。标志着黄土高原淤地坝建设进入了新的发展阶段，对黄土高原乃至我国经济社会的发展具有十分重大的意义。

黄土高原地区大规模的淤地坝建设必将推动水坠筑坝技术的进一步发展。

三、水坠坝的应用范围

20 世纪 70 年代，陕西、山西两省群众在治沟打坝实践中创造和发展起来的水坠筑坝技术，因其工效高、筑坝机具简单、操作技术易于掌握，得到了迅速地推广和发展。加之各级领导的重视与支持，使水坠施工技术的应用范围得到不断延伸。

在应用区域上，水坠坝由陕西、山西两省首先推广到我国北方地区，再由北方地区推广到南方地区。从全国来看,内蒙古、甘肃、宁夏、青海、新疆、河南、广东、广西、云南等省(区),都建成了一批水坠坝。其中内蒙古建成大小坝 1 500 多座;广东、广西建成坝高 15m 以上的水坠坝 100 多座。

在工程类型上,由拦泥淤地的水土保持淤地坝扩展到蓄水运用的水库工程;除筑坝建库外,还广泛应用于劈山改河、搬山填沟、淤滩造地、冲土压碱等农田基本建设各个方面。山西省昔阳县西固壁村采用水力冲填法劈山改河,效果非常显著。

在筑坝土料上,由沙土发展到轻粉质壤土、中粉质壤土、重粉质壤土、花岗岩、砂岩风化残积土(主要分布在广东和广西一带)、冰积风化土(主要分布在新疆)、砾质黏土等。图 1-5 为广东省肇庆市德庆县采用水坠筑坝技术修筑的冲原水库水坠坝,该工程坝高 51.2m,坝顶长 320m,总库容 2 690 万 m^3,坝体土方 110 万 m^3,其中水坠土方 65 万 m^3,筑坝土料为花岗岩风化残积土,系采用非分选充填施工的均质坝,至今运行良好。

图 1-5　广东省肇庆市德庆县采用水坠筑坝技术修筑的冲原水库水坠坝

在坝型上,由均质坝推广到非均质坝,由有边埂的黄土均质坝,发展到采用分选办法修筑的砂砾石坝壳黏土心墙坝,以及利用水坠泥块拍筑的泥质边埂均质坝。图 1-6 为施工过程中的甘肃省定西市安定区秤钩河小流域坝系别杜川骨干坝,正在采用碾压边埂修筑水坠坝。图 1-1 施工中的陕西省横山县赵石畔小流域寺好峁骨干坝,即为采用泥拍边埂修筑水坠坝。

(a)　(b)

图 1-6　采用碾压边埂修筑的甘肃省定西市安定区别杜川水坠坝

在筑坝规模上，由小型逐步发展到中型，由最初数米高的低坝向六七十米的高坝发展。图 1-7 为陕西省延安市吴起县采用水坠坝技术修筑的长城水库，该工程坝高 70m，总库容 6 950 万 m^3，坝体土方 200 万 m^3，筑坝土料为沙壤土，坝型为水坠均质坝。

图 1-7　陕西省延安市吴起县采用水坠坝技术修筑的长城水库

在筑坝的方法上，有单纯的水坠坝，有水坠与碾压结合坝，也有定向爆破筑坝与水坠法筑坝相结合的施工方法，并在宁夏、云南、内蒙古等省(区)取得实践经验。1992 年黄河上中游管理局采用“爆破筑坝先期拦蓄洪水，爆堆体注水固结，水坠法加坝整修”的施工方法，在内蒙古自治区清水河县麻地壕治沟骨干工程建设中进行试验获得成功后，迅速在黄土高原地区得到大面积的推广，效果良好。图 1-8 为内蒙古自治区清水河县麻地壕骨干坝在水坠施工前实施的定向爆破施工瞬间。

图 1-8 内蒙古自治区清水河县麻地壕骨干坝采用定向爆破 - 水坠筑坝爆破施工瞬间

黄土高原地区是水坠坝的发源地，同时也是应用的重点地区。20 世纪 80 年代以来，水坠坝的设计与施工技术在区域内得到了较大发展。伴随着工程建设，水坠坝的科技含量与技术水平也得到明显提高。出现了定向爆破 - 水坠结合筑坝、爆破松土水坠坝、高压水枪冲土筑坝等新技术，以及将土工织物、聚乙烯微孔波纹管等建筑材料应用于水坠坝施工过程的坝体排水中，极大地推动了水坠坝筑坝技术的发展。

当前，淤地坝建设作为改善黄土高原地区生态环境、全面建设小康社会、解决黄河洪水与泥沙问题、实现黄河长治久安的的重要工程措施之一，建设力度与速度明显加快，也为淤地坝的主要坝型——水坠坝的设计与施工技术注入了新的活力，开拓了广泛的应用空间。

2004 年，水利部颁发的《水坠坝技术规范》(SL302—2004)，在充分吸收原暂行规定有关技术内容的基础上，认真总结了近 20 年水坠坝设计、施工技术发展与成果经验，根据目前水坠坝的适用条件和应用范围，将标准的内容重点定位在大型淤地坝(含水土保持治沟骨干工程)，同时考虑到当前水资源开发利用的要求，将与水坠坝设计和施工密切相关的蓄水运用工程的有关技术规定有重点地选择编入，增加了一些新技术、新材料在水坠坝中应用的有关规定和技术内容。规范的结构也基本沿用了原暂行规定，同时考虑到了规范的使用对象主要是基层设计与施工单位，对一些重点内容作了必要的技术交底。

不可否认，水坠坝的设计与施工还有不少问题有待进一步研究。在施工技术方面，有加速脱水固结、加快施工进度、提高施工机械化程度、降低施工造价等问题；在设计计算理论方面，目前仍属于半理论半经验性质，有待进一步研究冲填土体的脱水固结规律和应力分布、坝体变形机理和冲填土的力学性质，以及抗震稳定性等问题；在运用管理方面，水坠坝的观测试验研究工作还未提到应有的位置。在水利部把黄土高原地区淤地坝作为近期实施的“三大亮点工程”之一的新形势下，有必要进一步开展水坠坝的科学实验与研究工作，加强水坠坝施工技术和设计理论方面的研究，使之在坝库工程建设中发挥更大的作用。

第二节　水坠坝形成机理

水坠坝从开始施工到坝体形成大体需经过三个阶段，即土料成泥阶段、土粒沉淀脱水阶段和土体固结压密阶段。

一、土料成泥

水坠坝土场一般选在高于设计坝顶高程的沟(山)坡上。施工时，用机械抽水或自流引水方式把水送到土场，使水流顺着坡度很陡的造泥沟快速而下。同时，土场土料经过人工开挖、爆破或水枪冲击，沿程将松土不断送入造泥沟。土块遇水湿化、崩解，并经流水拌和作用，在造泥沟的末端形成一定浓度的泥浆，然后经输泥渠送到筑好围埂的坝面冲填池内。

在此过程中，原状土的结构被彻底破坏，由原来的土粒、空气和少量天然水分组成的三相土体，变成仅由土粒和水组成的两相泥浆体。

二、土粒沉淀脱水

泥浆进入坝面冲填池后，流速骤减，最后停止流动。悬浮的土粒在重力作用下，逐渐沉淀，一部分自由水被置换澄析在泥浆表面，由泥面高处向低处流动。这时泥浆处于流态，密度很小，强度极低，主要靠边埂阻滑维持坝体稳定。当表层水被排除或蒸发后，冲填体还会在毛细管作用下继续排除一部分水分。随着含水率的降低，冲填体逐渐成为具有一定承载能力的塑性土体。

在这个阶段中，水分基本上是向上离析出来的。沉淀析水过程的长短与土料颗粒组成和冲填泥浆浓度有关。泥浆浓度越大，土料含黏量越少，所需的沉淀析水时间越短，冲填体越能较快地达到塑性状态，越有利于坝体稳定；反之，沉淀析水时间延长，对施工不利。

三、土体固结压密

坝体是一层接一层地冲填起来的，坝体上下各部的受压情况不同，土的抗剪强度也不相同。下部已冲填的饱和土层将不断地受到上层的压力,开始时,上部的荷重几乎全为土体空隙中的水所承担。水所承担的压力,成为孔隙水压力。不同部位孔隙水压力大小不同。由于压差作用,压力高处的孔隙水逐渐向压力低处渗透。孔隙水除了被围埂吸收一部分外,还通过坝基、岸坡或专用排水设施,逐渐排出坝外。随着孔隙水的减少,土体逐渐得到压密,原来由孔隙水承担的那部分压力,逐渐转移到土的固体颗粒上。此时,土的固体颗粒上所承担的压力,称为有效压力。随着水的不断排出,孔隙水压力不断减小,有效压力逐渐增加,土体的抗剪强度也随之增大,直到孔隙水压力完全消散时,土体颗粒承受了全部上部荷重。在有效压力作用下,土体颗粒被进一步压实,最终形成均匀密实的坝体。

在此阶段中,坝体水分是以排渗为主,所以也叫做渗透固结阶段。

显然,坝体孔隙水压力的大小和固结压密的快慢,主要取决于泥浆浓度、坝体冲填速度(加荷速度)、冲填土料的渗透性与压缩性以及坝体排水条件等。

连续冲填的坝体,在土体压密的第二阶段没有结束时,其上部泥浆又继续累加,这就延长了它的沉淀排水过程。而且,由于冲填面的逐渐上升,在原有孔隙水压力消散的同时,又会产生新的孔隙压力水。因此,整个坝体固结压密是一个受多种因素影响的综合复杂的逐渐稳定的过程。

第三节　水坠坝特点

水坠坝与碾压土坝比较,具有冲填坝体的泥浆浓度大、施工期内坝体存在流态区、坝体的冲填速度因土而异、工效高、投资省、质量好、施工方便等明显的特点。

一、泥浆浓度大

利用高浓度泥浆冲填筑坝,是我国水坠坝的最大特点。泥浆中每立方米的水要挟带 2～3m^3 的土,其土水比为 2:1～3:1。这比国外水力冲填筑坝的浓度要大很多。一般来讲,泥浆浓度大则功效高、成本低,相对起始含水率小、脱水固结快,坝体泥浆基本不产生分选现象,质量有保证。稠泥浆流动与一般挟沙水流不同,它具有高浓度泥流的特点:

(1)全断面土水比基本一致,稀稠均匀。

(2)拖拽力大,泥流平稳。

(3)在输泥渠内流动时,渠壁形成一层光滑的泥壳,摩擦阻力很小,流速较大,一般不会堵淤渠道。如输泥渠坡度较缓,有时会产生“浆河”现象(即暂时堵塞现象),流流停停,聚少成多后流入坝面泥池,并不对水坠坝的施工质量和进度构成影响。

(4)粉质壤土(以粉粒为主)的稠泥浆在冲填池内,由于泥面坡度大,泥池距离短,泥浆推动力较强,泥浆不是以层流方式流动,而常以较厚的泥层向前蠕动,使土粒不可能在冲填池内产生分选。

二、施工期内坝体存在流态区

水坠坝坝体除了碾压的边埂和填筑的中间埂外,其余均为冲填的泥浆。如果采用连续冲填施工,泥浆来不及脱水固结,施工期坝的上部必然形成一个含水率大于流限的流态区,见图1-9。

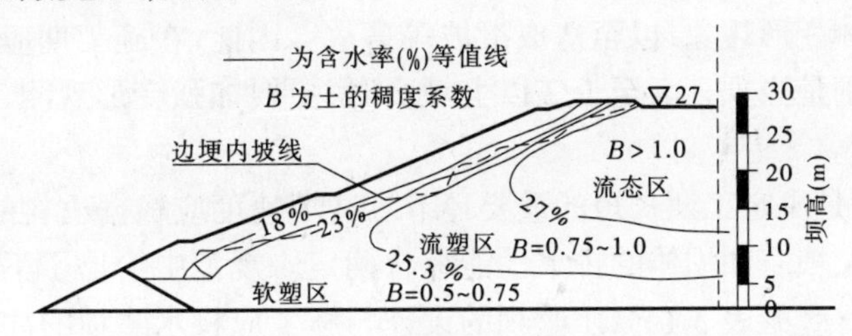

图1-9　水坠坝施工期坝体流态区分布图

流态区范围的大小与维持时间的长短,主要与冲填土料黏粒含量、透水性、冲填方式、坝基坝体排水条件等因素有关。黏性小的土料,透水性强,脱水固结快,坝体强度迅速增长,流态区范围较小,消失得也较快。这时,边埂只是在短时间内起挡泥作用,只要有合适的坝坡比和一定的围埂宽度,就可以维持坝坡的稳定。黏性大的土料,透水性弱,脱水固结慢,坝体强度增长也较慢,如果冲填速度大,坝体又无专门排水设施,流态区范围将显著增大,而且维持的时间也较长,产生较大的泥浆推力,施工期坝坡的稳定主要依靠边埂来维持。因此,除了有合适的坝坡比,还要有足够的边埂宽度和一定的碾压质量。

实践证明,采用沙壤土、轻粉质壤土、中粉质壤土修筑的水坠坝,在竣工后,流态区都能较快地随着泥浆含水率的降低和孔隙水压力的消失,而逐渐缩小以至消失,从而形成稳定性较高的坝体。采用重粉质壤土修筑的水坠坝,一般应在坝体内设置排水盲管或砂井、砂沟等设施,促进坝体泥浆的脱水固结,同样可以达到稳定的效果。

三、冲填速度因土而异

水坠坝稳定问题的实质,就是坝体荷载的变化与坝体强度的变化是否相适应的问题,在施工期则表现为坝体冲填上升速度与坝体脱水固结速度是否相适应的问题。不少工程实例表明,水坠坝的位移、鼓肚或滑坡事故主要发生在施工期,发生的部位一般又在施工坝高偏顶部1/2～2/3范围内,并随着坝体的升高而升高。

一般来讲,坝址处河槽、沟道的断面下部较窄,岸坡及坝基的阻滑作用较大,排水条件好,坝下部的冲填速度可以稍快。到了坝高的中上部位,由于沟岸两坝肩的距离变宽,岸坡和坝基对坝体泥浆的约束力减小,坝体泥浆的排水渗径增大,脱水固结缓慢,冲填速度就应适当减低。如冲填速度太快,容易引起边埂位移、鼓肚等坝体变形现象,以至造成滑坡等事故。因此,在施工期应密切注意坝坡的变形,特别是当坝升高至1/2以上坝高时,更要加强变形观测,并据此严格控制冲填速度。

冲填速度是决定工期长短的重要环节。冲填速度应根据土料的透水性(渗透系数)、坝基、坝肩和坝体的排水性能综合确定。规范中给出了不同土类的冲填速度控制指标(见表3-15),水坠坝的设计与施工应将水坠坝的冲填速度控制在规范限定的容许范围之内。

为了既保证施工安全,又不贻误工期,必须掌握适当的冲填速度,妥善安排工程进度,避免临时突击。

四、工效高,投资省

水坠筑坝与碾压筑坝相比,可大大提高筑坝土的装土、运土、卸土、铺土、碾压五道工序的工效。如采用轻、中粉质壤土水力冲填筑坝,每个工日可完成土方8～14m^3,比碾压法筑坝提高工效3～6倍。若采用水枪冲土,提高工效更为显著,每个工日可完成土方50～100m^3。陕西省延安市宝塔区首头庄村,全村有90个劳力,由于劳力不足,一直不敢动手修坝。推广水坠坝后,利用水枪冲土水坠筑坝,14名劳力只花了9个月时间,就修建成了一座坝高21.5m,土方4.4万m^3,能淤地10hm^2的中型淤地坝。

新疆维吾尔自治区皮山县雅普泉水库,采用碾压筑坝,上劳力1万多人,一个冬季完成土方42万m^3,次年被洪水冲毁。后改为水坠坝施工,上劳力1 500人,不到三年时间,建成一座坝顶长2km、坝高30m、土方480万m^3、库容2 000万m^3的水库,可灌溉耕地1.3万hm^2。根据当地统计,水坠坝一般比碾压坝工效(0.3~0.5m^3/工日)提高10~40倍;比水中倒土筑坝工效(0.9~1.7m^3/工日)提高3~15倍。

广西壮族自治区博白县凤凰山乡石榕村用砾质土修建的坳背水坠坝,坝高30m,库容110万m^3,土方9.6万m^3,原计划碾压施工需38万工日,改用水坠筑坝后,仅用了3万工日,节省了35万工日。

水坠坝施工由于使用劳力少,只需要简单抽水机具,与碾压坝相比,可以降低成本60%以上。如具有自流引水冲填的条件,投资更节省。山西省河曲县的曲峪水库,坝高38m,库容477万m^3,原计划从全县抽调劳力进行碾压施工,计划投资40万元;后来采用水坠施工,由受益的两个村投工,用一年时间,投资8万元就建成了。

内蒙古自治区清水河县石峡口水库,坝高33m^3,土方53万m^3,库容1 724万m^3,原计划用碾压施工需时三年;后改用水坠施工,半年就完成了,提高工效11.5倍,节约投资75.8%。

五、质量好

冲填泥浆脱水固结后,坝体质量均匀密实,与坝基和岸坡结合也较紧密,完全可以达到一般设计要求。

陕西、山西两省十几座已成水坠坝钻探结果表明,竣工时和竣工后一二年内,坝体干容重都能达到1.55t/m^3左右(见表1-2)。

表1-2 水坠坝坝体干容重测定

省(区)	坝名	坝高(m)	竣工至测定相隔时间(a)	土料名称	干容重(t/m^3)
陕西	磨石沟	34	1.0	轻粉质壤土	1.58
陕西	上刘家川	26	0.5	轻粉质壤土	1.50~1.60
山西	桃儿嘴	34	2.0	轻粉质壤土	1.57~1.60
山西	曲峪	38	1.0	轻壤土	1.57~1.63
山西	东风	24	3.5	中粉质壤土	1.60~1.62
内蒙古	石峡口	33	10~15	轻粉质壤土	1.50~1.59

山西省河曲县桃儿嘴水库,坝高34m,冲填土料为轻粉质壤土。经钻探观测:泥浆进入坝面后,10天左右,坝面2m以下的坝体含水率可降低到30%~

38%,相应的干容重为1.49～1.34t/m³;30天左右,2～5m内坝体含水率降低到28%～29%,相应的干容重为1.53～1.51t/m³;经过60天左右,坝体10m以下含水率在24.5%左右,干容重为1.60t/m³左右。竣工两年后,坝体含水率稳定在23%～24.5%之间,干容重在1.60t/m³左右。

陕西省横山县河口庙水库,坝高43.5m,库容5 860万m³,土方100万m³,坝前蓄水位28m左右,经多年运用,未见异常现象。

新疆维吾尔自治区皮山县雅普泉水库,经多年运用,效果良好。

六、施工方便

水坠筑坝施工技术简便,群众容易掌握,适宜普遍推广。当岸坡有筑坝材料,附近有水源,地形条件许可,一般均可采用。此筑坝方法基本上不受土场土料含水率的影响,可在雨季施工。由于工效高,过去需要上百人施工的工程,现在10余人就可以胜任;过去需要跨年跨汛施工的工程,现在秋季开工,第二年汛前就可以完成。陕西省子洲县磨石沟坝、横山县双城坝、米脂县南沟坝,坝高30～40m,坝体土方40万～50万m³,都是采用水坠筑坝的形式修建的。群众高兴地说:"水坠筑坝就是好,不运不夯工效高,投资少来质量好,人少能把大坝搞。"

水坠坝与碾压坝比具有不少优越性,但也存在一些缺点。一是施工期坝体容易发生较大变形,如不按规定要求施工,甚至可能发生滑坡事故;二是为了控制变形,施工速度受到一定限制,特别是含黏量较高的土料,需要严格控制施工速度;三是当土料、坝高决定后,坝体最终可能达到的干容重就成了定数,很难进一步提高。此外还有坝体设计增加了边埂稳定计算的内容,施工中常受到水源和施工机具的限制等。关于水库运用期的稳定性和抗震性能,目前尚无充分资料可以说明。所有这些问题,都还需要通过工程实践作进一步研究加以解决和克服。

第二章　水坠坝规划

水坠坝规划包括坝系规划和工程规划两部分。

水坠坝的坝系规划同碾压坝无原则上的不同。由于水坠法筑坝技术的不断推广和应用,加快了坝库建设的速度,将小流域沟道治理推向一个新阶段。多年来小流域坝系工程建设,为坝系规划积累了比较丰富的经验,也提高了对坝库规划建设及作用的认识。在黄土高原地区,已经涌现了一大批坝系建设的典型小流域,坝系建设为小流域拦泥淤地、蓄水灌溉、发展生产、防洪保安提供了有力的保障,为小流域水土资源的综合开发利用提供了广阔的空间。但也有些流域,由于坝系规划不当、设计不周、布局不合理,缺乏必要的控制性工程,在遭遇较大暴雨的情况下,全流域发生连续性垮坝事故,遭受很大损失。总结经验教训,提高坝系规划等前期工作的周密性、科学性和规范性,将有利于更好地实现淤地坝拦泥、淤地、防洪和保安的作用,改善生产生活条件和生态环境,促进人与自然和谐相处。

第一节　坝系规划

一、坝系规划的概念

坝系是指在小流域的干、支、毛沟内修建的由水土保持治沟骨干工程(又称骨干坝)、中小型淤地坝和塘坝(小水库)等不同用途的沟道坝库工程组成的有机的沟道工程体系。以滞洪拦泥、保护众多中小型淤地坝安全生产的工程叫治沟骨干工程(或骨干坝),以拦泥淤地、发展生产为主的中小型淤地坝又叫生产坝,以蓄水灌溉为主的工程叫塘坝(或小水库)。小流域坝系具有滞洪拦泥、发展生产、防洪保收、提高水土资源利用率、促进退耕还林(草)、增强小流域社会经济可持续发展能力的综合效益,在水土保持综合治理措施中占有极其重要的位置。

小流域是一个完整的自然集水单元,是江河水系中的基本集水单元。小流域的面积在300km^2 以下,多数小流域面积为10～50km^2,适宜坝系建设的小流域一般在100km^2 以下,对流域面积较大的小流域,可以通过小流域集水单元的进一步分解,形成适宜淤地坝建设的小流域。

坝系规划是将小流域沟道的坝库工程作为主要研究对象,在充分认识坝系的运用方式和水沙规律的基础上,考虑坝系的诸多特性,选择合适的工程规模,将坝系的防洪安全、水资源利用、工程建设投入、流域综合治理、坝系农业生产和经济效益、生态效益、社会效益等进行综合考虑,将效益最大化作为目标,采用数学方法,借助现代技术手段和专家智能,寻求系统的最优解或较优解的过程。

二、黄土高原地区小流域的特点

(一)水土流失面积大,强度高

黄土高原地区总面积为64.2万km^2,其中水土流失面积达45.4万km^2,占总土地面积的71%。侵蚀模数大于5 000t/(km^2·a)的强度以上水蚀面积14.6万km^2,占全国同类面积的38.9%;侵蚀模数大于8 000t/(km^2·a)的极强度以上水蚀面积为8.51万km^2,占全国同类面积的64.1%;侵蚀模数大于15 000 t/(km^2·a)的剧烈水蚀面积为3.67万km^2,占全国同类面积的89%。局部地区的侵蚀模数甚至超过30 000t/(km^2·a)。

(二)水土流失的时空分布集中

据有关研究成果,黄河河口镇以上区域产沙较少;河口镇至三门峡区间产沙较多。其中占黄土高原地区总面积12.2%的黄河中游多沙粗沙区,其多年平均输沙量却占输入黄河泥沙量的62.8%。黄土高原地区水土流失多集中在汛期(6~9月),一般占全年的60%~90%。来沙又往往集中于几场大的暴雨洪水,许多地方一次暴雨的侵蚀量占全年总侵蚀量的60%以上(见表2-1);河龙区间的皇甫川、孤山川、窟野河、秃尾河四条支流汛期输沙量占全年的90%以上(见表2-2)。

(三)沟道侵蚀十分严重

黄土高原地区的沟道侵蚀主要表现为沟底下切、沟岸扩张、沟头前进等几种形式。强烈的水土流失,特别是沟蚀,把地面切割得支离破碎、千沟万壑。全区长度大于0.5km的沟道达27万条,仅河龙区间沟长在0.5~30km的沟道就有8万多条(见表2-3)。黄土高塬沟壑区和黄土丘陵沟壑区大部分地区沟头每年前进1~3m,有的地方一次暴雨就使沟头前进20~30m,甚至达到100m以上。宁夏回族自治区固原县在1957~1977年的20年间,由于沟蚀,损失土地6 000多公顷;甘肃省董志塬在近1 000年间,由于沟蚀,塬面面积减少了一半。

表 2-1　黄土高原地区典型小流域一次暴雨侵蚀量

地点	暴雨量(mm)	时间(年·月·日)	历时(时:分)	洪水		泥沙	
				数量(m^3/km^2)	占年总量(%)	数量(t/km^2)	占年总量(%)
陕西省彬县鸣玉池	103.3	1960.7.4	13:25	2 367	65.1	926	75.4
陕西省绥德韭园沟	45.1	1956.8.8	2:25	17 680	48.7	4 668	70
甘肃省天水吕二沟	74.3	1962.7.26	20:45	8 934	62.5	2 416	62.3
甘肃省西峰南小河沟	99.7	1960.9.1～2	20:57	7 985	56.5	3 105	66.3
山西省离石王家沟	87.6	1969.7.26	6:00	47 473	87.7	36 456	90.8

表 2-2　河龙区间四条支流输沙特征

支流名称	控制站	时段	年径流量(万 m^3)	年均输沙量(万 t)	汛期径流量		汛期洪水输沙量		洪水输沙模数($t/(km^2·a)$)
					均值(万 m^3)	占年值(%)	均值(万 t)	占年值(%)	
皇甫川	皇　甫	1954～1996	16 540	5 240	12 250	74.1	5 170	98.7	16 290
孤山川	高石崖	1954～1996	8 690	2 210	5 640	65	2 200	99.6	17 410
窟野河	温家川	1954～1996	66 860	11 330	31 710	47.4	11 080	97.7	12 810
秃尾河	高家川	1956～1996	36 550	2 100	5 260	14.4	1 890	90.2	5 820

表 2-3　黄河河口镇至龙门区间沟道情况统计

沟长(km)	0.5～3	3～5	5～10	10～20	20～30	合计
沟数(条)	73 000	4 500	2 300	720	35	80 555

(四)黄土高原的千沟万壑是泥沙的主要来源地

据有关研究成果,黄土丘陵沟壑区沟谷面积占总面积的45%~55%,而产沙量却占50%~70%;黄土高塬沟壑区沟谷面积占总面积的30%~40%,而产沙量却占85%以上(见表2-4)。

表2-4　黄土高原地区典型小流域产沙情况

流 域	地区	类型区	沟间地(%)		沟谷地(%)	
			面积	产沙量	面积	产沙量
韭 园 沟	陕西绥德	丘陵沟壑区	44.2	30.2	55.8	69.8
赵 家 沟	陕西清涧	丘陵沟壑区	53.0	27.3	47.0	72.7
吕 二 沟	甘肃天水	丘陵沟壑区	53.6	41.4	46.4	58.6
王 家 沟	山西离石	丘陵沟壑区	50.3	24.5	49.7	75.5
南小河沟	甘肃西峰	高塬沟壑区	75.3	24.7	6.8	86.3

水土流失造成的危害十分严重。大量泥沙顺流而下,造成下游水库和河道的严重淤积,水库效益难以发挥,河道防洪问题突出;同时,严重的水土流失破坏了土地资源,恶化了生态环境,威胁着群众生存;面蚀使富集养分的土地表层流失,削弱了地力,加剧了干旱等自然灾害的发展;严重的水土流失降低了水利设施综合利用功能,影响了水资源的合理配置和有效利用。

因此,在小流域坝系规划中,防洪、蓄水、拦泥和淤地等功能应统筹考虑,全面安排。从当前小流域坝系发展的情况看,在小流域坝系规划中,应立足于水土资源满足社会经济发展的可持续开发利用,根据需要合理布设蓄水灌溉、拦洪淤地和种植生产等不同用途的坝库工程。在坝系运用中,各类工程既互相依存,又相互制约。对坝库工程的主次、工程规模的大小、建坝顺序、利用条件、调节洪水泥沙等各种安排存在的矛盾,必须通过坝系规划来解决。

小流域坝系规划的内容比较广泛,现仅就坝系规划的原则、程序与内容,坝系工程的规模与布局、坝系调洪、水库和淤地坝的淤积量计算等作以简要介绍。

三、坝系规划原则

坝系规划应在人与自然和谐相处的基础上,根据区域经济社会发展需求、生态建设的目标与任务,依据小流域的自然条件、社会经济状况及水土流失规律,制定规划目标和工程建设方案,实现坝系规划与区域经济社会发展、水土资源保护和开发利用及生态环境建设协调统一，以最小的投入获得最佳的经济效益、社会效益和生态效益。

（一）全面规划，沟坡兼治的原则

坝系规划应贯彻"预防为主，全面规划，综合防治，因地制宜，加强管理，注重效益"的水土保持方针，坚持"全面规划，沟坡兼治"的原则，防止"东沟打坝，西沟治坡"的片面行为。应充分考虑当地的自然环境与水土流失特点，制定符合当地社会经济发展实际与自然规律的流域综合治理模式。妥善处理好流域上游与下游、干沟与支沟、沟道与坡面、工程措施与植物措施、规划流域与周边地区、近期利益与长远利益的关系，坚持统筹安排，突出重点，量力而行，分步实施，合理确定建设规模，按照轻重缓急，制订实施方案，推动集中、连片、连续、以小流域为单元的综合治理向纵深发展。

从防治水土流失的角度看，小流域是水土流失的基本单元，坡面的涓涓细流汇成沟壑的凶猛山洪，坝系是小流域治理的最后一道防线，它能有效控制坡面治理措施所拦蓄不了的洪水和泥沙，变洪害为洪利。为从根本上有效解决一个小流域的水土流失和控制洪水的问题，并能掌握流域治理的主动权，必须从产流产沙的主要来源着手，将坡沟统一考虑。根据区域经济社会发展的总体目标，山、水、田、林、草、路、渠全面规划，综合治理。若光治沟不治坡，洪水问题解决不了，则坝库淤积、坝地冲毁很难避免；只治坡不治沟，不能充分利用水土资源发展生产，同时侵蚀基点也抬不高，沟底下切，沟岸扩张，治不住沟也保不住坡。因此，坡沟兼治、综合治理是坝系规划的重要原则，也是小流域治理的重要措施。

（二）坝系规划与农业生产、生态建设和治黄减沙相结合的原则

小流域坝系规划的工程布局、规模、施工、运行与管护等均要充分考虑到流域经济建设规划、经济增长方式、人口增长的情况，以及国家所可能的投资力度与地方自筹能力、劳力、机械和技术力量等因素，实现发展当地农业生产、改善生态环境以及治黄减沙的协调统一，确保流域经济社会的可持续发展。

（三）充分利用水沙资源，努力实现坝系相对稳定的原则

小流域坝系规划应立足于对流域洪水泥沙的尽早和长期控制，通过对淤地坝科学合理的时空布局，充分利用水沙资源，发挥坝系拦泥滞洪、淤地、灌溉等多种效益，把实现流域可持续发展和坝系相对稳定作为坝系规划的最终目标。应根据流域面积、沟道地形地质条件和库区淹没等情况，合理选择骨干坝、中小型淤地坝和塘坝坝址，并布置引洪漫地、沟滩地灌溉渠及排洪渠、防洪堤等，做到布局合理、经济可行、相互配合、联合运用，最大限度地发挥坝系的拦泥淤地、防洪保收作用，合理利用水沙资源，为早日实现坝系相对稳定创造条件。

(四)单坝工程规模与现行技术规范相适应的原则

坝系中各类坝库工程的单坝规模应分别符合《水土保持治沟骨干工程技术规范》(SL289—2003)及《水土保持综合治理技术规范》(GB/T16453.1～16453.6—1996)的要求,由于规范对不同规模的淤地坝的淤积年限、防洪标准作了明确的规定,因而工程规模的控制因子就转为淤地坝的控制面积与流域土壤侵蚀模数。布坝密度可根据侵蚀强度拟定。就治沟骨干工程而言,在剧烈侵蚀区(侵蚀模数15 000t/(km^2·a)以上),单坝控制面积一般为3km^2左右;在极强度侵蚀区(侵蚀模数8 000～15 000t/(km^2·a)),单坝控制面积一般为3～5km^2;在强度侵蚀区(侵蚀模数5 000～8 000t/(km^2·a)),单坝控制面积一般为3～8km^2。

(五)坝系配套,防洪安全的原则

为确保淤地坝和沟道坝地川台地以及其他建筑物的安全运行,坝系中治沟骨干坝工程承担着防洪保安的任务,规划应合理配置中小型淤地坝和小水库,对已丧失防洪能力的各类淤地坝应根据其在坝系中的位置与作用,及时给予配套加固,确保坝系防洪体系的安全有效性。坝系规划必须考虑到坝系工程一旦发生水毁灾害,对流域内的村庄、道路、工矿企业及其下游可能造成的灾害和损失,应进行必要的溃坝计算和可行性论证,确保坝系防洪安全。

四、坝系规划的程序与内容

坝系规划内容包括基础资料收集、整理及分析,规划指导思想、规划目标、建设规模、建设布局的确定,工程管理措施、建设进度计划的制定,投资估算与效益分析等。不同工作阶段,有不同的工作内容。

(一)前期工作阶段

前期工作主要内容有:

(1)编制规划任务书、规划工作大纲及报告提纲。

(2)准备规划区地形图、外业调查表格、勘探及测量设备仪器。

(3)制定外业工作路线、日程安排。

(二)外业工作阶段

外业工作阶段十分重要,是规划的基础工作。其主要工作内容有以下几个方面。

1.资料收集

收集小流域的自然、社会经济、水文泥沙、地方经济发展计划、水土流失状况、水土保持生态建设及淤地坝建设情况以及以往的科研、实测、规划成果等方面的资料，特别是小流域沟道特征、水文泥沙、水土流失状况资料。同时，收集本行业及相关行业详查、普查文字和图片及流域规划区域的已开展或正开展的项目、投资情况等资料。

2. 外业调查

(1)在地形图上提出坝系布局初步方案。小流域坝系规划应在收集和熟悉资料的基础上，先根据1:10 000地形图提出坝系布局的初步方案。

(2)实地踏勘提出坝系布局的若干方案。通过实地勘查，充分了解和认识小流域的沟道特征、水土流失等自然情况、水土保持工程的防治效果与运行情况、社会经济情况、人口和劳力情况、沟道利用和村庄道路等基础设施建设情况，对根据地形图提出的坝系布局初步方案进行修正和取舍。根据可建坝条件，提出若干坝系布局方案。

(3)沟道工程运行现状的调查与勘测。包括现状工程建设时间、运行方式、淤积状况、工程管护及工程效益等情况，并通过淤积量的分析计算，进一步论证流域侵蚀模数的取值，合理安排工程布局。

(4)对初步提出的坝址进行必要的勘测。包括拟建工程的坝址横断面测量、绘制坝址断面图、绘制坝高—库容曲线和坝高—淤地面积曲线；拟定放水工程的进出口位置，初步进行施工道路、施工用电线路及施工场地布置；察看土料来源与质量，计算土料储量，调查当地材料价格等。

3. 核查工作

核查外业收集的资料、任务完成情况及工作成果，对有问题的资料、遗漏的工作要采取措施，及时补救，确保外业工作质量。

(三)内业工作阶段

该阶段的主要任务是编制淤地坝规划报告。主要工作内容有：

(1)对外业收集的资料进行整理分析与评价，对淤地坝建设现状、沟道特征、水文泥沙、水土流失状况进行重点分析评价。

(2)确定水文泥沙计算采用的方法及计算公式，确定淤地坝规划采用的方法。

(3)确定淤地坝规划的指导思想、原则及依据。

(4)确定拦沙、淤地(坝地)、防洪三个主要目标，确定蓄水利用、生态建设、发展经济等次要目标。

(5)确定淤地坝建设规模，主要包括各类淤地坝的数量、库容、工程量。

(6)通过方案比选，确定坝系布局推荐方案。通过对两个以上的坝系布局方案的洪水泥沙控制率、拦泥淤地生产能力、投入产出等指标的综合分析，提出坝系布局的推荐方案。

(7)制定淤地坝监测、管理措施。

(8)制定淤地坝建设进度、计划安排。

(9)估算工程投资及效益分析。

(10)编制淤地坝规划报告及附件、附图。

小流域坝系规划的核心内容是科学合理地提出小流域坝系建设的总体规模、配置结构和时空布局。总体规模包括坝系中各类淤地坝建设的数量、控制面积、总库容、拦泥库容、可淤地面积、总工程量、总投资及国家补助投资等;坝系的配置结构包括组成坝系的大、中、小型淤地坝和塘坝的数量,各类工程的枢纽组成及主要结构尺寸等;坝系工程布局是指规划各类淤地坝的时空分布,包括各单项工程规划位置、建坝顺序和实施时间等。

科学合理的小流域坝系工程体系,往往不是一次坝系规划能够实现的。这既有人们对自然的认识和技术水平的制约,又有小流域综合治理各因子之间变化的相互影响,使小流域水土流失的形态、数量、泥沙输移规律等发生变化,在工程实践中要不断地研究和总结坝系规划、实施和运行的规律,及时调整思路,完善坝系规划技术,使坝系规划技术不断地与时俱进。

五、坝系工程的规模与布局

(一)坝系工程的总体规模

坝系工程的总体规模包括坝系中各类坝库工程建设的数量、控制面积、总库容、拦泥库容、可淤地面积、总工程量、总投资及国家补助投资等。

1.坝系的控制面积

坝系控制面积是坝系规模的一个重要指标。坝系控制面积与小流域面积的比值,反映了坝系对小流域洪水泥沙的控制程度;坝系淤地面积与控制面积的比值,反映了小流域水沙与工程运行和坝系相对稳定的程度。小流域坝系规划中,应根据流域的自然条件、村镇和工矿布局、交通设施及坝址等,尽量提高坝系的控制面积。

2.坝系中各类坝库工程的总库容和拦泥库容

坝系的总库容包括拦泥库容和滞洪库容两部分,由坝系的控制面积、淤积年限及小流域土壤侵蚀模数等确定,并符合下列公式:

$$V_{总} \geqslant V_{拦泥} + V_{滞洪} \tag{2-1}$$

$$V_{拦泥} \geqslant n\, M_{侵蚀} F/\gamma \tag{2-2}$$

$$V_{滞洪} \geqslant M_P F \tag{2-3}$$

式中　$V_{总}$——坝系的总库容,万 m^3;

$V_{拦泥}$——坝系的总拦泥库容,万 m^3;

$V_{滞洪}$——坝系的总滞洪库容,万 m^3;

n——坝系设计淤积年限,a;

$M_{侵蚀}$——坝系所在小流域的土壤侵蚀模数,t/(km^2·a);

F——坝系控制面积,km^2;

γ——泥沙容重,t/m^3;

M_P——坝系防洪标准所对应频率洪水的洪量模数,万 m^3/km^2。

3. 坝系中各类淤地坝的总淤积面积

按照小流域基本农田建设的需求与坝系建设的可能,合理确定坝系中各类淤地坝的总淤积面积。应满足下式的要求:

$$A_{需求} \leqslant A \leqslant A_{可能} \tag{2-4}$$

式中　$A_{需求}$——小流域基本农田建设需要的各类淤地坝的总淤积面积,hm^2;

A——小流域各类淤地坝的总淤积面积,hm^2;

$A_{可能}$——小流域坝系建设可能发展的各类淤地坝的总淤积面积,hm^2。

4. 坝系工程规模的确定

坝系工程的总体规模应统筹防洪安全、淤积年限和淤地面积等指标,合理确定坝系工程的总体建设规模。

(二)坝系的配置结构

坝系的配置结构包括组成坝系的大、中、小型淤地坝和塘坝的数量及枢纽组成等。

1. 坝系中各类坝库工程的配置比例

从已初步建成的小流域坝系调查分析,小流域的自然和社会经济条件的差异性,决定了各地坝系中各类坝库工程的配置比例不尽相同。自然条件主要是沟道形状、比降、沟道地形地质、土壤植被、土壤侵蚀模数、洪量模数和沟道工程建设状况等;社会经济条件主要是人口密度、社会经济发展方向和人均生活水平、主要经济生活方式等。黄土高原地区各地的自然与社会经济条件千差万别,坝系中的各类坝库工程的配置比例,应根据各自的具体情况分析确定,切不可生搬硬套。

2. 坝系中各类坝库工程的枢纽结构

目前,骨干坝的枢纽结构配置有两大件(拦洪坝和放水建筑物)与三大件(拦洪坝、放水建筑物和溢洪道)两类。从可持续拦泥的目标出发,一般不主张过早、过多地布设三大件工程,特别是在坝系建设的初期,不宜过早、过多地布设三大件工程。其原因:一是由于溢洪道是在库容淤积到溢洪道底坎附近时才有可能使用,使用时间晚,次数少,而溢洪道的造价高,容易造成投资的浪费;二是溢洪道的使用必然使大量的洪水泥沙排入下游,既造成了水沙资源的浪费,又给下游水库、河道增加了清淤的负担;三是溢洪道的运行,会使淤地坝工程逐步丧失了拦泥淤地的能力,坝地因为失去泥沙的补给而得不到增加,使相对稳定坝系建设受到严重制约。因此,在工程规划中,应优先考虑多次加高坝体的方案,尽量布设两大件工程,以充分发挥淤地坝控制水土流失、减少泥沙下泄的作用。

中型淤地坝多采用土坝与放水建筑物两大件;小型淤地坝多采用土坝一大件,也有配置简易放水建筑物或非常溢洪道的。

(三)坝系工程布局

坝系工程布局是指规划各类淤地坝的时空分布,包括布坝密度、建坝顺序和实施时间等。

1.布坝密度

淤地坝的布坝密度是指单位面积内的淤地坝的数量。小流域坝系建设涉及的技术问题复杂多样,目前尚未形成系统的理论。根据黄土高原地区的不同侵蚀类型区近些年的淤地坝建设的经验,统计分析小流域坝系典型的调查资料,一般认为影响建坝密度的主要自然因素有以下几点:

(1)沟壑密度。小流域沟壑密度反映沟道的汇水组合复杂程度,沟壑又是打坝建库的第一要素,沟壑密度的大小对坝系的布坝密度影响较大。沟壑密度较大的小流域,一般布坝的数量较多;沟壑密度较小的小流域,一般布坝的数量较少。

(2)沟道比降。沟道比降对坝系布局的影响在于下游坝的淤积运行和“翘尾巴”,影响上游坝的布置。一般来讲,比降大的沟道布坝数量相对较多,单坝的规模相对较小;比降较小的沟道布坝数量较少,单坝的规模相对较大。

(3)沟道长度。沟道较长的布坝数量较多;反之较少。

(4)侵蚀模数。侵蚀模数较大的沟道,平均布坝密度较大;侵蚀模数小的沟道,平均布坝密度较小。

(5)坡面治理措施。坡面治理措施直接影响到该地区的侵蚀模数的大小,从而影响到布坝密度的大小。坡面治理程度越小,平均布坝密度越大。

(6)洪量模数。小流域洪水的主要成因是暴雨,暴雨量的大小反映不同频率的洪水的洪量模数。坝系中骨干坝的作用主要是防洪,骨干坝数量的多少与该地区的洪量模数有关。洪量模数大的地区,骨干坝的单坝控制面积较小,工程数量就多。

典型小流域坝系的调查分析表明：在坝系建设的初期，坝系的布坝密度一般为0.3～4座/km^2。其中，陕北地区一般为1～3座/km^2；晋西地区一般为0.6～2.7座/km^2；蒙南、豫西为0.5座/km^2；陇东地区为0.4座/km^2。而在坝系建设末期，由于坝系中一些工程的加高造成上游坝的淹没，会使坝系的布坝密度进一步减小。因此，在小流域坝系规划中，要充分考虑坝系运行与加高因素，避免被动的合并造成投入的浪费。

2.建坝顺序

建坝顺序对坝系的形成、效益与安全，对坝系中各工程的作用与运行情况等都会产生重大影响。小流域坝系建设顺序大体有3种形式：

(1)先支毛沟后干沟。符合先易后难的原则，比较安全，适宜户包或联户承包的小流域坝系建设，以及按基建程序审批的面积在50km^2以上的小流域。

(2)先干沟后支毛沟。符合拦泥效益最大化的原则，工程建成后当年就可实现小流域洪水泥沙不出沟；存在的问题是小流域坝系建设必须有可靠的后续资金作保证，否则容易因坝系工程不能按进度实施而对主沟道淤地坝的安全造成威胁。适宜按基建程序审批实施的小流域坝系建设，小流域面积一般在30km^2以下。始建于20世纪五六十年代的陕西省延安市宝塔区碾庄沟小流域坝系和横山县赵石畔小流域坝系、山西省中阳县洪水沟小流域坝系、内蒙古自治区清水河县范四窑小流域坝系和准格尔旗忽吉兔小流域坝系等，都是按照先干沟后支毛沟的顺序建成的。但由于受当时条件的制约，淤地坝施工缺乏统一的规划设计，这些小流域坝系在运行实践中都不同程度地受到洪水的威胁。随着人们对小流域坝系建设认识水平的提高和各项技术措施的日臻完善，洪水泥沙问题是可以在一定范围内得到妥善解决的。

(3)先干沟分段，按支毛沟划片，段片分治。兼顾了坝系安全与效益的原则。流域内乡村较多或流域面积较大时，可以分段划片，实行包干治理，小集中大联片。这种布设方案，兼顾了拦泥淤地效益与工程安全两个方面，适宜小流域面积一般在30km^2以上的小流域。从理论上讲，按照这种方案，对流域面积较大的小流域，都可以将其划分为若干段片，实现投资最优化、效益最大化。因此，当淤地坝建设进入基建程序实施时，应该尽量推广这种小流域坝系建设顺序。

六、坝系调洪

(一)坝系调洪的基本方程式

洪水在坝系所控制沟道行进过程中，沿程的水位、流量、过水断面、流速等均为变量，其流态属于明渠非恒定流，调洪计算的基本方程(即圣维南方程组)为：

$$\left.\begin{array}{ll}\text{连续性方程} & \dfrac{\partial \omega}{\partial t}+\dfrac{\partial Q}{\partial s}=0 \\ \text{运动方程} & -\dfrac{\partial Z}{\partial s}=\dfrac{1}{g}\dfrac{\partial v}{\partial t}+\dfrac{v}{g}\dfrac{\partial v}{\partial s}+\dfrac{Q^2}{K^2}\end{array}\right\} \quad (2\text{-}5)$$

式中 ω——过水断面面积,m^2;

t——时间,s;

Q——流量,m^3/s;

s——沿水流方向的距离,m;

Z——水位,m;

g——重力加速度,m/s^2;

v——断面平均流速,m/s;

K——流量模数,m^3/s。

为了简化计算过程,通常对这个偏微分方程组进行简化,普遍采用瞬态法将方程组简化得出的调洪计算实用公式:

$$\overline{Q}-\overline{q}=\frac{1}{2}(Q_1+Q_2)-\frac{1}{2}(q_1+q_2)=\frac{V_2-V_1}{\Delta t}=\frac{\Delta V}{\Delta t} \quad (2\text{-}6)$$

式中 Q_1、Q_2——计算时段初、末的入库流量,m^3/s;

$\overline{Q}$——计算时段中的平均入库流量,$\overline{Q}=(Q_1+Q_2)/2$,m^3/s;

q_1、q_2——计算时段初、末的下泄流量,m^3/s;

$\overline{q}$——计算时段中的平均下泄流量,$\overline{q}=(q_1+q_2)/2$,m^3/s;

V_1、V_2——计算时段初、末的水库蓄水量,m^3;

ΔV——V_2 与 V_1 之差,m^3;

Δt——计算时段,s,一般取1～6h。

此公式实际上表现为一个水量平衡方程式,表明在一个计算时段内入库水量与下泄水量之差,即为该时段中坝库蓄水量的变化,与溢洪道的过流方程式联立,即可完成调洪演算。目前常采用的是列表试算法、半图解法和电算法,有关内容请参照相关资料。

(二)坝系调洪的简化方法

1.单坝调洪演算

按下列公式计算:

$$\left.\begin{array}{l} q_P=Q_P\left(1-\dfrac{V_z}{W_P}\right) \\ q_P=mbh_0^{1.5}\end{array}\right\} \quad (2\text{-}7)$$

式中　q_P——频率为 P 的洪水时溢洪道最大下泄流量，m^3/s；

Q_P——设计洪峰流量，m^3/s；

V_z——滞洪库容，万 m^3；

W_P——设计洪水总量，万 m^3；

m——流量系数；

b——溢洪道底宽，m；

h_0——包含行近流速的溢洪道堰上水头，m。

2.上游有泄洪骨干坝的调洪演算

当拟建工程上游有设置溢洪道的骨干坝时，按坝系调洪演算公式计算：

$$\left.\begin{aligned} q_P &= (q_P' + Q_P)\left(1 - \frac{V_z}{W_P' + W_P}\right) \\ q_P &= mbh_0^{1.5} \end{aligned}\right\} \tag{2-8}$$

式中　q_P'——频率为 P 的上游工程最大下泄流量，m^3/s；

Q_P——区间面积频率为 P 的设计洪峰流量，m^3/s；

W_P'——本坝泄洪开始至溢洪道达到最大泄流量的时段内，上游工程的下泄洪水量，万 m^3；

W_P——区间面积频率为 P 的设计洪水总量，万 m^3；

其他符号含义同前。

以上两个式子常用在溢洪道底面和坝地淤泥面相平时的计算。

3.复式断面溢洪道的调洪演算

在有常流水的沟道，为了保证非洪水条件下坝地安全生产，防止坝地盐碱化，在库区坝地上开挖排洪渠，采用复式断面的溢洪道断面形式，溢洪道最低底坎高程低于设计淤泥面高程1.5～2.5m(见图2-1)。

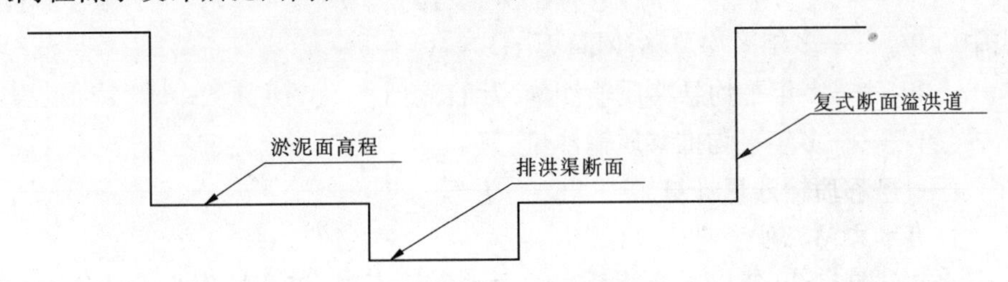

图2-1　复式断面的溢洪道断面示意图

此种情况下的泄水滞洪过程，在非汛期或洪水初期，洪水经由排洪渠通过溢洪道下泄，库容不滞洪；随着入库流量加大，当排洪渠流量不能满足泄洪要求时,库内水位升高,溢洪道泄量也随之加大,采用全断面过水;当溢洪道流量达到最大值,坝内水位亦达到最高水位,不再上升;随着入库洪水的逐渐减少,坝内水位持续降低,直至完成整个洪水调蓄过程。

复式断面溢洪道调洪演算与单坝调洪演算类似,溢洪道最大泄量 q_P、排洪渠最大流量 q_t 与滞洪库容 V_z 存在如下关系:

$$V_z = W_P(1 - \frac{q_t + \alpha \cdot q_P}{Q_P}) \tag{2-9}$$

$$q_P = Q_P(1 - \frac{V_z}{W_P}) = q_t(1 + \alpha \cdot \beta) \tag{2-10}$$

式中 q_t——排洪渠设计流量,m^3/s;

q_P——溢洪道最大泄量,m^3/s;

Q_P——设计洪峰流量,m^3/s;

α——系数,$\alpha = 1 - q_t / Q_P$;

β——系数,$\beta = (1 + H_2'/H_1)^{3/2}$;

H_2'——坝地最大允许水深,m;

H_1——溢洪道深,m;

其他符号含义同前。

七、水库、淤地坝的淤积量估算

水库、淤地坝工程淤积量计算一般包括多年平均输沙量和某一频率输沙量及过程计算,目的是为了推算淤积库容和一次洪水排沙量。淤地坝在设计淤积年限内一般不考虑排沙,因此只计算多年平均输沙量,用以推求淤积库容。

输沙量计算应包括悬移质输沙量和推移质输沙量两部分,按下列公式计算:

$$\overline{W_{sb}} = \overline{W_s} + \overline{W_b} \tag{2-11}$$

式中 $\overline{W_{sb}}$——多年平均总输沙量,万 t;

$\overline{W_s}$——多年平均悬移质输沙量,万 t;

$\overline{W_b}$——多年平均推移质输沙量,万 t。

(一)悬移质输沙量计算

1.有水文站泥沙资料

水文站具有 20 年以上连续系列的泥沙实测资料,可直接作为设计依据,直接统计多年平均年输沙量;不足 20 年的应进行插补延长。

2.泥沙资料很少或者没有

泥沙资料很少或者没有时,泥沙计算应按照以下方法确定。

(1)根据邻近相似流域的实测资料,采用类比法估算。

(2)根据工程所在地区输沙模数图查算。根据工程所在地区《水文手册》中多年平均输沙模数等值线图,查得多年平均输沙模数,再乘以坝控集流面积,即得年均悬移质输沙量。

流域面积较小、流域地质地貌及植被变化不大的流域,输沙模数为一确定的值,可按下列公式计算:

$$\overline{W_s} = M_s F \tag{2-12}$$

式中　M_s——小流域多年平均输沙模数,万 t/(km²·a);

F——小流域面积,km²。

流域面积较大、流域地质地貌及植被变化较大的流域,可按下列公式计算:

$$\overline{W_s} = \sum M_{si} \cdot F_i \tag{2-13}$$

式中　M_{si}——分区输沙模数,万 t/(km²·a),可根据输沙模数等值线图确定;

F_i——分区面积,km²;

其他符号含义同前。

(3)输沙模数经验公式法。按下列公式计算:

$$\overline{M_s} = K\overline{M_0^b} \tag{2-14}$$

式中　$\overline{M_s}$——多年平均输沙模数,万 t/km²;

$\overline{M_0}$——多年平均径流模数,万 m³/km²;

b、K——指数和系数,可采用当地经验值。

(二)推移质输沙量计算

1.有水文站实测资料的输沙量计算

对于有水文站实测资料的地区,推移质输沙量应根据水文站推移质实测资料进行计算。

2.无水文站实测资料的输沙量计算

(1)利用工程所在地区相似河流或水库推移质与悬移质的比例关系,按下列公式计算:

$$\overline{W_b} = B\overline{W_s} \tag{2-15}$$

式中　$\overline{W_b}$——多年平均推移质输沙量,万 t/a;

B——比例系数,一般取0.05～0.15;

其他符号含义同前。

(2)通过调查已成坝库淤积情况,利用已成坝库淤积量和进出库泥沙测验资料计算推移质输沙量。按下列公式计算:

$$\overline{W_b} = W_1 - (\overline{W_s} - W_2) \tag{2-16}$$

式中　W_1——多年平均坝库拦沙量,万 t/a;

W_2——多年平均坝库排沙量,万 t/a;

其他符号含义同前。

第二节　工程规划

一、坝址选择

水坠坝对坝址的要求与碾压坝对坝址要求不完全相同。水坠坝坝址在很大程度上取决于地形、水源和土料等条件。由于水坠坝是利用水力和重力将高位土场土料冲拌成泥浆冲填到坝面而成坝体,所以水坠坝坝址附近必须有充足的水源,以保证泥浆冲填的需要。取土场的位置应满足泥浆充分拌和均匀的要求,土壤黏粒含量大时可增加冲填高度。要认真研究枢纽布置,坝址处要有适宜于布置泄水建筑物的地形和坚实地基,以确保水坠坝在施工和运用期的安全。其他如施工条件、工程材料、交通运输等和碾压坝的要求一样,也应适当考虑。

(一)坝址地形

坝址地形选择,首先要考虑肚大口小,工程量小,造价低,蓄水量和可淤地面积大。尽可能选择河槽弯曲处和有山嘴的 V 形沟道,主要目的在于可利用这些地形的有利条件增加坝体侧向抗滑能力,提高坝体稳定性。

水坠坝坝址的选择,应力求向阳,日照时间长,有利于泥面蒸发脱水,加快冲填进度;同时封冻迟,解冻早,冰霜期较短,宜于延长冲填的施工期。其他对工程布置和下游灌溉要求等与碾压坝相同。

(二)坝址地质条件

水坠坝工程对地基的要求比其他坝型较低,但决不可忽视对坝基正确处理的必要性。根据实践,一般岩石、黏土、黄土、含砂砾石的冲积层地基,都可以作为水坠坝的坝基。

水坠坝坝址应选择在坝基和两岸无较大地质构造问题的地方。岩石和土体坡面要有整体性,岩层要避免活断层和较大的裂隙,尤其要避免有可能造成坝体活动的软弱夹层,以防漏水。透水性小、坚实的坝肩和不透水岩石坝基,虽然对水坠坝的脱水固结不利,但可采用适当排水措施或在施工方法上加以处理。

水坠坝坝址可选择在有利于坝体排水的透水性地基上。砂砾层是透水的,应根据施工及运行要求,采取适当的措施加以处理(详见本书第五章),以确保坝系工程施工和运行不发生渗透破坏。

坝址应避开有泉眼出露的地方。

在软弱地基上建坝,应作详细了解与探测,在对现有坝系的配套完善过程中,许多坝是在下游坝的淤土上修建的。这些淤土多为沙壤土,轻、中粉质壤土,基本上是比较稳定的。对于特殊情况下的淤泥地基,在选取坝址时,应作技术经济比较研究。

(三)冲填用水

水坠坝施工是以水带土,有无水源是决定能否采用水坠法筑坝的重要条件,也是决定工效高低、施工快慢的重要因素。选择坝址时,必须考虑有充足的水源,一般利用河沟的常流水、泉水、上游水库或渠道引水等,必要时也可拦蓄洪水作为水坠法筑坝的水源。通常施工的用水量大约等于坝体冲填的总土方量,应尽可能在坝址附近解决。如水量不足,应提前考虑蓄水措施,在干旱地区应做好汛末洪水和春季消冰水的拦蓄工作,以满足冲填用水需要。

(四)筑坝土料及其他

坝址附近应有足够的、适宜冲填的土料,取土要方便,以保证坝身质量和冲填速度,节约用工。选择坝址时,首先查明土场分布、储量及土料性质。大型淤地坝和小(一)型水库要取样进行土的颗粒组成、流限、塑限、湿化崩解以及杂质含量等项试验,对土料的适用性作出评价。一般中、小型淤地坝和小(二)型水库,可对土场进行简单的颗粒分析鉴定等工作。

土场土料的位置宜适中,土层要厚,坡度要陡,距离坝轴线要近。最好沟道两岸都有合适的土场,以便两侧冲填,有利于施工安排和提高冲填质量与速度。土场位置应高于坝顶。便于泥浆自由下流。筑埂土料的土场应分布在坝肩上、下游,以便就近取土施工。土的储量一般应为坝体总土方量的两倍以上,为考虑以后加高需用的土量,一般应留有余地。

修筑水坠坝的适合土料,以沙壤土、轻粉质壤土、中粉质壤土为主,也可用重粉质壤土、花岗岩砂岩风化残积土等,只要土料的渗透系数相当,就可作为水坠坝的筑坝土料(详见本书第三章)。

此外,对规模较大的坝库工程,在坝址选择时,还要注意有较好的施工条件,如导流围堰布置、施工期泄洪、机泵管道布设和交通运输等。应详细调查坝址附近建筑材料位置分布情况,以便就地取材,降低造价。

二、工程布设

中小型以水库方式运行的水坠坝和部分大型以拦泥淤地为主的水坠坝的枢

组结构一般由土坝、放水涵洞和溢洪道等三大件组成；黄土高原地区的骨干坝和中型淤地坝的枢纽工程多为土坝和放水涵洞两大件组成；小型淤地坝多为土坝一大件工程。应结合坝址地形、地质等方面的具体情况，以及工程运用要求，对整体布设综合考虑，以达到安全可靠、经济合理和可持续开发利用的目的。

选择坝轴线时，除了考虑库容、坝高要求及施工条件外，还要和涵洞、溢洪道的布设结合起来研究。一些小型工程的失事，往往是由于对涵洞或溢洪道的设计和施工重视不够所产生的。尤其是一些不设溢洪道和放水涵洞，搞成“闷葫芦”坝，只能蓄不能排，造成工程失事的例子不少。应严格限制无放水设施工程的规模，减少工程失事造成的损失。

根据大型淤地坝和小型水库工程的实践经验，对涵洞及溢洪道的布设要求分述如下。

（一）涵洞布设

小型水库和大型淤地坝多采用涵洞放水，因为引水流量小，涵洞断面尺寸也小，布设时应注意以下几个问题：

(1)涵洞应与下游灌区在同一岸，并尽可能与溢洪道分别布设在河道两岸，避免二者出口交叉，相互影响。涵洞进出口的山坡要坚实，以防坍塌堵塞，涵洞出口至大坝坡脚的距离应在 10m 以上。

(2)水库工程和前期蓄水灌溉的淤地坝工程，涵洞设置的高程应根据灌区的高程考虑。水库工程的涵洞一般应留有一定的死库容；各类淤地坝的涵洞高程应在设计淤积面以下，以确保工程运行中有足够的滞洪库容。

(3)洞身宜布设在岩石基础上或均匀密实的红黏土地基上。应尽量避免涵洞布设在软土地基上，防止涵洞产生不均匀沉陷。如果没有合适的基础，应采取加固处理措施，并做好沉陷缝和伸缩缝，避免因不均匀沉陷而破坏洞身。

(4)洞身的轴线应尽量与坝轴线垂直，以减小洞长，同时涵洞轴线应尽量采用直线布设，使水流畅通。如地形、岩石条件下不能做成直线时，涵洞的弯道曲率半径一般应大于管径的 5 倍。

(5)为了防止洞身与坝体结合部位发生渗透破坏，沿洞长每隔 10～15m 筑一道混凝土或浆砌石的截水环，截水环外伸 0.4～0.5m，厚度 0.3m 以上。

(6)涵洞采用的工程材料，应根据涵洞水流状态及当地建筑材料选用，对有压洞和无压洞应区别考虑，在满足安全、经济的原则下，尽可能做到就地取材。在石料丰富的地区多采用浆砌石涵洞，而在石料缺乏的地区则多用钢筋混凝土预制管作为放水涵管。

(7)水库有排沙要求时，应在主河河槽增设排沙涵洞，或加大泄水涵洞，结合排沙,以保证有效库容。在采用排沙涵洞时,要选择好放水设备型式、洞身高程、排沙流量,并统筹考虑灌溉、引洪漫地等问题。

(8)水库有发电任务时,应增设混凝土有压涵洞,与灌溉涵洞分别设置。进口高程根据发电需要确定。如灌溉发电两洞合一时,布设位置及洞身质量等要同时满足两者的要求。

(9)多泥沙河流的土坝需要加高的情形较为普遍。为了适应在坝前淤土上加高,涵洞进口可采用卧管式或竖井式,卧管应尽量向上游倾斜,竖井应设在距坝轴上游较远的地方,具体位置应根据最终坝高考虑。

(10)涵洞出口应修筑消力池,做好消力墩等辅助消能设施,并与渠道水流平顺连接。

(二)泄洪建筑物

泄洪建筑物的型式基本有两类,即溢洪道和泄洪洞。二者的根本区别在于泄洪时水流形态不同。溢洪道的水流形态是敞开式的,有自由水面,泄洪能力大,比较可靠,施工管理维修方便,造价低,适应性强,一般坝库应用较多。泄洪洞进口高程较低,可一洞多用,除排洪外,还可用于灌溉、排沙、放空水库、施工导流等方面,但施工、管理、维修等比较复杂,造价较高,小型水库应用较少。对于防洪任务较大的水库,可根据需要,同时设置溢洪道和泄洪洞。

由于小型水库和淤地坝多采用开敞式溢洪道,现就溢洪道的布设要求分述如下:

(1)溢洪道最好选在天然马鞍形的山凹垭口,不要靠近坝端,进口要离开坝端10m以外,出口要离开下游坝脚50m以外,并与河道顺畅衔接。如果坝址没有基岩可选,溢洪道应修在密实的土层上(如黏土或硬黄土等),用浆砌块石砌护,过水流速的设计应根据工程材料确定,如果库内岸坡有较薄的山梁,而地层条件许可时,可以穿山打洞,将洪水泄入邻沟。

(2)如沟道狭窄,山坡陡峻,无合适的山凹垭口布置溢洪道时,中、小型淤地坝和小型水库也可在坝端适当距离修建溢洪道,一般多选在山坡较缓而突出的一岸,尽量使溢洪道进出口顺直。坝端溢洪道由于距坝身较近,对坝的安全不利,进口段连接坝体部分应做好砌护,以保证坝体的安全。对一些小型淤地坝,如地形、地质条件限制,可以采用坝身溢洪道,但需加以砌护。

(3)溢洪道不应布置在断层、滑坡体或地质构造破碎的地方,山坡应当有足够的稳定性,以免发生溜坡、坍塌,堵塞泄水通道。布设时还应考虑抢险工作和管理的方便。

(4)溢洪道中心线力求顺直,如地形不许可,弯曲半径应大于水面宽度的5倍。

(5)为了适应坝前淤土上加高土坝的要求,溢洪道的布设应根据需要考虑临时溢洪道和永久溢洪道。溢洪道的进口段、消力池、退水渠等部分可以结合起来考虑,以节省投资。

(6)溢洪道的布设还应当与整个坝系布设要求相适合,即与坝系的排洪、灌溉渠系布设统一考虑,以利于生产管理。

在黄土高原地区小流域坝系建设中,不提倡过早地在坝系中配置溢洪道工程,尤其是在坝系上游的工程。过早地配置溢洪道,会给下游工程的防洪带来很大的压力,大大提高整个坝系的工程造价;同时,过早地配置溢洪道,会使工程很快失去拦泥淤地功能,也不利于流域水土资源的可持续开发利用。

三、土坝加高

土坝加高是土坝工程运行中经常遇到的问题。要做到经济合理、充分利用自然条件,发挥修坝建库的最大效益,必须认真分析流域水沙特性和工程运行特征,并根据工程的实际运行情况,及时研究工程的加高加固问题。所谓经济合理,就是要从投资投劳、生产需求、施工技术和地形条件等实际出发,从长远和当前生产需要考虑,恰当地选择坝址,确定经济合理的坝高,通过一次规划设计,分期加高,达到最后坝高,即最经济最合理的坝高。对一些有条件的小流域来说,经过水土保持综合治理,有计划地进行坝系建设,逐步实现流域坝系的加高与流域水土流失及淤地坝拦蓄水沙之间达到“相对稳定”的程度是可能的。同时,小流域坝系建设的迅速发展,坝系规划理论的日趋完善,为建设相对稳定坝系奠定了基础。为了充分利用水沙资源及满足生产上的需要,有计划、有目的地规划经济合理的坝高并分期加高完成,是规划中应该慎重考虑的问题。

(一)加高土坝的自然条件

黄河中游黄土丘陵沟壑区是有优越的土坝加高条件的。

(1)黄土高原地区坝库工程数量多,且大部分淤地坝已经淤满,需要加高。据统计,到目前为止,黄土高原地区已建成的各类坝库工程有11.85万座,其中绝大部分经过几十年的运行已经淤满,需要加高加固,以期可持续发挥拦泥淤地作用。

(2)沟深多在100m以上,土层厚度多在50m以上,有加高的地形条件、土料条件和生产需求。

(3)沟道相当一部分有常流水,可用做水坠加高坝体的水源。

(4)沟道两岸荒坡面积大,土坝加高淹没损失小,新增库容大,淤的坝地多。

(5)土壤侵蚀严重,侵蚀模数多在5 000t/(km^2·a)以上,库坝淤地较快,在淤土上加高,可以节省土方。

黄土高原地区坝库统计资料表明,一次建坝与分期加高坝体的土方量与库容的比例相差悬殊。一次建坝坝体土方量与库容的比例一般在1∶5～1∶20之间;而加高坝的坝体土方量与新增库容比例可以提高到1∶15～1∶50。如果在现有基础上进行长远规划,将过去建成的和将要建成的水库、淤地坝,有计划地进行加高,就能够进一步提高沟道水土资源的利用率,更加有效地利用当地水土资源。所以,在流域性的建坝规划中,研究设计经济合理的坝高和有计划地加高土坝,具有十分重要的意义。

(二)淤积土上加高坝体的高度

一般说来,黄土高原地区水库和淤地坝的淤积物是在暴雨中从塬面、丘陵坡面和沟道冲刷下来的泥沙及库区的崩塌体组成的,坝前的淤积土是在上部土层自重作用下自然压密的。淤积土的强度随深度变化而变化,与水坠坝压密原理一样,含水率随深度增加而降低,干容重随深度增加而增大。淤积的时间越长,强度越大,加高坝的高度可相应增加。

黄土高原地区水库和淤地坝的淤积土的颗粒分选作用很小,这是由于山区河床比降大,回水长度短,发生洪水时骤降骤落,行进流速大,洪峰入库后泥沙很快淤下来,来不及分选。所以,淤积土大致上是均质的,对坝体加高有利。

根据实测,一般黏粒含量低于15%的淤土,淤积面以下淤泥的干容重在1.30～1.40t/m^3之间,接近或超过原状黄土。据实际经验,一次加高坝的高度可达15m左右。陕西省靖边县猪头山坝采用水坠法筑坝,一次建成坝高45m,是在下游旧城水库的淤积土上建立起来的,淤积厚度6m左右,未加任何处理措施。陕西省横山县赵石畔土坝用碾压施工,坝高18m,是在8m深的软稀泥坝基上建成的,经过采取固定淤泥和盖重的办法一次建成,50多年来使用正常。这些都是值得总结研究的建坝经验。

(三)土坝加高的规划要求

(1)加高的标准。土坝的加高标准应根据所加高坝在小流域坝系中所发挥的作用而定,骨干坝、中小型淤地坝和水库应分别满足各自的设计标准。由于每年淤积的厚度随着来沙量、水位和淤积面积的不同而异,通常随着淤积的增加,年平均淤积厚度逐渐减小。在流域内坝越多、越高,它的相对库容和淤积的面积就越大,同时加高的幅度越小,加高的次数就越少,而防洪的保证率则逐步加大。

(2)在淤泥沉积的时间短,或淤泥处在水库水位以下的淤积土上加高坝体时，由于淤泥承载能力较差，应在对淤泥面采取盖重法、挤淤法等必要的施工措施的基础上进行加高。

(3)在黏性较大的淤积土上加坝时，设计过程中应掌握淤积土的物理性质指标及其强度变化。强度指标的选择和边坡稳定验算应符合淤积土与水坠坝的特点，并应加强位移观测，严格控制施工速率等。如果黏性过大，加高后坝体稳定性没有保证，则可以不进行加高，另寻其他途径解决。

(4)加高土坝的幅度和加高坝的次数，除与坝系整体规划密切协调外，还应与本坝的泄水和溢洪道建筑物的原来布置做好统一的安排，确定出不同的加高方式。

(四)土坝的加高方法

淤地坝淤满后，一般情况下坝地已开始耕种，坝前不蓄水，应从长远和当前的生产需要考虑，按设计标准确定土坝加高高度，也可通过一次规划设计，分期加高，达到最终坝高。适宜水坠筑坝加高土坝的方法有以下两种。

1.坝前式加高

坝前式加高即在坝前淤土(泥)上加高坝体的方法(见图 2-2)。其优点是工程量小，适用于坝内无水或坝内虽有水但可利用放水建筑物排空库水的工程。

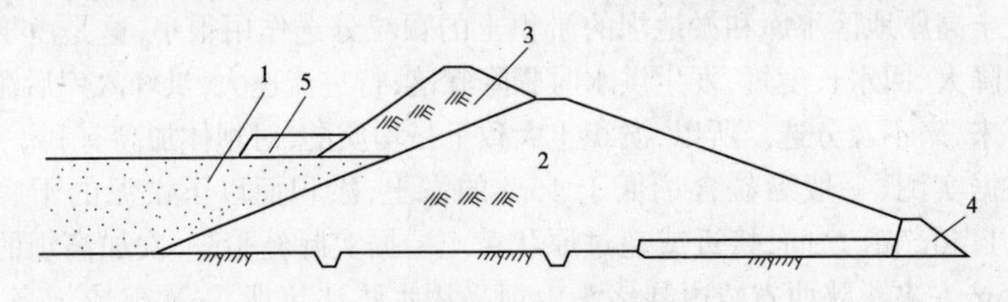

图 2-2 坝前式加高

1—坝前淤积层；2—旧坝体；3—加高体；4—排水反滤体；5—盖重体

当坝前淤土为沙性土或轻、中粉质壤土，土的脱水固结性能较好时，可不设盖重体；反之，当坝前淤土黏粒含量大于 20%，脱水固结速度较慢时，则需设置盖重体，并通过滑弧分析法进行抗滑稳定性计算，校核新老坝体接触面及坝基淤土的稳定性，合理设计盖重土体的厚度及长度；对于淤地坝可根据经验确定盖重体的厚度及长度。

2.坝后贴坡式加高

坝后贴坡式加高即在坝体下游从沟底紧贴旧坝坝坡加高坝体的方法(见图 2-3)。其优点是：坝体加高不受坝内蓄水的影响，适用于坝内蓄水较多，排空库容对受益区影响较大，或受上游枢纽建筑物布置限制的工程。其缺点是：坝体加高土方量较大,对蓄水运行的工程,还需要加设排水反滤棱体,并与原有排水棱体连通,以保证坝体渗流稳定。

一般来说,坝后贴坡式加高土方量大,不经济。其稳定计算方法、坝体结构设计与一般土坝类同,关键是要验算新老坝体接触面的抗滑稳定性,合理选用计算指标。

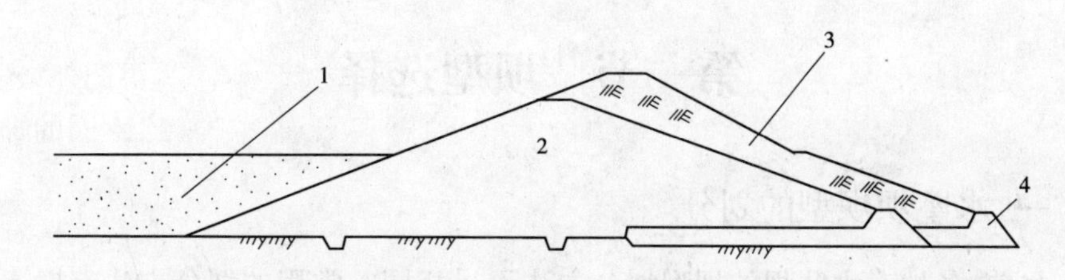

图 2-3　坝后贴坡式加高

1—坝前淤积层;2—旧坝体;3—加高体;4—排水反滤体

淤地坝采用多期加高方式时,涵洞、卧管(或竖井)等放水建筑物的布设与修建,应按规划最终坝高考虑,即初修涵洞进口应伸出最终坝高的上游坝坡外一定距离,以免分期加坝时埋没卧管或竖井。

第三章 工程选型与填筑标准

第一节 坝型选择

一、水坠坝坝型的划分

目前,各地对水坠坝的坝型划分方法不尽相同。常用的划分方法有以下几种。

(一)按坝体土料分布特征划分

根据水坠法筑坝土料经过冲填沉积在坝体中的分布特征,可分为水坠均质坝和水坠非均质坝。

1.水坠均质坝(简称均质坝)

水坠均质坝是指坝体由泥浆非分选冲填而成,冲填土料的颗粒在全断面内分布较为均匀,无明显的分离现象的水坠坝。这种坝型适用于沙土、沙壤土、壤土和花岗岩风化残积土、砂岩风化残积土修建的水坠坝。

2.水坠非均质坝(简称非均质坝)

水坠非均质坝是指坝体由泥浆分选冲填而成,冲填土料的颗粒在水的冲力和自重作用下,由粗到细逐步沉积,形成坝壳区、过渡区和中心防渗区。这种坝型适用于花岗岩、砂岩风化残积土修建的水坠坝。我国南方砾质土坝施工中,根据颗粒分选情况,冲填形成中心防渗体(黏土心墙)和砂砾坝壳即为水坠非均质坝,亦称冲填心墙坝。

(二)按筑坝土料划分

根据筑坝土料的不同,水坠坝可划分为黄土坝、沙坝(亦称拉沙坝)、砾质土坝和混合坝等。

其中沙坝又可分为均质沙坝、黏土心墙沙壳坝。按心墙的施工方法又可分为水中倒土心墙沙壳坝和碾压心墙沙壳坝等。

为适应度汛要求,先用水中倒土法或碾压法抢修拦洪小断面,随后全断面冲填施工,这种坝型可称为冲填碾压混合坝。

(三)按施工方法划分

根据坝体土料运输和施工方法的不同,水坠坝可划分为冲填坝、冲填倒土坝(层土层泥)、冲填碾压坝和爆破冲填坝等。

二、水坠坝的坝型选择

《水坠坝技术规范》(SL302—2004)对水坠坝的坝型分类,是根据坝面泥浆是否进行分选冲填而分为均质坝与非均质坝两种。泥浆是否能进行分选,取决于土料的颗粒组成与冲填的施工方法。

水坠坝的坝型应根据土料类别、数量、物理力学指标和工程运行等要求进行选择。

(一)水坠均质坝

一般来说,坝址附近土料性质适宜,数量足够时,宜选用均质坝。均质坝应采用非分选冲填的方法施工,适用于沙土、沙壤土、壤土及花岗岩、砂岩风化残积土筑坝。

沙土、沙壤土和壤土的颗粒不均匀系数较小,冲填中泥浆无明显分离现象,故此类土只能用于填筑均质坝;花岗岩、砂岩风化残积土,其颗粒不均匀系数大,既可采用非分选冲填的方式修建均质坝,也可采用分选冲填方式修建非均质坝。均质坝的坝体断面结构如图3-1所示。

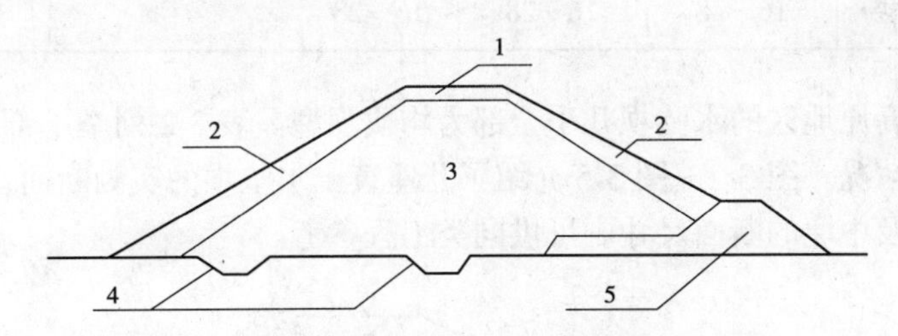

图3-1　均质坝横断面示意图

1—封顶;2—边埂;3—冲填坝体;4—结合槽或截水槽;5—反滤体

1.黄土均质坝

在黄土高原地区修筑的水坠坝,由于土料的粉粒(颗粒直径在0.005~0.05mm)含量高、颗粒较均匀,加之采用高浓度泥浆(土水比达2~3)进行冲填,施工中坝体冲填土料的颗粒组成没有明显的分选现象,绝大多数都是单一土质的均质坝型。表3-1列举了几座黄土水坠坝的坝面泥浆颗粒组成实测成果,可以看出,冲填泥浆顺坝轴线方向移动时,颗粒分选性不大。就其中黏粒含量来说,变化只有1%~3%,反映了均质坝的特点。

表 3-1　黄土水坠坝沿坝面泥浆颗粒组成实测成果

坝名	取样位置	颗粒组成(%)			泥浆浓度		冲填池长度(m)	泥面比降(%)
		0.25～0.05 mm	0.05～0.005 mm	＜0.005 mm	含水率(%)	土水比		
上刘家川	冲进端	27	60	13	39	2.34	90	3
	中部	21	67	12				
	远端	23	63	14				
	料场	16～28	62～70	10～15				
石峡口	冲进端	44	44	12	50	1.68	150	1
	远端	42.5	45.5	12				
	料场	40.5	47.5	12				
李家川	上池	19.6	59	21.4	43～45	3.03～3.15	100	3
	下池	17	61	22				
	料场	18.5	59.5	22				
太仙河	上池	18.4	57.8	23.8	40	2.2	150	3
	中池	20.4	54.8	24.8				
	下池	18.8	55.7	25.5				
	料场	16～28	16～28	16～28				

黄土高原地区的水坠坝几乎全部为均质坝型。表 3-2 列举了部分黄土水坠坝的基本情况。图 3-2～图 3-5 介绍了几座黄土水坠坝的实测断面，并给出了施工期坝坡及中埂的断面尺寸。可供同类工程参考。

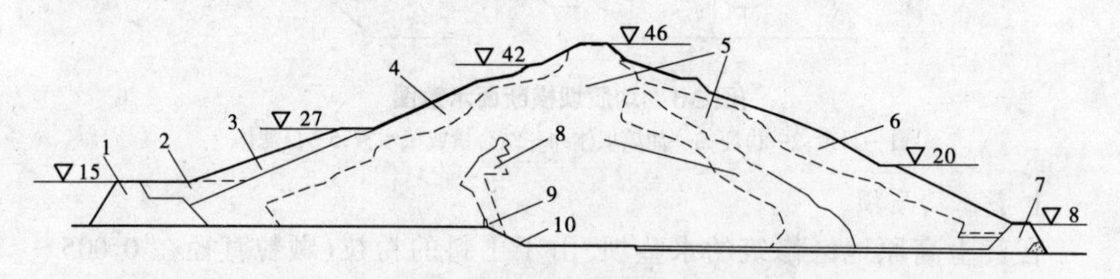

图 3-2　山西省太仙河黄土均质坝

1—挡水坝；2—淤泥；3—贴坡；4—上游边埂；5—冲填体；6—下游边埂；7—反滤体；8—中埂；9—截流墙；10—岩基

表 3-2　部分黄土水坠坝工程的基本情况

坝名	所在省(区)	土料类别	坝高(m)	库容(万 m^3)	土方(万 m^3)	坝坡率	
						迎水坡	背水坡
上刘家川	陕西	轻粉质壤土	26	285	12.23	3	3
方塔	陕西	中粉质壤土	50	560	63	3.5	3
李家川	陕西	重粉质壤土	36	523	28.5	2.1;3.5;3.5;4	1.75;3;3;3
西庄	陕西	沙壤土	42	390	25	3;3.5	2.5;3
河口庙	陕西	沙壤土	43.5	5 860	102	4	3
长城	陕西	沙壤土	70	6 950	200	3;3.5;4;4.5;5	3;3.5;4;4.5;5
桃儿嘴	山西	轻粉质壤土	34	194	14.5	2;2.75;3	2;2.5;3
曲峪	山西	轻壤土	38	477	28.4	3	2.5
太仙河	山西	重粉质壤土	46	517	36.1	2;3	2;3
吴城	山西	重粉质壤土	30	1 700	100	2.5;3;3.5	2;2.5;3
石峡口	内蒙古	轻粉质壤土	33	1 724	53	2.58;3.27;3.5	2.3;2.7;3.15
毛家沟	宁夏	轻粉质壤土	32	320	33	2.5;3	2.5;3
麻坪	甘肃	重粉质壤土	12	5.2	1.75	3	2
五峰	青海	轻粉质壤土	35	56.5	42.6	4	3;4
小岭沟	河南	重粉质壤土	35	40	14	3.53	3

注:表中所有水坠坝都属于均质土坝。

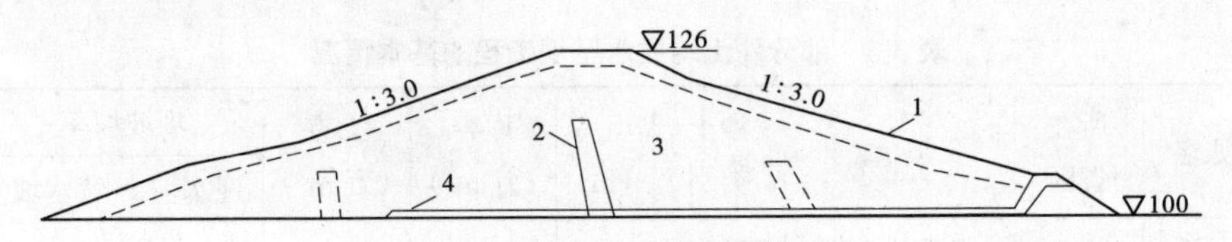

图 3-3　陕西省上刘家川黄土均质坝

1—边埂;2—中埂;3—冲填体;4—排水暗管

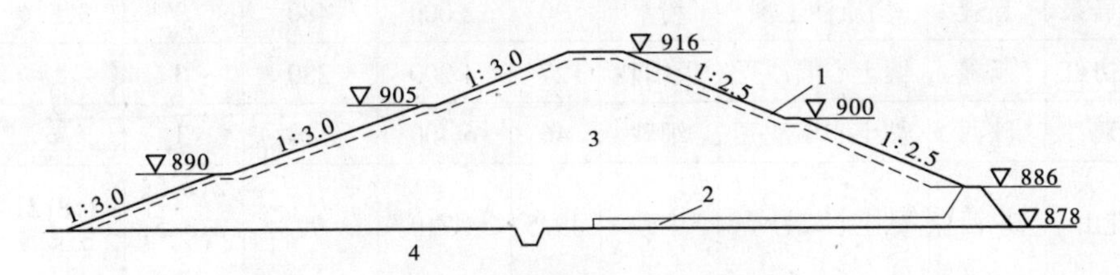

图 3-4　山西省曲峪黄土均质坝

1—边埂;2—排水垫层;3—冲填体;4—砂砾石坝基

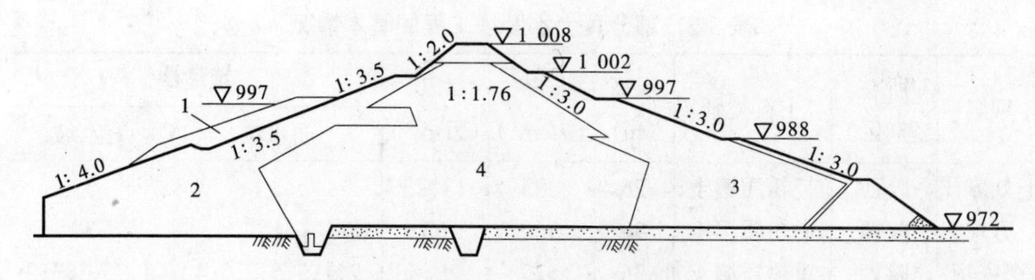

图 3-5　陕西省李家川黄土均质坝

1—贴坡；2—上游边埂；3—下游边埂；4—冲填体

2. 沙土均质坝

陕西省靖边县的会桥坝、内蒙古自治区准格尔旗的忽吉兔坝、新疆维吾尔自治区皮山县的雅普泉坝等均为沙土均质坝。在施工中均采用了较黄土水坠坝为缓的坝坡。

在有黏土的地方，也有采用心墙沙壳坝的，如陕西省靖边县的金鸡沙水库，为了减少渗漏损失，以黏土做心墙，用拖拉机碾压施工，坝壳则用引水拉沙冲填而成。虽然坝体断面因为心墙而成为非均质坝，但由于坝体土料的冲填没有采用分选式冲填的方式，就水坠土方来说，仍为均质坝的冲填方法。故此类水坠坝在《水坠坝技术规范》(SL302—2004)中没有划分到非均质坝中。

部分已成沙土水坠坝工程的基本情况见表 3-3。图 3-6 给出了几座沙土水坠坝的实测断面图。

表 3-3　部分沙土均质水坠坝工程的基本情况

坝 名	所在省区	坝 型	沙土类别	坝高(m)	库容(万 m^3)	土方(万 m^3)	坝坡坡率	
							迎水坡	背水坡
会桥	陕西	均质沙土坝	极细砂	65	4 100	23	3;6	3;6
忽吉兔	内蒙古	均质沙土坝	细砂	27	1 500	65	3	4
雅普泉	新疆	均质沙土坝	粉土	30	2 000	480	8	3.5;4
东方红	新疆	壤土心墙沙壳	极细砂	27	4 200	280	6	
金鸡沙	陕西	黏土心墙沙壳	细砂	46	6 400	120	3	
花山	广西	黏土心墙沙壳	中砂	49.5	4 710	90	2;2.5;3;3.5;4	1.8;2;2.5;3

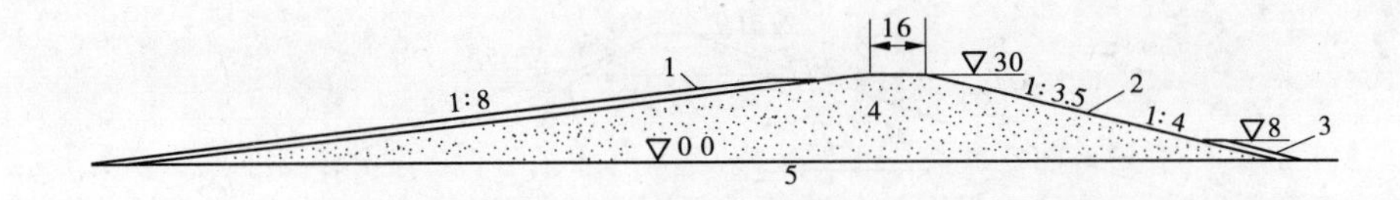

(a)新疆维吾尔自治区皮山县的雅普泉沙土水坠坝

1—上游石护坡;2—植物护坡;3—贴坡反滤;4—冲填沙;5—透水地基

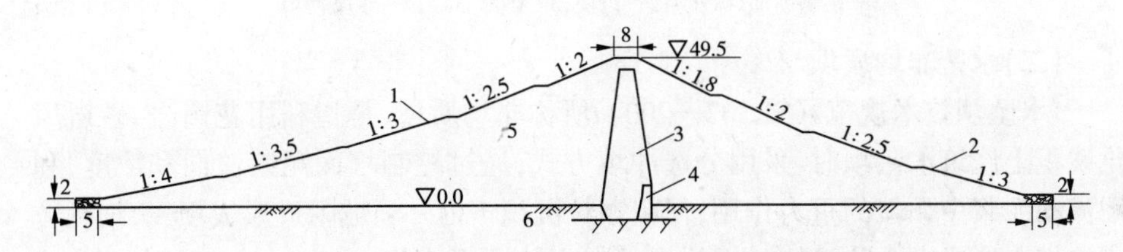

(b)广西壮族自治区花山心墙沙壳坝

1—上游石护坡;2—混凝土块护坡;3—黏土心墙(碾压);

4—浆砌石混凝土齿墙;5—冲填沙壳;6—微风化花岗岩

图 3-6　沙土水坠坝的实测断面图　(单位:m)

3.砾质土均质坝

广西壮族自治区的罗寨坝、广东省的水星坝、六回坝等水坠坝都是利用砾质壤土或砾质黏土冲填而成的均质坝。表 3-4 列举了部分砾质土均质水坠坝工程的基本情况,图 3-7 为砾质土均质水坠坝的实测断面图,可供同类工程参考。

表 3-4　部分砾质土均质水坠坝工程的基本情况

坝名	所在省(区)	坝型	筑坝土料	坝高(m)	库容(万 m^3)	土方(万 m^3)	坝坡坡率	
							迎水坡	背水坡
六回	广东	均质坝	砂岩风化土	32.6	61	23.9	3	2.75;3
水星	广东	均质坝	花岗岩风化土	31.0	484	26.5	2.5;2.75;3	2.5
将军址	广东	均质坝	花岗岩风化土	20.0	33	6.5	3	3.2;2.5
罗坑	广东	均质坝	花岗岩风化土	52.4	8 225	84	2.5;2.75;3;3.25	2.25;2.5;3
向阳	广东	均质坝	砂页岩风化土	60.0	9 200	140	2.75;3.25;3.5	2.5;2.75;3
罗寨	广西	均质坝	砂页岩风化土	42.5	3 567	93	2.5;3.5;4;4.5	2.5;3;3.5;4

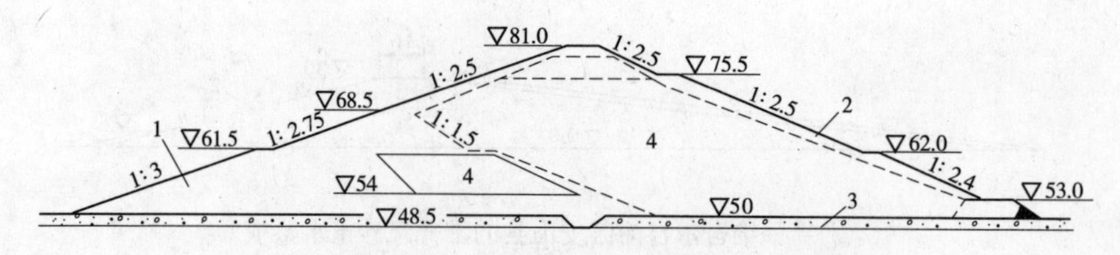

图 3-7　广东省水星砾质土均质水坠坝的实测断面图

1—拦洪断面(碾压);2—边埂;3—砂卵石层;4—水坠冲填

(二)水坠非均质坝

《水坠坝技术规范》(SL302—2004)所称非均质坝,是指利用花岗岩、砂岩风化残积土修筑水坠坝时,采用分选冲填方式,通过控制坝面泥浆流向和浓度,利用流动泥浆中颗粒的重力作用,使粗颗粒沉积于内外坝坡附近形成坝壳,细颗粒流向坝心形成中心防渗体。坝体由外向内依次形成坝壳区、过渡区和中心防渗体。非均质坝的断面结构如图 3-8 所示。

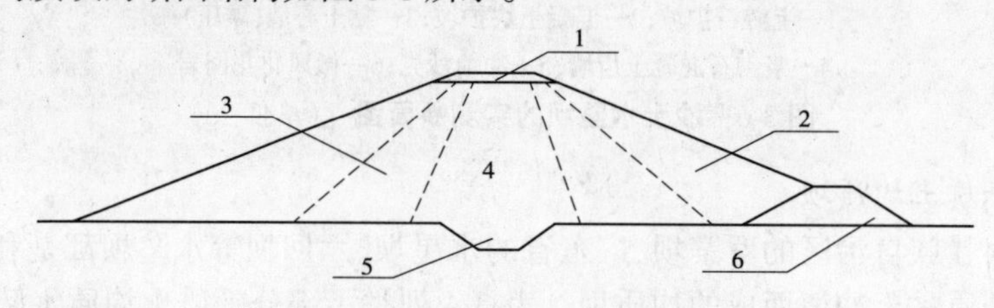

图 3-8　非均质坝横断面示意图

1—封顶;2—坝壳区;3—过渡区;4—中心防渗区;5—结合槽或截水槽;6—反滤体

坝址附近土料为花岗岩、砂岩风化残积土,工程又有防渗要求时,应选用非均质坝。为了保证中心防渗体沿坝轴线方向的均匀性和连续性,非均质坝应采用全断面分选冲填的方法施工,避免因坝体分段施工造成中心防渗体连接不够紧密,形成漏水通道。

根据工程实践经验,按照当前的施工技术和施工条件,非均质坝的坝型还只限于防渗体位于中心部位的坝型,即自外向内颗粒由粗变细的分选冲填坝。

当采用河床分期导流施工时,坝的横断面内各部位必须妥善连接,防止形成漏水通道,危及坝体的安全。而非均质坝分选冲填的施工技术尚不能保证做到这一点,为安全起见,在采用河床分期导流施工时,应选用均质坝型。

在黄土高原地区修筑的各类水坠坝库工程,一般多采用均质坝,尤其是各类淤地坝工程,由于其主要作用是滞洪拦泥淤地,防渗要求不是太高,全部采用当地土料修筑水坠均质坝。在南方地区,当地多为花岗岩、砂岩风化残积土,由于土料的含砾量与含黏量差别较大,导致土料的渗透性不同,采用均质坝还是非均质坝施工,应视土料可否满足水库工程的防渗要求而定。因此,在南方水坠坝建设的实践中,均质坝和非均质坝的应用都比较广泛。

需要说明的是,碾压心墙沙壳坝、水中倒土心墙沙壳坝的水坠沙壳,采用的是非分选冲填的方法,技术要求与水坠均质坝并无区别。因此,不再单独进行分类和要求。

广西壮族自治区的坳背、田贵等水坠坝,利用砾质土的颗粒级配不均匀的特点,使粗颗粒砂砾石留在坝壳部位,排走一部分细颗粒,冲填形成粗的砂砾石作为边埂,节约了劳力,提高了工效,增加了坝坡的稳定性。表 3-5 列举了部分砾质土非均质水坠坝工程的基本情况,图 3-9 为已成砾质土非均质水坠坝的实测断面图,可供同类工程参考。

表 3-5　部分砾质土非均质水坠坝工程的基本情况

坝名	所在省(区)	坝型	筑坝土料	坝高(m)	库容(万 m³)	土方(万 m³)	坝坡坡率	
							迎水坡	背水坡
坳背	广西	冲填心墙坝	花岗岩风化土	30	110	9.8	2.75	2.75
田贵	广西	冲填心墙坝	页岩风化土	59.5	5 020	196	3.75	3.5

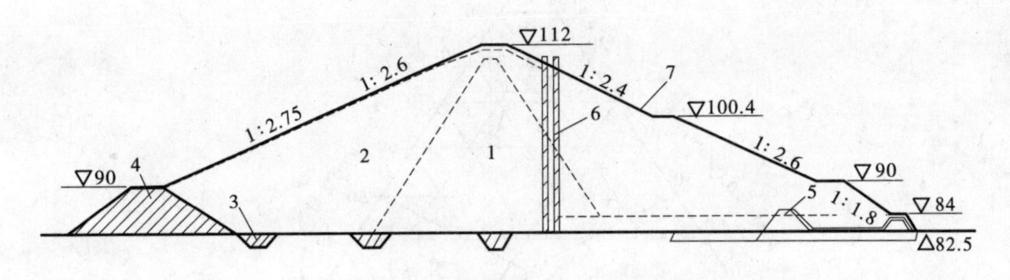

图 3-9　广西壮族自治区坳背砾质土冲填心墙坝实测断面图

1—冲填心墙(砾质壤土);2—冲填坝壳(砾质重沙壤土);

3—截水墙(人工填土);4—人工碾压围堰;5—反滤排水;

6—排水竖井;7—人工补坡

第二节　筑坝土料的选择

一、水坠坝筑坝土料的分类

土料的分类是在土的颗粒分析试验的基础上进行的。在进行土料的颗粒分析试验时，土料的粒组划分应符合表 3-6 的规定。

表 3-6　土料的粒组划分

粒组名称			粒径范围(mm)
粗粒组	砾粒	粗砾粒	60～20
		细砾粒	20～2
	砂粒	粗砂粒	2～0.5
		中砂粒	0.5～0.25
		细砂粒	0.25～0.075
细粒组		粉粒	0.075～0.005
		黏粒	0.005～0.002
		胶粒	<0.002

(一)黄土类土的分类

水坠坝筑坝土料的分类，习惯于采用土的三角坐标分类图划分土类，见图 3-10。若土中含有砾，但其含砾量不超过 10%时，在土名之前加“含少量砾的”字样。

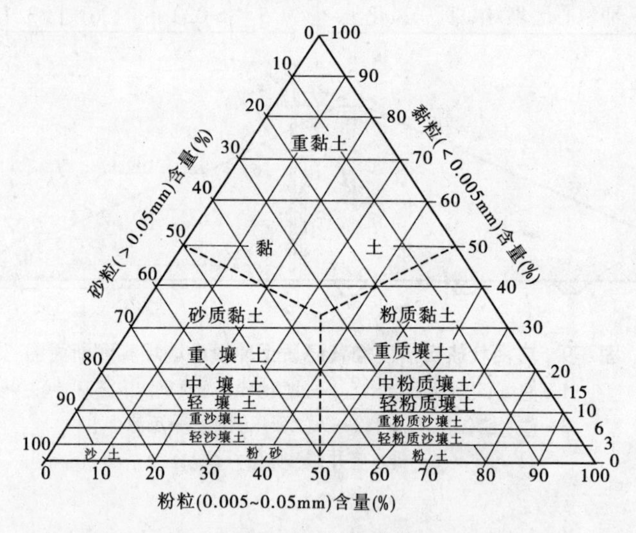

图 3-10　土的分类

按照黄土类土的分类，适宜水坠坝的筑坝土料可分为：沙土、沙壤土、轻粉质壤土、中粉质壤土和重粉质壤土。

(二)砾质土的分类

砾质土的分类，沿用三角坐标分类图(见图 3-11)。确定土类时，首先按

图 3-11分类,如属砾质土或“含少量砾的土”,再从图 3-10 查出土类名称,加上“砾质”或“含少量砾的”字样。

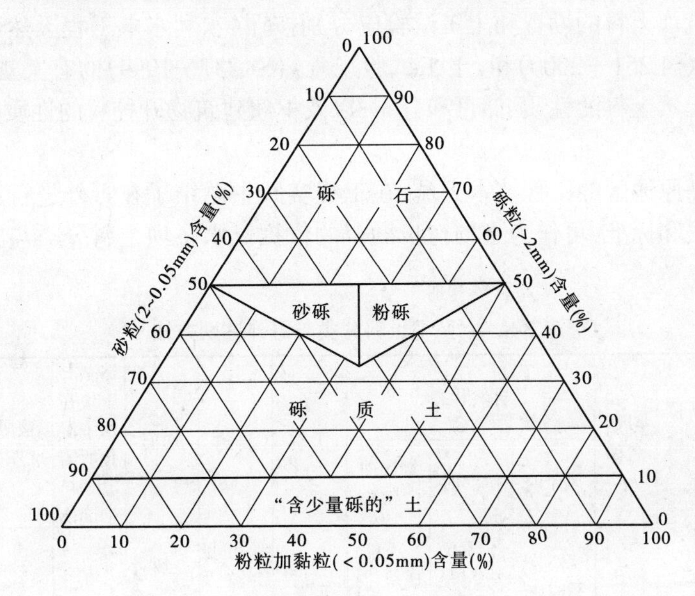

图 3-11　砾质土的分类

按照砾质土的分类,适宜水坠坝的筑坝砾质土料可分为:砾质沙壤土、砾质壤土和砾质黏土等。

(三)沙土的分类

确定沙土的种类时,可将土按大小粒径的重量百分比加以统计。首先为大于 0.5mm 的颗粒,其次为 0.25mm 的颗粒,余类推。按表 3-7 沙土的分类中的排列次序,以最先适合的名称命名。

表 3-7　沙土的分类

土名	砂粒(2～0.05mm)含量　(%)			
	＞0.5mm	＞0.25mm	＞0.10mm	＞0.1mm
粗砂	＞50			
中砂		＞50		
细砂			＞75	
极细砂				＜75

注:本表适用于黏粒含量小于 3%、粉粒含量小于 20%的沙土。

按照沙土的分类标准,沙土可分为粗砂、中砂、细砂和极细砂。

二、筑坝土料的勘查

水坠筑坝土料的勘查和土工试验应分别按照《水利水电工程天然建筑材料勘察规程》(SL251—2000)和《土工试验规程》(SL237—1999)的有关规定，查明坝址附近天然土料的性质、储量和分布，以及枢纽建筑物开挖料的性质和可利用的数量。

黄土高原地区的工程技术人员，在工程实践中总结了在野外进行土料鉴定的简单方法和标准，可作为土场初步勘查的依据。水坠坝土料分类与野外鉴别方法见表 3-8。

表 3-8　水坠坝土料分类与野外鉴别方法

<table>
<tr><th colspan="2" rowspan="2">分类</th><th rowspan="2">黏粒含量(%)</th><th rowspan="2">习惯名称</th><th colspan="3">自然状态</th><th rowspan="2">手感</th><th rowspan="2">目测</th><th rowspan="2">切面</th><th rowspan="2">5cm³土块在水中湿化所需历时(min)</th><th rowspan="2">液限(%)</th><th rowspan="2">塑限指数</th></tr>
<tr><th>风干时</th><th>湿润时</th><th>潮湿时搓捻</th></tr>
<tr><td>沙土</td><td>粉质沙土</td><td><3</td><td>沙土</td><td>松散、不成块</td><td>无塑性，呈流体状</td><td>不能搓条、捏团</td><td>无黏性</td><td>可见砂粒及粉粒</td><td>切不成面</td><td>0</td><td></td><td>≤1</td></tr>
<tr><td rowspan="2">沙壤土</td><td>轻粉质沙壤土</td><td>3～6</td><td rowspan="3">一般黄土</td><td rowspan="3">手压或抛掷即碎成小块和粉屑</td><td rowspan="3">略有塑性</td><td rowspan="3">搓条很短、易破裂，捏团极易开裂、散落</td><td rowspan="3">有砂粒，土块易压成粉</td><td rowspan="3">明显的砂粒或细粉粒较多</td><td rowspan="3">切面粗糙，砂粒突出</td><td rowspan="3">1～5</td><td rowspan="3"><26</td><td rowspan="3">1～7</td></tr>
<tr><td>重粉质沙壤土</td><td>6～10</td></tr>
<tr><td rowspan="3">壤土</td><td>轻粉质壤土</td><td>10～15</td></tr>
<tr><td>中粉质壤土</td><td>15～20</td><td>硬黄土</td><td>用锤击或手压时，可碎成小块</td><td>塑性较好，黏性不大</td><td>能搓成短粗土条，可滚成小球</td><td>有少量砂粒，用力压则碎成小块</td><td>细粉末中有砂粒</td><td>切面平整，可见砂粒</td><td>5～15</td><td>26～42</td><td>7～17</td></tr>
<tr><td>重粉质壤土</td><td>20～30</td><td>红黏土、胶土</td><td>土块坚硬，可打成块，但不易成粉末</td><td>滑腻、黏连</td><td>可搓成细长土条，易滚成小球</td><td>土粒细、均匀，无砂粒，土块难压碎</td><td>土粒细致，看不到砂粒</td><td>切面细腻光滑，干时有光泽</td><td>>30</td><td>>42</td><td>≥17</td></tr>
</table>

三、筑坝土料的要求

出于对水坠坝施工和运行安全的考虑,《水坠坝技术规范》(SL302—2004)对水坠坝土料的黏粒和胶粒含量、砾粒含量、塑性指数、崩解速度、渗透系数和不均匀系数等作了明确的规定。要求冲填土料粒径在0.005mm以下的颗粒含量应小于30%,有机质、水溶盐的含量应分别小于3%和8%,崩解速度不应超过30min,渗透系数应大于1×10^{-7}cm/s。不同土料的控制性指标应符合表3-9的规定。

表3-9 筑坝土料控制性指标经验值

项目	均质坝						非均质坝
	沙土	沙壤土	壤土			花岗岩、砂岩风化残积土	花岗岩、砂岩风化残积土
			轻粉质	中粉质	重粉质		
黏粒和胶粒含量(%)	<3	3~10	10~15	15~20	20~30	15~30	5~30
砂砾含量(%)	—	—	—	—	—	砾≤30	60~80
塑性指数	—	—	7~9	9~10	10~13	—	—
崩解速度(min)	–	1~3	3~5	5~15	<30	—	—
渗透系数(cm/s)	$<1.0\times10^{-4}$	$1.5\times10^{-5}\sim2.0\times10^{-5}$	$1.0\times10^{-5}\sim1.5\times10^{-5}$	$3.0\times10^{-6}\sim1.0\times10^{-5}$	$1.0\times10^{-7}\sim3.0\times10^{-6}$	$>1.0\times10^{-6}$	$>1.0\times10^{-6}$
不均匀系数	—	—	—	—	—	—	>15

注:表中黏粒含量是用氨水作为分解剂得出的。

实践证明,当各类壤土的黏粒含量低于20%,花岗岩、砂岩风化残积土的黏粒含量低于30%时,所冲拌的泥浆在施工期易于脱水固结,边埂的顶宽也较窄些。在技术和经济两方面具有明显的可靠性与合理性。因此,通常把土的黏粒含量作为判别土料适宜性的一项主要指标。

但是,由于土的颗粒组成、黏粒的矿物成分等不同,因此对不同的土类,所规定的黏粒含量也有差别。各类壤土的黏粒的矿物成分多为伊利石,浸水后易于崩解,加之粉粒含量多,其表面的水膜层薄,对所形成的泥浆的快速脱水有利。

根据北方的实践经验，规定这类土的黏粒含量的上限为20%。在施工过程中，若采用坝体内铺设排水盲管、砂沟、砂井等排水设施，土料的黏粒含量的上限可达30%。花岗岩、砂岩风化残积土的矿物质成分多为蒙脱石，且呈团粒结构，浸水后虽崩解较迟缓，土中砂粒多于粉粒，但透水性仍较好，故有利于泥浆的脱水固结。根据广东和广西地区水坠筑坝的实践经验，规定这类土的黏粒含量的上限亦为30%。此外，也对砂、砾的含量等作了相应的规定(见表3-9)。

四、筑坝土料的试验

在缺乏水坠法筑坝经验的地区，需对筑坝土料进行颗粒分析试验，液限、塑限和含水率试验，有机质和水溶盐含量试验，干容重试验，以及渗透特性试验和崩解试验等方面的土工试验。而在水坠法筑坝技术比较普及的区域，因为有成功的经验可资借鉴，一般无需做上述试验。

(一)黄土水坠坝

1.土料的颗粒组成

从土料的颗粒组成上来说，影响水坠坝的主要因素是土料的含黏量。一般来说，土的含黏量越低，水坠坝的施工效率越高，反之，施工进度越慢。含黏量过高的土料，由于脱水固结太慢而难以修筑水坠坝。

1)沙壤土和轻粉质壤土适合修筑水坠坝

含黏量低于10%的沙壤土和含黏量10%~15%的轻粉质壤土，是最适合修筑水坠坝的土料。黄土高原地区陕西省榆林市和延安市，以及内蒙古自治区鄂尔多斯市等地已建水坠坝多为沙壤土和轻粉质壤土。

2)中粉质壤土较适宜修筑水坠坝

中粉质壤土一般含黏量在15%~20%，较适合修筑水坠坝，但需要的边埂宽度较宽，适当降低冲填速度，坝体仍能保持稳定。陕西省延安市及山西省吕梁市、临汾市等地的部分水坠坝为中粉质壤土。

3)重粉质壤土也可修筑水坠坝

含黏量在20%~30%的重粉质壤土或含黏量大于30%的沙质黏土或粉质黏土，虽然可以修建水坠坝，但由于土料含黏量大，坝体脱水固结困难，一般水坠坝施工时，除了掌握好泥浆浓度、降低冲填速度外，还要有很宽的边埂才能保证坝坡的稳定，相应的筑埂土方量往往达到坝体总土方量的50%左右，工程造价相对其他水坠坝较高。

为了提高这类坝的脱水固结速度，应用这类土料修筑水坠坝时，多在坝体内设置专门的排水设施，如砂井、砂沟、聚乙烯微孔波纹管等。在黄土高原地区的甘肃省、宁夏回族自治区和青海省的大部分地区，近年来修筑的水坠坝多采用了坝内埋设聚乙烯微孔波纹管，效果较好，能显著提高工效，降低造价，具有较高的推广价值。表3-10、图3-12、图3-13列举了部分黄土水坠坝的土料物理性质和颗粒组成，在我国北方黄土地区具有一定的代表性。

2. 土料的湿化性

水坠坝是用水作为动力来输送泥沙的。因而，要求土料遇水以后能迅速崩解，有利于拌成较稠的泥浆输送到坝面。

土料的湿化性通常用崩解历时来评价。所谓崩解历时是指边长各5cm的立方土块在水中湿化所需要的时间。

1)湿化(崩解历时)试验

湿化试验简单易行，可以在料场切取一个边长分别为5cm的立方土块，放在水中，测定土块浸湿并有2/3以上崩解所需要的时间。试验表明，一般黄土的崩解时间为1～5min。例如上刘家川坝，轻粉质壤土的崩解时间为1.8min；桃儿嘴坝，轻粉质壤土的崩解时间为0.73min。硬黄土的崩解时间为5～15min，红黏土、胶土的崩解时间则超过15min，黏性特别大的土料崩解历时甚至超过30min。

2)不同崩解历时土料的适宜性评价

崩解历时小于10min的土料是适宜的筑坝土料，这种土料可以在造泥沟、输泥渠中很快地搅拌成均匀的稠泥浆，易于保证坝体工程的冲填质量。

崩解历时在10～15min的土料是较适宜的筑坝土料，土料在造泥沟、输泥渠中搅拌成均匀泥浆所需时间略长些，适当增加造泥沟和输泥渠的长度，也能保证坝体工程的冲填质量。

崩解历时在15～30min的土料也可作为水坠坝的筑坝土料，但由于土料的崩解历时较长，在向造泥沟供土时，对较大的土块应予破碎，以加快土料的崩解。

3. 土料的渗透固结特性

水坠坝作为挡水建筑物，既要求能安全蓄水，减少渗漏，又要求施工期容易脱水固结，强度增长快。

土料的含黏量低，透水性大，脱水固结快。轻、中粉质壤土的渗透系数在$1\times10^{-6}\sim1\times10^{-5}$cm/s，如曲峪坝的轻粉质壤土的渗透系数为$5\times10^{-5}$cm/s，上刘家川坝的轻粉质壤土的渗透系数为$7\times10^{-6}$cm/s，均为水坠坝的适宜土料。重粉质壤土渗透系数小于1×10^{-7}cm/s，如李家川重粉质壤土的渗透系数在$1\times10^{-8}\sim1\times10^{-7}$cm/s，脱水固结困难，采取排水措施或加大边埂也是可以修建的。再如宁夏回族自治区彭阳县的阳洼坝、甘肃省庄浪县的堡子沟坝和定西县的播沟坝等工程，采用聚乙烯微孔波纹管排水，收效甚好。

表 3-10　部分黄土水坠坝筑坝土料的物理性质

坝名	颗粒组成(%)			限制粒径 d_{60}（mm）	有效粒径 d_{10}（mm）	不均匀系数 $\frac{d_{60}}{d_{10}}$	土料类别	相对密度	流限（%）	塑限（%）	塑性指数
	2～0.05 mm	0.05～0.005 mm	<0.005 mm								
上刘家川	22.5	64.5	13.0	0.031 5	0.003 40	9.3	轻粉质壤土	2.72	28.0	20.0	8.0
方塔	24.0	58.0	18.0				中粉质壤土	2.71	27.0	18.0	9.0
李家川	14.5	58.5	27.0	0.020 5	0.001 15	17.8	重粉质壤土	2.72	30.0	20.0	10.0
桃儿嘴	32.5	55.5	12.0	0.044 0	0.004 00	11.0	轻粉质壤土	2.70	28.0	19.0	9.0
曲峪	51.6	38.2	10.2	0.057 0	0.004 20	13.3	轻壤土	2.71	25.0	18.0	7.0
太仙河	22.5	55.5	22.0	0.035 0	0.001 20	27.5	重粉质壤土	2.72	26.0	16.0	10.0
吴城	14.5	61.3	24.2				重粉质壤土	2.72	28.3	18.3	10.0
石峡口	38.0	51.6	10.4	0.049 0	0.004 60	10.7	轻粉质壤土	2.70	29.7	20.6	9.1
毛家沟	29.0	56.5	14.5	0.040 5	0.002 40	16.9	轻粉质壤土	2.70	30.2	19.8	10.4
麻坪	16.5	56.0	27.5	0.024 0	0.001 00	24.0	重粉质壤土	2.70	31.8	19.2	12.6
五峰	30.5	57.0	12.5	0.040 5	0.003 60	11.3	轻粉质壤土	2.72	26.5	18.6	7.9
小岭沟	13.0	58.0	29.0	0.018 0	0.001 20	15.0	重粉质壤土	2.73	30.0	19.0	11.0

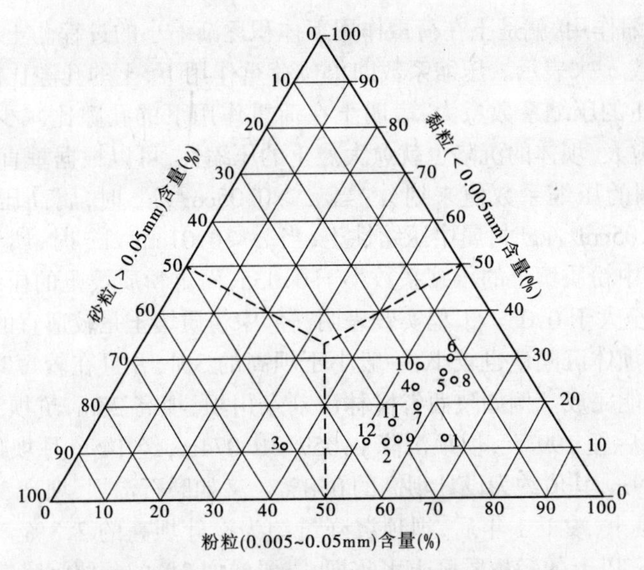

图 3-12　部分黄土水坠坝筑坝土料

1—上刘家川(陕)；2—桃儿嘴(晋)；3—曲峪(晋)；4—太仙河(晋)

5—李家川(陕)；6—小岭沟(豫)；7—方塔(陕)；8—吴城(晋)；

9—五峰(青)；10—麻坪(甘)；11—毛家沟(宁)；12—石峡口(蒙)

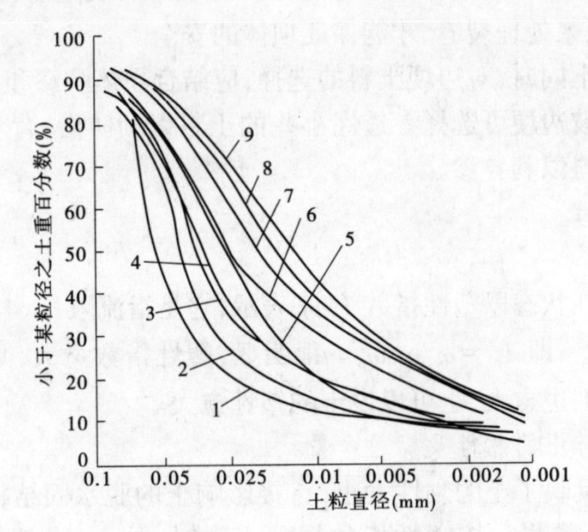

图 3-13　部分黄土水坠坝筑坝土料颗粒分配曲线

1—曲峪(晋)；2—石峡口(蒙)；3—毛家沟(宁)；4—五峰(青)；

5—上刘家川(陕)；6—太仙河(晋)；7—麻坪(甘)；

8—李家川(陕)；9—小岭沟(豫)

土的压缩作用，就是土在荷重作用下体积逐渐缩小的过程。土的压缩性可以用压缩系数 a 来表示。压缩系数即单位荷重作用下，土的孔隙比的变化幅度(cm^2/kg)。土的压缩系数愈大，表明土在荷重作用下的孔隙比减少愈多，亦即土的压缩性愈大，坝体的沉陷也就愈大。土的压缩性，可以根据垂直荷载在1～2kg/cm^2 范围的压缩系数值来划分：当 $a>0.05cm^2/kg$ 时，属高压缩性土；当 $a=0.01\sim0.05cm^2/kg$时，属中压缩性土；当 $a<0.01cm^2/kg$ 时，属于低压缩性土。一般轻、中粉质壤土的压缩系数小于0.035，而重粉质壤土的压缩系数则大于0.035，甚至大于0.05。工程实践表明，轻、中粉质壤土是较适宜的筑坝土料，压缩性较小，坝体沉陷量也较小，一般小于坝高的3%，并且在较短时间内(1年左右)沉陷就能完成。例如陕西省榆林市刘家川坝，坝高25m，筑坝土料为轻粉质壤土，竣工后经199天，坝顶沉降0.057～0.074m，经14个月坝顶沉降量为0.106～0.204m，其值约为设计坝高的0.8%。又如磨石沟坝，坝高34m，筑坝土料为轻粉质壤土，竣工1年后，坝顶沉降量约为设计坝高的2.3%。可以看出，对于坝高20m以上的轻粉质壤土水坠坝，需要增加3%的预留沉陷量。对于中、重粉质壤土水坠坝，预留沉陷量则要相应增大，一般可按设计坝高的5%考虑。对于压缩系数大于0.035cm^2/kg 的土料，由于它的脱水固结速度较慢，沉陷过程较长，伴随着后期沉降，坝体不可避免地要连续出现裂缝。在运用管理时，应加强观测，及时灌浆处理裂缝，才能保证坝体的安全。

当料场土质不同时，对边埂土料的选择，应结合坝体防渗和导渗的要求加以考虑。一般迎水坡边埂可选择渗透性小些的土料以利防渗，背水坡边埂可选择渗透性大些的土料以利导渗。

4. 土料的塑性

1)塑性指数

黏性土的塑性状态以塑性指数 I_p 来表示，它是指流限 ω_T 与塑限ω_p 这两个界限的含水率之差，即 $I_p=\omega_T-\omega_p$。很明显，塑性指数愈大，黏性土表现塑性状态的含水率范围也愈大，也可以说土的塑性愈大。

2)塑性指数与土的黏性及黏粒含量

塑性的大小反映了土的黏性大小，直接影响土的脱水固结特性。土的黏性愈大，脱水固结就愈慢。按塑性指数划分土类时，黏土(高塑性土)塑性指数 $I_p>17$；壤土(塑性土)$I_p=17\sim7$；沙壤土(微塑性土)$I_p=7\sim1$；而沙土(非塑性土)$I_p\leqslant1$。

黄土水坠坝的流限试验结果(见表3-11)显示：一般壤土的流限在28%～30%；黏粒含量8%～15%者，塑性指数为6～9；黏粒含量15%～30%者，塑性指数在9～12。工程实践表明，塑性指数小于10的黄土是较适宜的水坠筑坝土料。

5.土料的矿物化学成分

黏性土的塑性取决于结合水膜的特征，而影响结合水膜的因素有矿物成分、颗粒组成、颗粒形状、水溶液的成分、水溶液的浓度和水溶液的酸碱度等。

不同的矿物以不同的强度与水相互结合，同时，矿物的晶格构造又影响着矿物颗粒的形状。黄土的矿物成分与土粒大小有一定规律，大于0.25mm的粗砂砾石几乎全是石英；0.25～0.005mm的中、细砂及粉粒矿物成分较复杂，有石英、长石、方解石、重矿物及其他次要矿物；0.005～0.001mm的粗黏粒组的矿物不仅有石英、长石、方解石等原生矿物，并且有伊利水云母、高岭石等次生矿物；0.001～0.000 1mm的粒组几乎含所有的次生矿物，并含有方解石；＜0.000 1mm的粒组则主要为蒙脱石。次生黏土矿物具有良好塑性的矿物，其中蒙脱石的塑性又大于伊利水云母、高岭石的塑性，而原生矿物石英砂等则不具塑性。

我国北方黄土中的粗颗粒由北向南逐渐减少，土的塑性由北向南逐渐增加。含伊利水云母、高岭石黏土矿物的黄土，由于其结合水膜比较薄，塑性较小，脱水固结性能较好，是适宜的水坠筑坝的土料。北方黄土中的轻、中粉质壤土多属此类土料。

6.杂质含量

水坠坝的土料中不能夹杂植物根叶等杂质。土料的有机质含量一般应小于3%，易溶盐的含量应小于8%，试验表明，陕北、晋西的黄土有机质、易溶盐的含量一般在2%左右，能满足水坠坝的要求。

(二)沙土水坠坝

1.颗粒分析试验与不均匀系数

采用沙土修筑水坠坝时，应进行颗粒分析试验。应根据颗粒分析试验成果，计算细粉砂的颗粒不均匀系数。

从冲填施工来说，对沙土料的颗粒的均匀性没有严格的要求，但从坝体的安全运行与抗震性能的要求上来说，不宜采用不均匀系数$\frac{d_{60}}{d_{10}}<5$的细粉砂筑坝。因为当颗粒间孔隙全部被水充满，细粉砂颗粒遇到地震或强烈震动时，会发生较大的孔隙水压力，颗粒间的摩擦力突然消失，细粉砂表现为易于流动的液体状态，即产生液化，引起滑坡。

2.沙土水坠坝筑坝土料的颗粒组成

新疆维吾尔自治区昆仑山北麓、山西省北部、内蒙古自治区中南部等地的沙区，由于缺乏其他黏性土料，修筑均质沙坝较多，表 3-11 列举了部分沙土水坠坝的颗粒组成，图 3-14 中给出了部分砂料的颗粒组成曲线。其中一些沙坝，由于缺乏合适的砂料，而采用了颗粒组成比较均匀的细粉砂筑坝，为了提高其抗震稳定性，分别采用了放缓坝坡、设置心墙降低浸润线、设置护坡及反滤压重等措施，已安全运行多年。

表 3-11　部分沙土水坠坝筑坝土料的颗粒组成

坝名	粒径(mm)							限制粒径 d_{60} (mm)	有效粒径 d_{10} (mm)	不均匀系数 $\frac{d_{60}}{d_{10}}$	土料类别
	>2	2～0.5	0.5～0.25	0.25～0.1	0.1～0.05	0.05～0.005	<0.005				
	颗粒组成(%)										
会桥			0.5	52.5	45.5	1.5	0	0.110	0.075	1.5	极细砂
忽吉兔		2.0	19.0	59.0	12.0	6.0	2.0	0.180	0.062	2.9	细砂
雅普泉				19.0	27.0	53.0	1.0	0.053	0.031	1.6	粉土
东方红			1.0	29.0	68.0	2.0	0	0.090	0.056	1.6	极细砂
金鸡砂			25.0	61.0	13.5	0.5	0	0.210	0.098	2.1	细砂
花山		33.0	28.0	30.0		5.0	4.0				中砂

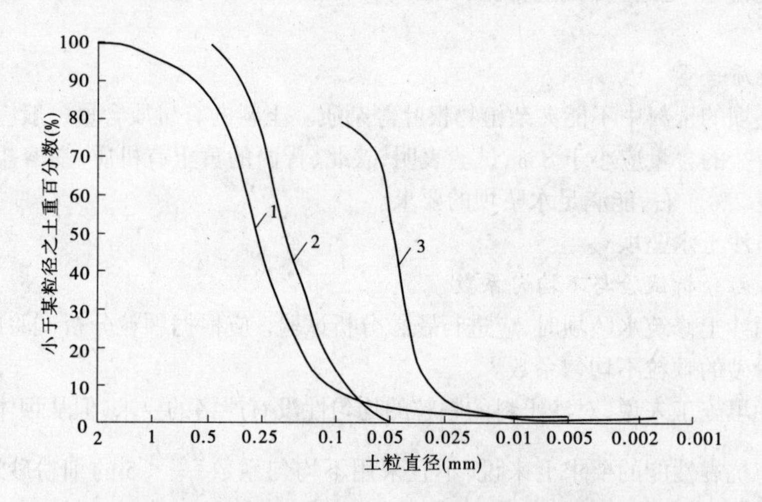

图 3-14　部分已成沙土水坠坝的颗粒级配曲线

1—布尔洞(内蒙古)；2—金鸡沙(陕西)；3—雅普泉(新疆)

对于地震烈度 7 度以上的地区，应该对均匀细粉砂地基和坝体的液化问题给予足够的重视。重要的工程应该进行抗震稳定性及抗震措施的研究并进行专门设计。一般小型工程应根据具体情况，采取必要的抗震措施，如加固处理砂基、封堵液化体出路、缓坝坡、提高筑坝干容重、搞好坝基及坝体的防渗与导渗结构,以及降低浸润线、设置反滤护坡压重等,以提高沙土水坠坝的抗震能力。

(三)砾质土水坠坝

广东省、广西壮族自治区、云南省等省(区)的砾质壤土、砾质黏土,多属于半风化的坡积残积土,风化不很彻底,含砾量大,有团粒结构的特征,具有良好的排水性能。

根据广东省水利电力科学研究所的试验研究,提出砾质土料水坠坝适用性鉴别表,见表3-12。

表3-12　砾质土料水坠坝适用性鉴别

平均含砾量(%)	平均含黏量(%)	适用性
1～30	10～20	适宜
	20～25	较适宜
	25～30	适当加宽边埂或减缓冲填速度

注:平均含黏量指料场范围内平均值。

广西壮族自治区玉林市提出的砾质土适用性鉴别办法是:当土场的平均含黏量为7%～15%时,土料适宜修筑水坠坝;当平均含黏量为15%～25%时,土料尚可用于水坠坝;当平均含黏量超过25%时,要考虑采用坝内排水措施,或采取竖井廊道等工程措施排除细颗粒,方可用于水坠坝。

第三节　筑坝土料的填筑标准

一、冲填坝体的填筑标准

水坠坝冲填坝体的填筑质量、坝体土料的密实度等指标,是在坝体脱水固结过程中逐步达到的。在施工过程中,对水坠土方的质量控制的主要指标是冲填泥浆的起始含水率和冲填速度。这是根据水坠坝的特点从已建工程的统计资料得出的。前者用以控制起始干容重,后者用以控制坝体设计干容重。

(一)均质坝冲填泥浆的起始含水率

所谓冲填泥浆的起始含水率,系指均质坝施工过程中,冲填泥浆进坝时(即输泥渠末端处)的泥浆含水率,也就是泥浆浓度的反映。因此,在均质坝施工中,也常采用泥浆浓度(土水体积比)这一指标作为控制冲填质量和进度的一种简便的综合性技术经济指标。

应该说明的是：对非均质坝来说，由于泥浆进坝时还需加水稀释，以便对颗粒进行分选，所谓冲填坝体的起始含水率系指分选后坝面冲填层的含水率，它不反映泥浆的浓度。因此，在非均质坝施工中，泥浆浓度这一指标对控制冲填质量就没有什么意义，而只是作为一种评价冲填进度的经济指标。

在均质坝施工过程中，各种土料起始含水率应符合表 3-13 的规定。

表 3-13 不同土料冲填坝体起始含水率取值范围 （%）

均质坝			非均质坝	
			花岗岩、砂岩风化残积土	
沙土	沙壤土、壤土	花岗岩、砂岩风化残积土	坝壳区	中心防渗区
25～40	39～50	45～55	—	55

注：透水性大的土取小值，反之取大值。

起始含水率是控制均质坝冲填坝体质量和进度的一种综合性技术指标。不同土料起始含水率相应的干容重以及稳定含水率和稳定干容重数值见表 3-14。对非均质坝，泥浆进坝时还需用水枪进行颗粒分选，一般不必测定起始含水率。

表 3-14 不同土料冲填坝体含水率与干容重数值

含水率及相应干容重	均质坝						非均质坝	
			壤土				花岗岩和砂岩风化残积土	
	沙土	沙壤土	轻粉质	中粉质	重粉质	花岗岩、砂岩风化残积土	坝壳区	中心防渗区
起始含水率（%）	25～40	40～50	39～41	41～44	44～48	45～55	—	55
起始干容重（t/m^3）	1.55～1.30	1.30～1.22	1.40～1.23	1.30～1.24	1.30～1.25	1.23～1.08	—	1.08
稳定含水率（%）	15～22	23～26	24～26	23～26	23～26	23～27	20～24	28～34
稳定干容重（t/m^3）	1.7～1.55	1.66～1.59	1.60～1.50	1.60～1.50	1.63～1.55	1.66～1.56	1.65～1.55	1.53～1.43

注：1. 透水性大的土取小值，反之取大值；

2. 除坝壳外，干容重按饱和土体推算得出。

(二)坝体的允许冲填速度

冲填速度是指单位时间内坝体泥面上升的高度。常用的允许冲填速度指标有:两日最大升高、旬平均日升高、月最大升高等。

冲填速度是影响施工期坝体(特别是均质坝)安全的重要因素。实践中,因冲填速度过快造成坝体流态区深度过大而引起坝坡鼓肚以致滑坡的事例不少。因此,对冲填速度必须严格控制,并力求坝体均衡上升,禁止中途突击或任意加快冲填速度。

不同的土料由于其渗透性的差异,允许冲填速度也不同。如果冲填速度超过了渗透固结所允许的速度,冲填池内的泥浆会因为来不及脱水固结,而使流态区深度过大,边埂在流态区内泥浆的孔隙水压力作用下,发生蠕动变形,使坝坡失去稳定而遭受破坏。在施工中应严格控制冲填速度,防止坝体鼓肚、滑坡事故的发生。

随着冲填坝体的不断升高,坝基和岸坡对水坠坝体泥浆的约束力不断减小,同时,随着坝高的不断升高,坝体内水坠泥浆的流态区也在不断地加深,泥浆对边埂的推力也在不断加大,坝坡出现滑坡、裂缝的可能性也在不断加大。因此,水坠坝的冲填速度应随着坝体的升高而逐步放慢。

《水坠坝技术规范》(SL302—2004)规定的允许冲填速度,是根据已成工程实践经验得出的。施工过程中,坝的冲填速度应随坝体的升高而逐步放慢。均质坝的允许冲填速度见表 3-15;非均质坝的允许冲填速度,可按均质坝的允许冲填速度增加 40%左右。工程设计中,应根据允许冲填速度,合理安排施工进度,搞好施工组织设计。

表 3-15　均质坝允许冲填速度

项目	沙土	沙壤土	壤土			花岗岩、砂岩风化残积土		
						坝高分区(从底部起)		
			轻粉质	中粉质	重粉质	<1/3	1/3~2/3	>2/3
两日最大升高(m)	<1.0	<0.8	<0.6	<0.4	<0.3	<0.8	<0.5	<0.4
旬平均日冲填速度(m/d)	0.30~0.50	0.20~0.25	0.15~0.20	0.10~0.15	0.07~0.10	0.20~0.30	0.15~0.20	0.10~0.15
月最大升高(m)	<7.0	<7.0	<5.5	<4.0	<3.0	<7.0	<5.0	<3.0

注:土料的黏粒含量在 20%~30%时,可按规范在坝体内设置砂井(沟)或聚乙烯微孔波纹管网状排水,允许冲填速度可取表中数值的 1.5 倍。

(三)非均质坝的填筑标准

非均质坝在施工过程中,通过分选在坝体横断面上按土的颗粒大小形成过渡区、坝壳区和中心防渗区三部分。

中心防渗区和坝壳区的颗粒组成要求与碾压坝的心墙坝基本一致。

《水坠坝技术规范》(SL302—2004)规定,非均质坝中心防渗区、坝壳区的土料颗粒组成和各分区宽度占坝体宽度比例,应符合表 3-16 的规定。中心防渗区土料黏粒含量应控制在 15%~30%,小于 0.1mm 的细颗粒占到 50%以上,渗透系数控制在 $1\times10^{-6}\sim1\times10^{-5}$ cm/s 的范围内,中心防渗区的宽度宜采用坝面宽的 1/8~1/5,且不宜小于 10m;坝壳区黏粒含量应小于 10%,渗透系数大于 1×10^{-4} cm/s。

表 3-16 非均质坝分区指标

部 位	颗粒组成(%)			分区宽度占坝面宽度
	>2.0mm	<0.1mm	<0.005mm	
坝壳区	>15	<50	5~15	>1/5
中心防渗区	<5	>50	15~30	1/8~1/5

注:过渡区指冲填坝面上介于坝壳区与中心防渗区之间的区域。

二、碾压式边埂的填筑标准

除沙坝外,利用沙壤土、轻粉质壤土、中粉质壤土、重粉质壤土、花岗岩、砂岩风化残积土修筑的均质水坠坝,一般均采用碾压式边埂进行施工。碾压式边埂的填筑标准,应以土的压实干容重作为质量控制的主要指标,并应符合下列要求。

(一)沙壤土、壤土边埂

沙壤土、壤土边埂的压实干容重分别不应小于 1.50t/m³ 和 1.55t/m³。

(二)花岗岩、砂岩风化残积土

花岗岩、砂岩风化残积土压实干容重不应小于料场土的平均天然干容重。

三、实测资料

长期以来,工程技术人员在水坠坝的试验研究方面倾注了大量的心血,取得了丰富的第一手资料,现将冲填坝体的填筑质量控制方面,泥浆起始含水率和冲填速度实测资料摘录如下,供工程设计和施工人员实际工作中参考。

(一)实测坝体起始含水率及含水率变化过程线

水坠均质坝的起始含水率与稳定含水率实测资料统计见表 3-17,水坠坝坝体干容重测定结果见表 3-18,北方黄土水坠坝泥浆脱水固结过程线见图 3-15,广东省风化残积土水坠坝坝体含水率变化过程线见图 3-16,广西省茂化水坠非均质坝坝体含水率变化过程线见图 3-17,广西省茂化水坠坝钻探试验分区指标见表 3-19,广东省六回水坠坝竣工断面及含水率分布情况见图 3-18。

表 3-17　水坠均质坝的起始含水率与稳定含水率实测资料统计

坝名	土类	泥浆平均起始含水率(%)	泥浆浓度平均值(土水体积比)	坝体稳定含水率(%)
曲峪	轻壤土	36 (33～39.5)		
桃儿嘴	轻粉质壤土	39	2.46 (2 956 测次)	23.5～25.5
上刘家川	轻粉质壤土	41	2.32 (2 656 测次)	24.0～26.0
电市	轻粉质壤土	41	2.32 (972 测次)	
东风	中粉质壤土	40.8 (35.45～41.9)	2.34 (2.39～2.88)	23.3～26.0
胡家圪塄	轻粉质壤土	38.6	2.62	
李家川	重粉质壤土	44.3	2.1 (49 天测值平均)	
吴城	重粉质壤土	44	2.12 (两年测值平均)	
水星	花岗岩风化残积土	45.0	2.59	
大塘涌	砂岩风化残积土	52.9	2.20	
六雨塘	砂岩风化残积土	58.0	2.18	
磨石沟	轻粉质壤土			23.6～25.6
太平	轻粉质壤土			24.3～25.9

表 3-18 水坠坝坝体干容重测定结果

省(区)	坝名	坝高(m)	竣工至测定相隔时间	土料名称	干容重(t/m^3)
陕西省	磨石沟	34	1 年	轻粉质壤土	1.58
陕西省	上刘家川	26	0.5 年	轻粉质壤土	1.5~1.6
山西省	桃儿嘴	34	2 年	轻粉质壤土	1.57~1.6
山西省	曲峪	38	1 年	轻壤土	1.57~1.63
山西省	东风	24	3.5 年	中粉质壤土	1.6~1.62
内蒙古	石峡口	33	10~15 天	轻粉质壤土	1.5~1.59

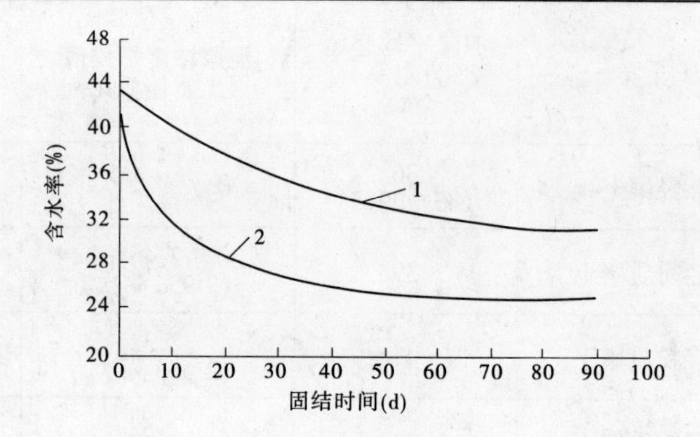

图 3-15 北方黄土水坠坝泥浆脱水固结过程线

1—重粉质壤土;2—轻粉质壤土

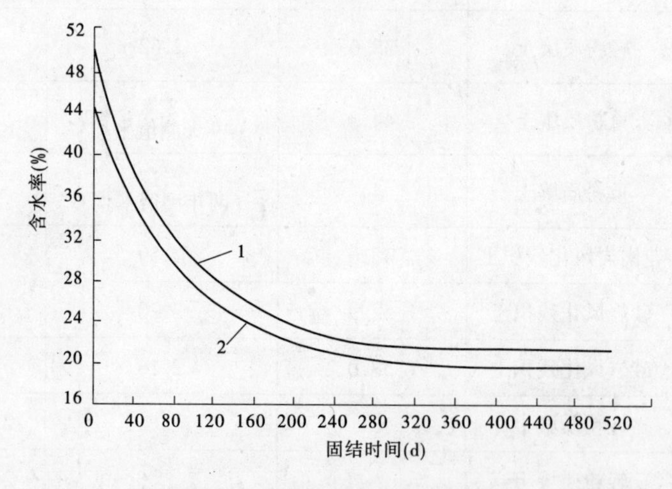

图 3-16 广东省风化残积土水坠坝坝体含水率变化过程线

1—水星水坠坝;2—冲源水坠坝

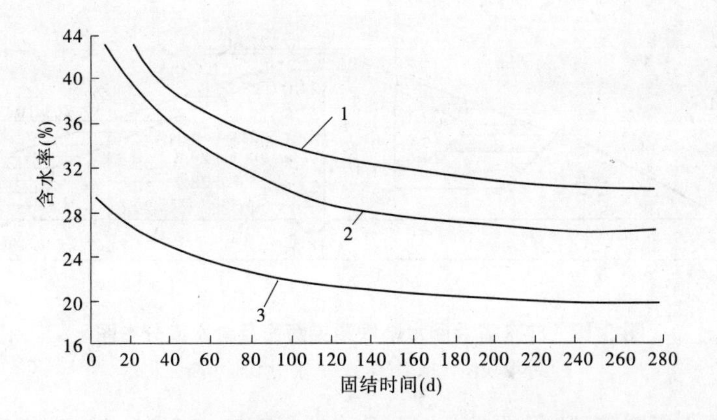

图 3-17 广西省茂化水坠非均质坝坝体含水率变化过程线

注:浅层——取样深度 0.2~3.0m,;深层——取样深度 3.0~10m

1—中心防渗区深层分析;2—坝壳深层分析;3—坝壳浅层分析

表 3-19 广西省茂化水坠坝钻探试验分区指标统计

<table>
<tr><th colspan="2" rowspan="2">分区</th><th rowspan="2">含水率(%)</th><th rowspan="2">干容重(t/m³)</th><th rowspan="2">孔隙率(%)</th><th colspan="4">土粒组成(%)</th><th colspan="2">饱和快剪强度</th><th>渗透系数</th></tr>
<tr><th>>2 mm</th><th>2~0.05 mm</th><th>0.05~0.005 mm</th><th><0.005 mm</th><th>φ (°)</th><th>C (kg/cm²)</th><th>(×10⁻⁵ cm/s)</th></tr>
<tr><td rowspan="2">全坝</td><td>平均值</td><td>26.5</td><td>1.51</td><td>43.6</td><td>3.9</td><td>68</td><td>17.3</td><td>10.8</td><td>28.57</td><td>0.19</td><td>1.07</td></tr>
<tr><td>取样组数</td><td colspan="3">211</td><td colspan="4">248</td><td colspan="2">178</td><td>144</td></tr>
<tr><td rowspan="2">上游坝壳</td><td>平均值</td><td>22.1</td><td>1.59</td><td>40.5</td><td>6</td><td>73.8</td><td>13.1</td><td>7.1</td><td>30.78</td><td>0.144</td><td>1.61</td></tr>
<tr><td>取样组数</td><td colspan="3">50</td><td colspan="4">57</td><td colspan="2">33</td><td>17</td></tr>
<tr><td rowspan="2">上游过渡区</td><td>平均值</td><td>27</td><td>1.52</td><td>43.4</td><td>3.3</td><td>65.2</td><td>17.9</td><td>13.6</td><td>27.44</td><td>0.227</td><td>1.76</td></tr>
<tr><td>取样组数</td><td colspan="3">39</td><td colspan="4">40</td><td colspan="2">33</td><td>26</td></tr>
<tr><td rowspan="2">中心防渗区</td><td>平均值</td><td>31.7</td><td>1.43</td><td>46.8</td><td>1.5</td><td>61.5</td><td>22.2</td><td>14.8</td><td>27</td><td>0.175</td><td>0.196</td></tr>
<tr><td>取样组数</td><td colspan="3">61</td><td colspan="4">78</td><td colspan="2">61</td><td>51</td></tr>
<tr><td rowspan="2">下游过渡区</td><td>平均值</td><td>27.9</td><td>1.47</td><td>45.4</td><td>4</td><td>62</td><td>20</td><td>14</td><td>28.5</td><td>0.182</td><td>0.686</td></tr>
<tr><td>取样组数</td><td colspan="3">18</td><td colspan="4">20</td><td colspan="2">17</td><td>20</td></tr>
<tr><td rowspan="2">下游坝壳</td><td>平均值</td><td>23</td><td>1.56</td><td>42</td><td>5.7</td><td>74.7</td><td>13</td><td>6.6</td><td>30.35</td><td>0.182</td><td>1.91</td></tr>
<tr><td>取样组数</td><td colspan="3">43</td><td colspan="4">53</td><td colspan="2">34</td><td>30</td></tr>
</table>

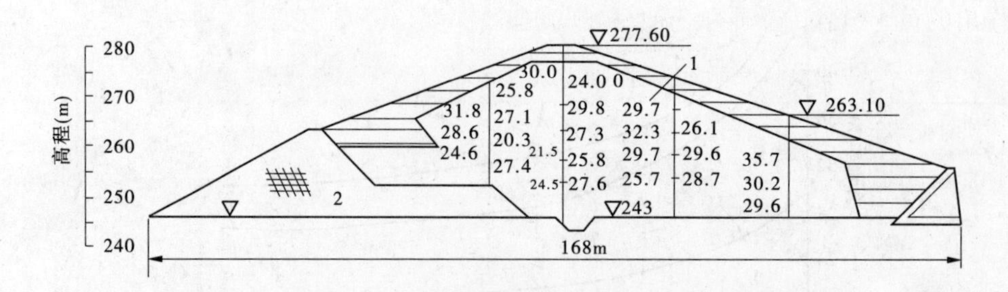

图 3-18　广东省六回水坠坝竣工断面及含水率分布图

1—冲填坝体含水率(%);2—水中填土小断面

上述图表资料表明,只要按《水坠坝技术规范》(SL302—2004)规定的要求控制起始含水率,一般在竣工后三个月到半年的时间,即可达到设计的稳定含水率,坝体填土质量能满足设计要求。坝体达到稳定含水率的时间长短,与水坠土料的含黏量有关,含黏量越高,坝体需要的脱水固结的时间和达到稳定含水率的时间就越长。

(二)实测水坠坝冲填速度资料

上刘家川等 5 座轻粉质壤土水坠坝的冲填速度,见表 3-20;六雨塘、大塘涌和罗坑 3 座花岗岩、砂岩风化残积土水坠坝的冲填速度,见表 3-21、表 3-22 和表 3-23。

表 3-20　黄土、类黄土水坠坝的冲填速度统计

坝名	冲填土料名称	冲填土料黏粒含量(%)	实际冲填天数(d)	冲填坝高(m)	平均日冲填速度(m/d)
上刘家川	轻粉质壤土	12	144	25.03	0.174
桃儿嘴	轻粉质壤土	12	169	33.60	0.200
胡家圪塄	轻粉质壤土	14	112	27.00	0.241
曲峪	轻 壤 土	12	217	32.10	0.148
西庄	轻粉质壤土	7～15	135	40.50	0.300

(三)实测水坠坝流态区深度与边埂宽度

施工期坝体流态区的深度与筑坝土料的性质和冲填速度等因素有关,而其位置也随着施工期坝的升高而抬高。由于在流态区内土的含水率大于液限,强度较低,因此在施工中观测和控制流态区的深度,对保证坝坡的稳定起重要作用。当土料一定时,为控制流态区的深度,应严格控制冲填速度。此外,可采用相应宽度的边埂作为保证坝坡稳定的一种有效措施。表 3-24 系根据实践经验得出的黄土(轻、中粉质壤土)水坠坝流态区深度与边埂宽度的关系表。

表3-21　六雨塘水坠坝(花岗岩、砂岩风化残积土)冲填速度统计

项目	12月	1月	2月	3月	4月	5月	6月	7月	8月	9月
冲填天数(d)	5	26	4	31	29	31	20	22	27	16
平均冲填速度(m/d)	0.72	0.35	0.18	0.26	0.14	0.13	0.10	0.09	0.07	0.15
最大冲填速度(m/d)	1.16	1.11		0.52	0.44	0.31	0.18	0.27	0.16	
冲填月升高(m)	3.56	9.13	0.72	7.9	4.22	4.11	2.96	2.07	1.98	2.38

注:2月冲填到4日后休假;9月冲填到16日为止。

表3-22　大塘涌水坠坝(花岗岩、砂岩风化残积土)冲填速度统计

项目	1月	2月	3月	4月	5月	6月	说明
冲填天数(d)	6	20	15	14	15	11	因下游围埂没有从坝基填筑起来,冲填到反滤棱体顶面相平后,才开始从泥面填筑围埂,因此影响边埂的稳定,产生位移,后期控制了冲填速度
各月平均冲填速度(m/d)	0.21	0.17	0.10	0.08	0.09	0.09	
冲填月升高(m)	6.4	4.7	3.13	2.4	2.72	2.65	

表3-23　罗坑水坠坝(花岗岩、砂岩风化残积土)冲填速度统计

项目	5月	6月	7月	8月	9月	10月	11月
冲填天数(d)	31	23	27	29	27	25	17
平均冲填速度(m/d)	0.215	0.309	0.201	0.144	0.149	0.147	0.161
最大冲填速度(m/d)	0.397	0.391	0.219	0.281	0.163	0.198	0.239
冲填月升高(m)	7.1	7.12	5.46	4.12	4.04	3.56	2.74

表 3-24 黄土水坠坝流态区深度与边埂宽度经验关系

流态区深度(m)	3	4	5	6	7	8	9	10	11
需要埂宽(m)	3	4~5	5~6	6~7	7~9	8~10	9~12	10~14	11~17

需要说明的是,应该严格按照允许的冲填速度等施工工艺来控制一定的流态区深度,而不宜以经常变更边埂的宽度作为对策。

第四章　坝体断面设计

水坠坝断面设计包括坝高、坝顶宽度、坝坡、边埂宽度、反滤体和护坡等。水坠坝与碾压坝的施工方法不同,稳定特性也有区别,因此水坠坝的断面设计也有其特点。

通常,水坠坝是由碾压的边埂和冲填的坝体所组成,它与碾压坝的最大区别在于施工期坝体存在着一个“流态区”(即含水率大于流限的区域)。边埂在冲填初期起挡泥稳定的作用。

应根据水坠坝的工程实践经验,考虑水坠坝施工期的稳定特性和坝体脱水固结、强度增长的规律,进行水坠坝的断面设计。

水坠坝的断面设计,应在正确选择坝型和筑坝土料的基础上,根据土料的物理力学指标进行坝坡整体稳定性和边埂挡泥稳定性验算,以满足施工期的稳定性要求,施工过程中还必须结合观测进行施工控制验算,及时调整泥浆浓度、冲填速度和边埂宽度,以确保安全施工。

坝体断面设计中,坝体应满足施工期和运行期的稳定安全要求,并做到经济合理。坝体的排水设施应满足施工期冲填泥浆脱水固结和蓄水运行期降低坝体浸润线的要求。坝面不应用于耕作和种植乔木,可采用多年生须根型草或灌木进行防护。

根据水坠坝的稳定特性,施工期的坝坡和边埂的稳定性是设计的控制条件。此外,由于水坠坝施工期坝坡变形较大,设计时还要考虑坝坡施工期的变形。

水坠坝的设计与施工是一个统一的整体,必须结合起来,综合考虑。坝体断面设计时,应该考虑冲填方式、冲填速度、泥浆浓度、河槽形式、坝基排水条件与坝体排水措施,以及坝高、坝坡和边埂的大小等因素。

本章主要就坝高与坝顶、坝坡、边埂、中心防渗体、坝体排水及坝面排水等坝体主要项目的设计内容分别加以介绍。

第一节　坝高与坝顶

一、坝高

水坠坝的坝高设计应考虑设计坝高与施工预留沉陷坝高两部分,分述如下。

(一)设计坝高的计算

坝高直接影响到库容大小、淤地面积多少、溢洪道的尺寸、坝坡的陡缓和工程量的大小等。在确定坝高时,应根据自然条件和运用要求(蓄水或淤地),并通过水利计算结果和允许的淹没损失情况来确定。

1. 淤地坝的坝高计算

淤地坝的坝高由拦泥坝高、滞洪坝高和安全超高组成(见图 4-1),即:

$$H = H_L + H_Z + \Delta H \tag{4-1}$$

式中 H——总坝高,m;

H_L——拦泥坝高,m;

H_Z——滞洪坝高,m;

ΔH——安全超高,m。

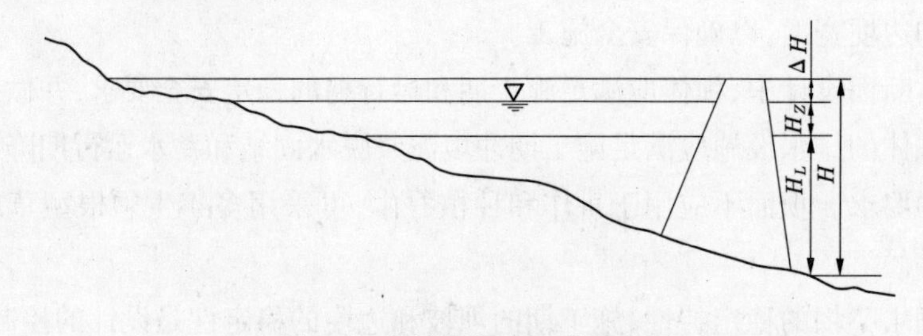

图 4-1　淤地坝坝高组成示意图

1)拦泥坝高 H_L 的确定

拦泥坝高一般取决于淤地坝的淤积年限、地形条件和淹没情况等,可根据工程的设计淤积年限和年平均来沙量,计算出拦泥库容,再由库容曲线查出相应的拦泥坝高 H_L。拦泥库容的计算公式为:

$$V_L = \frac{M_S F N}{\gamma} = \frac{W_S N}{\gamma} \tag{4-2}$$

或

$$V_L = \frac{W_S(1 - \eta_s)N}{\gamma} \tag{4-3}$$

式中　V_L——拦泥库容，m^3；

M_S——坝控范围内的多年平均土壤侵蚀模数，$t/(km^2 \cdot a)$；

F——坝控流域面积，km^2；

N——设计淤积年限，a；

γ——泥沙容重，一般取 $1.3 \sim 1.4 t/m^3$；

W_S——多年平均输沙量，t/a，可按本书第二章第一节的方法计算；

η_S——坝库排沙比，可采用当地经验值。

比较公式(4-2)与公式(4-3)可知：两公式的不同点在于是否考虑坝库工程的排沙问题。在黄土高原地区修建的大量水坠坝由土坝和放水洞两大件组成的工程枢纽，通常采用拦洪排清的运行模式，因此其坝库排沙比为零，可按公式(4-2)计算水坠坝的拦泥库容。对由土坝、放水洞和溢洪道三大件组成的水坠坝工程或按水库管理运行的“两大件”工程，则应考虑坝库工程的排沙比，并按公式(4-3)计算拦泥库容。

2)滞洪坝高 H_Z 的确定

当水坠坝工程为“两大件”时，滞洪坝高为设计淤泥面上加一次校核洪水总量所对应的水深，即由一次校核洪水总量加设计拦泥库容，计算出工程总库容，再由工程总库容查库容曲线得出相应的校核洪水位，校核洪水位与设计淤积面水位之差，即为滞洪坝高 H_Z。不同设计频率下坝库工程的滞洪库容按下式计算：

$$W_P = 0.1\alpha \cdot H_P \cdot F \tag{4-4}$$

式中　W_P——不同设计频率的洪水总量，万 m^3；

α——洪水径流系数，可采用当地经验值；

H_P——频率为 P 的流域中心点 24h 雨量，mm；

其余符号意义同前。

当工程由“三大件”组成时，滞洪坝高等于校核洪水位与设计淤泥面之差，即滞洪坝高的计算要通过调洪演算来求得。单坝及坝系的调洪演算可按本书第二章第一节的方法计算。

3)安全超高

水坠坝的安全超高主要是根据设计坝高和防洪影响来确定的。一般坝高越大，防洪影响越大，安全超高也就越大。《水坠坝技术规范》(SL302—2004)根据不同坝高制定出了不同的安全超高标准(见表 4-1)，可供设计时参考。

表 4-1 淤地坝安全超高

坝高(m)	＜10	10～20	＞20
安全超高(m)	0.5～1.0	1.0～1.5	1.5～2.0

2.水库的坝高计算

水库的坝高是由死库容的水深、正常蓄水深、滞洪水深、风浪爬高、安全超高等组成的，与碾压坝完全相同。唯预留沉陷加高，水坠坝较碾压坝为大，一般应按设计坝高的3%～5%增加坝的施工高度。如图4-2所示。

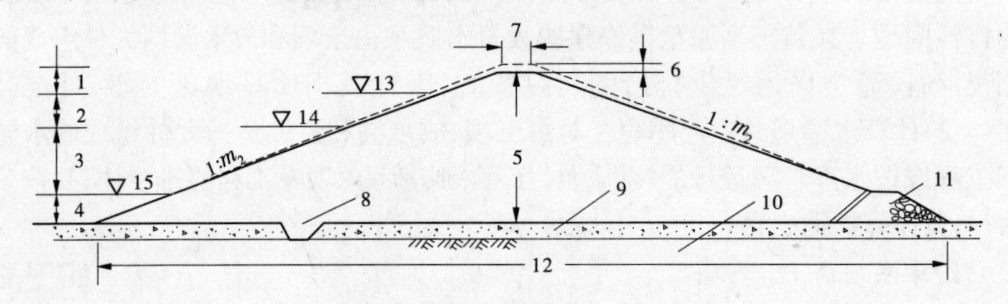

图 4-2 水库坝高组成示意图

1—风浪爬高加安全超高；2—滞洪水深；3—蓄水深；4—死水深；5—坝高；6—预留沉陷加高；7—坝顶宽；8—结合槽；9—透水层；10—不透水层；11—反滤体；12—坝底宽；13—设计洪水位；14—正常水位；15—死水位

(二)预留沉陷坝高

由于水坠坝坝体泥浆脱水固结时间长，坝体在竣工初期1～2年内的沉陷量较大，一般应按设计坝高的3%～5%增加坝的施工高度，预留坝高沉陷量。沉陷量的大小与土料的性质及设计坝高密切相关。在水坠坝设计中应根据土料的性质与设计坝高，按表4-2确定预留沉陷量。

表 4-2 不同土料坝高预留沉陷量

土料分类	沙土	沙壤土、壤土	花岗岩、砂岩风化残积土
预留沉陷坝高占总坝高(%)	2～4	3～5	2～3

二、坝顶

坝顶的设计内容主要包括坝顶的施工方法、坝顶的设计宽度和坝顶构造等。

(一)坝顶施工方法

受坝面泥浆比降等因素的影响，水坠坝一般不能直接冲填到坝顶高程，而多采用碾压法进行坝顶封顶施工。

碾压施工应在水坠冲填施工停冲一段时间，待坝体泥浆适当脱水后进行。间隔时间的长短与冲填土料的性质、排水条件和天气等因素有关。若封顶过早，泥浆未脱水固结，易使封顶层产生沉陷裂缝；封顶太晚又会延长工期。封顶时间宜在冲填结束、坝面以下5m范围内泥浆的平均含水率小于该种土的液限之后。应通过对冲填坝体的含水率监测而定。

碾压封顶的厚度一般为2～3m。

（二）坝顶的宽度

水坠坝坝顶宽度的确定原则与碾压坝相同，应该根据坝体结构、坝顶交通、防汛及其他特殊要求来确定。

《水坠坝技术规范》（SL302—2004）规定，水坠坝的坝顶宽度不应小于3m；对于风沙区、风浪大、土质松散的水坠坝，坝顶宽度不应小于5m；对大型淤地坝（骨干坝或治沟骨干工程）和小型水库工程的坝顶宽度则不应小于4m；当坝顶有交通要求时，坝顶宽度还应满足交通需要。一般水坠坝的坝顶宽度可按表4-3确定。

表4-3　水坠坝坝顶宽度

坝高（m）	＜10	10～20	20～30	30～40
坝顶宽度（m）	3～4	4～5	5～6	6～7

注：（1）水坠坝的坝顶宽度不应小于3m；

（2）对于风沙区、风浪大、土质松散的水坠坝，坝顶宽度不应小于5m；

（3）大型淤地坝（骨干坝或治沟骨干工程）和小型水库工程的坝顶宽度不应小于4m；

（4）当坝顶有交通要求时，坝顶宽度还应满足交通需要。

（三）坝顶防护

实际工程中，不同地区不同筑坝土料的水坠坝采取不同的坝顶防护措施：

位于风沙区或采用沙土、沙壤土修筑的水坠坝，坝顶宜采用黏土、砂砾土护面或植物篱防风沙障防护。黏土、砂砾土护面厚度宜取0.3～0.5m，内蒙古自治区伊金霍洛旗、准格尔旗，陕西省神木县、府谷县等地修筑的沙坝坝顶多采用防风沙障、黏土或砂砾土防护，如图4-3所示。

坝顶作为主要交通道路时应采用碎石防护，如图4-4所示，并符合道路路基的规定。

采用轻粉质壤土、中粉质壤土、重粉质壤土、花岗岩、砂岩风化残积土修筑的水坠坝的坝顶，如无特殊要求，可将坝顶修成龟背形，避免雨水集流对坝坡造

图 4-3　内蒙古自治区达拉特旗采用黏土压顶及防风沙障进行坝面防护

图 4-4　山西省运城市坝顶作为交通道路采用碎石进行坝顶防护

成不利影响;也可沿坝顶两侧修筑土埂,将雨水引流到岸坡排水沟或坝面横向排水沟,防止雨水对坝坡造成集中冲刷。

第二节　坝　坡

坝坡的陡缓是决定坝体稳定的主要条件之一。根据水坠坝的施工特点，多将迎水坡、背水坡的上、下部分修成相同的坝坡，不像碾压坝那样修成迎水坡缓、背水坡陡，上部陡、下部缓。这是因为水坠坝在施工期间迎水坡与背水坡滑坡的可能性大体上是相同的，如果考虑沟道比降大的特点，甚至背水坡滑坡的可能性还要大些。根据水坠坝施工工程中的滑坡资料分析研究，滑坡多发生在坝高的中偏上半部，一般危险区在0.5～0.8倍坝高范围内。这是因为坝址多系上宽下窄的"V"形沟道，宽高比一般小于6(即坝顶长度/坝高小于6)，下部岸坡阻滑作用大，排水条件好，泥浆脱水固结快，在冲填上部坝体时，下部冲填土料已进入固结压密阶段，具有一定强度和承载能力，加之又有反滤体排水阻滑等原因，下部滑坡的可能性较小。随着坝体的升高，坝轴线越来越长，岸坡阻滑作用就越来越小，排水固结条件也越来越差，坝体内孔隙水压力对局部坝坡的不利因素也越来越大，如果不注意泥浆浓度、冲填速度、边埂宽度和边埂质量，就容易发生滑坡事故。因此，上部坝坡不宜变陡，上下一致的坝坡比较合适。当然，上述要求只是从施工期来考虑的，还应该结合运用期上游水位骤降及抗震稳定性以及管理运用要求综合考虑，迎水坡应比背水坡适当放缓一些。可以根据坝的高低和马道布置选择单一坡比或多级坡比。

本节主要介绍不同土类、不同坝高及不同运行方式水坠坝坝坡的确定方法，以及坝坡坡率设计施工中所开展的试验研究工作和取得的成果。

一、规范对坝坡所作的规定

(一)坝坡坡率的选定

坝坡应根据坝型、坝高、坝基地质条件、筑坝土料性质、冲填速度、脱水固结条件及工程运行条件等确定；坝高超过30m时，还应经过稳定计算确定。

一般蓄水运用水坠坝的坝坡较不蓄水运用水坠坝的坝坡要缓，水坠高坝比水坠低坝的坝坡缓，冲填土料黏粒含量大的比黏粒含量小的缓，冲填速度快的比冲填速度慢的缓，迎水坡与背水坡宜采用相同坡率或适当放缓。坝坡坡率取值见表4-4。

表 4-4　坝坡坡率

坝高(m)	沙 土	沙壤土	壤土			花岗岩、砂岩风化残积土
			轻粉质壤土	中粉质壤土	重粉质壤土	
>40	3.00~3.50	2.75~3.25	3.00~3.50	3.25~3.75	3.50~3.75	3.00~3.25
30~40	2.75~3.00	2.50~2.75	2.75~3.00	3.00~3.25	3.25~3.50	2.75~3.00
20~30	2.50~2.75	2.25~2.50	2.50~2.75	2.75~3.00	3.00~3.25	2.25~2.75
<20	2.25~2.50	2.00~2.25	2.25~2.50	2.50~2.75	2.75~3.00	2.00~2.25

注:1.蓄水运用的沙壤土、壤土及花岗岩、砂岩风化残积土坝坡按本表坡率加 0.25~0.50;

2.下游不设反滤体蓄水运用的沙土坝,在浸润线逸出点以下,坝坡坡率应增加到 5.00~15.00;

3.淤地坝的上下游坝坡宜采用相同坡率。

(二)马道(或戗台)设计

当坝高超过 15m 时,应在下游坝坡沿坝高每隔 10m 左右设置一条马道,马道宽度应取 1.0~1.5m。以拦泥淤地为主的水坠坝上游坝坡一般不设置马道;以水库运用为主的水坠坝,上游坝坡也可设置马道,马道宽度应满足运行要求。

(三)坝坡防护设计

1.以拦泥淤地为主的水坠坝的坝坡防护设计

以拦泥淤地为主的水坠坝工程上游设计淤积面以上坝坡及下游坝坡应设置护坡,护坡材料可根据工程运行情况因地制宜选用。一般采用植物护坡措施,植物的类型以草灌为主,按照因地制宜的原则,选择当地适宜的草灌品种。目前采用的护坡形式主要有以下几种。

1)植物护坡

植物护坡在黄土高原地区以拦泥淤地为主的水坠坝中应用最为广泛,如图 4-5所示。一般在工程完工后,利用雨季造林或撒播草籽的方式进行植物栽(种)植。施工方法简单,护坡效果良好。在黄土高原地区,护坡的植物品种分为两类:一是多年生草类护坡,如紫花苜蓿、小冠花等;二是灌木类护坡,主要有沙棘、柠条、沙蒿、沙柳、紫穗槐等。无论采取何种植物品种,都应加强管护,及时对老化的植株进行更新换代,以保证护坡措施的有效性。

2)水平沟(阶)护坡

沿坝高每 1m 左右修一条水平沟或水平阶,再在水平沟或水平阶上种植草灌。这种护坡多用于沙土或沙壤土修筑的水坠坝,利用泥拍埂形成的台阶作简单的修整即可。其特点是通过水平沟或水平阶将坝坡分为若干集水区域,能有

图 4-5　水坠坝植物护坡

效减小雨水在坝坡上的集流长度,减少雨水在坝坡集流造成的坝坡冲沟,同时,坝坡修成水平沟或水平阶后,在降雨稀少的北方干旱地区,利于截留雨水和水平沟内护坡植物的生长,如图 4-6 所示。

3)沙障及其他护坡措施

在风沙区修建沙土水坠坝,由于自然环境特殊,极易遭受风沙的侵袭,采用各类沙障措施,能有效防止风沙对坝体的破坏。在风沙区修筑的淤地坝工程多采用植物沙障护坡,沙障的种类有干(死)沙障和活沙障之分。一般利用沙蒿、沙柳等沙生植物,在坝坡上埋设成网格状(见图 4-3),沙障的走向应垂直于主风向。沙障的埋设尽量在造林季节进行,以保证沙障的成活;非造林季节完成的工程也应及时埋设沙障,防止冬春多风季节对坝体造成破坏,待来年造林季节再栽植活沙障。

在黄土高原地区水坠坝建设实践中,还有一些采用砌石等刚性材料的护坡

图 4-6　水坠坝水平沟(阶)护坡

形式,但总体来说使用范围较少,其布设方法见水库工程护坡相关内容。

2. 以蓄水运行为主的水坠坝工程的坝坡防护

对按水库运行的水坠坝工程,为了防止雨水和风浪对坝坡的冲刷及冻融的剥蚀或其他因素的破坏,大多数土坝都要进行护坡。水坠坝与碾压坝的护坡基本上是相同的,可以根据当地工程实践经验选择合适的护坡措施。

以蓄水运行为主的水坠坝常用的护坡形式有以下几种。

1)迎水坡干砌石护坡

以蓄水运行为主的水坠坝工程的迎水坡可选用堆石、干砌石、浆砌石、预制混凝土块等进行护坡,以减少风浪冲刷对迎水坡造成的危害,见图 4-7(a)。以蓄水运行为主的小型水坠坝工程,可以在填土表面铺一层 0.20m 厚的天然级配的砂砾石,上面再干砌一层 0.30m 厚的块石。以蓄水运行为主的中型水坠坝工程,应在填土表面铺一层 0.10～0.20m 厚的砂或小碎石,接着再铺一层 0.15～0.25m 厚的碎石或砾石,其上再干砌一层 0.20～0.60m 厚的块石。

2)背水坡碎石护坡

以蓄水运行为主的水坠坝工程的背水坡,可以根据当地筑坝材料的具体情况,采用 0.10～0.15m 厚的碎石或砾石护坡,见图 4-7(b)。

3)背水坡草皮护坡

植物护坡措施同样被广泛应用于以蓄水为主的水坠坝工程中。植物品种应按当地习惯和条件确定。采用草皮护坡时,对于沙性大的土坝,应在草皮下铺 0.10～0.15m 厚的腐殖土,以利草的生长,见图 4-7(c)。

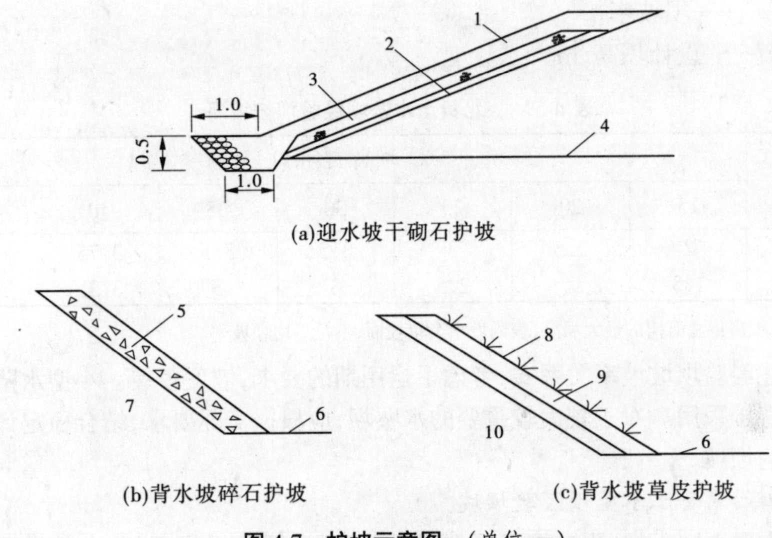

图 4-7　护坡示意图（单位:m）

1—块石;2—砂或小碎石;3—碎石或砾石;4—清基线;5—碎石层;
6—反滤体顶;7—坝体;8—草皮;9—腐殖土;10—砂壳

当坝高超过 20m 时,坝面应设置纵横排水沟,以便排除雨水,防止坝面冲刷。排水沟的布置和具体结构与碾压坝相同。

为了保障坝体的安全运行,坝坡上不应设置渠道或其他不利于坝坡稳定的建筑物。

二、坝坡坡率的相关试验研究成果

(一)黄土水坠坝的经验坝坡

均质黄土水坠坝,是由经过碾压的边埂和冲填泥浆组成的。在施工期间,坝体含水率较高,干容重较低,孔隙水压力较大,为了防止施工期发生滑坡事故,必须设计合理的坝坡。

下面推荐两种方法拟定坝坡。

1. 陕北黄土水坠坝经验坝坡

根据对陕北地区 1 300 多座土料为轻、中粉质壤土,坝高在 45m 以下的水坠坝的调查结果,统计出平均坝坡坡率与坝高的经验关系式,见式(4-5)、式(4-6)。据此计算出的坝坡坡率,见表 4-5。

迎水坡　　$$m = 0.08H + 0.8 \tag{4-5}$$

背水坡　　$$m = 0.08H + 0.3 \tag{4-6}$$

式中 m ——坝坡率；

H——设计坝高，m。

表 4-5 陕北黄土水坠坝经验坝坡坡率

坝坡部位	坝高 H(m)						
	15	20	25	30	35	40	45
迎水坡	2	2.5	3	3.5	3.5	3.75	4
背水坡	1.5	2	2.5	3	3	3.25	3.5

注：表中坝高指主河槽的最大坝高，表内坡率为单坡面，不是平均坝坡率。

上述经验坝坡坡率关系式，考虑了运用期的要求，坡度较缓。小型水坠坝一般可以直接采用。对于较大较重要的水坠坝，应根据实际要求，结合稳定计算确定合理的坝坡。

2. 山西省黄土水坠坝经验坝坡

根据对不同土类、不同坝高、不同冲填速度进行分析研究，结合已成坝的工程实践经验，给出水坠坝的上、下游坝坡坡率表(见表 4-6)。对于大型淤地坝和小Ⅰ型水库可以作为初拟坝坡的依据，然后通过土料试验，由稳定计算最后确定安全、经济合理的坝坡。

表 4-6 山西省黄土水坠坝经验坝坡坡率

土类	冲填速度(m/d)	不同坝高的坡率					
		20m		30m		40m	
		上游	下游	上游	下游	上游	下游
重粉质沙壤土	0.15	2.75	2.25	3.00	2.50	3.25	2.75
	0.30	2.75	2.50	3.00	2.75	3.25	3.00
轻粉质沙壤土	0.15	3.00	2.50	3.25	2.75	3.5	3.00
	0.30	3.00	2.75	3.25	3.00	3.5	3.25
中粉质壤土	0.15	3.25	2.75	3.5	3.00	3.75	3.25
	0.30	3.25	3.00	3.5	3.25	3.75	3.50
重粉壤质土	0.15	3.5	3.00	3.75	3.25	4.00	3.50
	0.30	3.5	3.25	3.75	3.50	4.00	3.75

注：(1)表内坝高是指主河槽断面的最大坝高。

(2)表内坡率为单坡面，不是平均坝坡率。

(3)如河谷较宽，表中坡率可适当加大。

(4)如蓄水时间较长，水位较高，降落速度较快，上游坡率应适当加大。

(5)7 度以上地震区，坡率应适当加大。

坝高超过 20m 的水坠坝，可以设置马道（戗台），其作用在于集结雨水径流（马道上设有集水沟），防止雨水对坝坡的冲刷，便于对土坝进行检修和观测，同时增加坝底宽度有利于坝的稳定。一般坝高 20m 以上水坠坝的坝坡，尤其是背水坡，沿高程每 10～15m 可以设置一道马道。

（二）沙土水坠坝的经验坝坡

根据对陕北沙土水坠坝的调查研究结果，提出了沙土水坠坝的经验坝坡公式，见式(4-7)、式(4-8)：

迎水坡　$$m = 0.07H + 2 \tag{4-7}$$

背水坡　$$m = 0.07H + 1.5 \tag{4-8}$$

除了应用式(4-7)、式(4-8)计算沙土水坠坝的坝坡率以外，还提出了沙土水坠坝建议坝坡坡率表，见表 4-7。

表 4-7　沙土水坠坝建议坝坡坡率

坝坡部位	不同坝高的坝坡坡率		
	15m	25m	35m
迎水坡	3	4	5
背水坡	2.5	3	4

注：表中所列坡率为平均坡率，实际工作中，一般可采用上陡下缓形式。

值得指出的是，在陕西、内蒙古、新疆等省（区）的一些沙区，往往缺乏修建堆石反滤体和护坡的砂石料，应根据实际风浪情况及浸润线逸出情况放缓坝坡。根据一些工程实践经验，往往采用 1:8～1:15 的缓坡，并进行草皮护坡。对于地震区，则应根据抗震要求，通过计算加以确定。

（三）砾质土水坠坝的经验坝坡

广东省水利电力科学研究所通过对坝高 40m 以下的砾质土水坠坝的调查总结，提出了砾质土的经验坝坡公式：

迎水坡　$$m = 0.07H + 0.96 \tag{4-9}$$

背水坡　$$m = 0.07H + 1.1 \tag{4-10}$$

式中符号意义同前。

对于采用花岗岩、砂岩风化残积土修筑的水坠坝，通常坝高在 20m 以下时，宜采用 1:2.5 的均匀坡度；坝高在 20m 以上时宜采用变坡，并在坝顶以下 5m 高度内宜采用 1:2.5 的坡率，如图 4-8 所示，各级坝坡的坡率可按表 4-8 拟定。

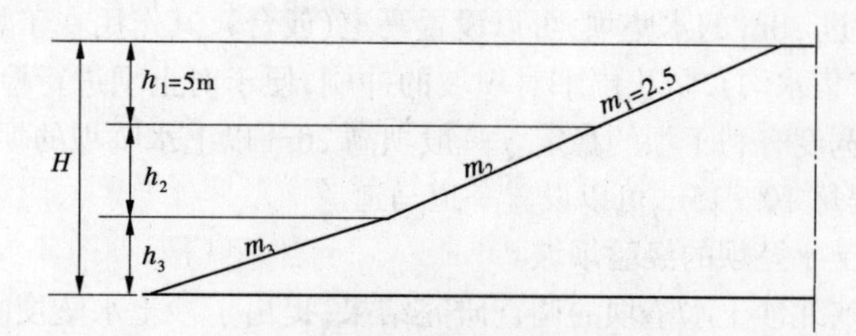

图 4-8　坝坡示意图

表 4-8　花岗岩和砂岩风化土水坠坝经验坡率

设计坝高 H(m)	h(m)		坝坡率 m	
<20	h_1	$h_1=H$	$m=m_1$	2.5
20	h_2	15	m_2	2.75
25	h_2	20	m_2	3
30	h_2	25	m_2	3
35	h_2	20	m_2	3
	h_3	10	m_3	3.25
40	h_2	20	m_2	3
	h_3	15	m_3	3.5

注:1. 当 $H>40$m 时要另作具体分析。
　2. 下游坡视具体情况加设戗台。

第三节　边　埂

边埂是坝体的组成部分,起挡泥、阻滑和控制坝形的作用。水坠均质坝边埂的施工方法有两种,即分层碾压式边埂和泥拍筑埂。分层碾压式边埂又称碾压式边埂;泥拍筑埂又称泥拍埂。水坠非均质坝的边埂由坝面分选冲填形成。

本节主要介绍不同施工方法边埂的高度和宽度的确定方法,以及在边埂设计施工中所开展的试验研究工作及取得的成果。其中边埂的宽度对水坠坝的施工安全影响较大,应严格按照《水坠坝技术规范》(SL302—2004)的要求进行设计和施工。

一、分层碾压式边埂

这是目前水坠坝施工中采用最为广泛的一种边埂施工方法。沙壤土、轻粉质壤土、中粉质壤土和重粉质壤土修筑的水坠坝,其边埂多采用碾压法修筑,其外边坡坡度应与坝坡一致,内边坡坡度采用自然休止坡,如图 4-9 所示。

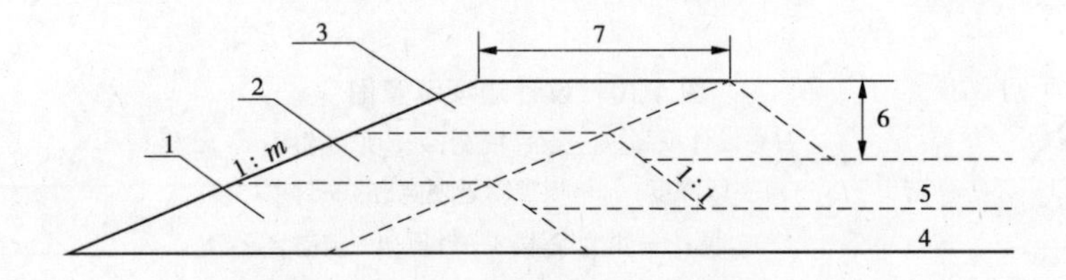

图 4-9　边埂实际碾压宽度示意图

1—第一层边埂;2—第二层边埂;3—第三层边埂;

4—第一冲填层;5—第二冲填层;6—边埂高;7—边埂宽

(一)分层碾压式边埂的高度

边埂的施工应与坝体的冲填相协调,边埂修筑过快过高,会增加边埂修筑的工程量,由于边埂修筑的工效比水坠坝的工效低,会造成人力的浪费;边埂修筑过慢过低,会直接影响水坠上升速度,并易造成坝面泥浆外泄,引发工程施工事故。边埂高度应根据土料性质和每次冲填层厚度确定,高出冲填层泥面 0.5 ~ 1.0m(见图 4-9)。

(二)分层碾压式边埂的宽度

水坠坝上、下游碾压边埂的尺寸不仅关系坝体的稳定性,也关系工程的经济合理性。轻粉质壤土水坠坝的边埂土方一般只占坝体总土方量的 20%～25%,但占用的劳力却为冲填劳力的 3～4 倍。因此,边埂及其宽度的拟定是水坠坝设计的重要内容。

边埂在施工期起着挡泥阻滑和控制坝形的作用。影响边埂宽度的因素比较多。一般来说,坝低、沟窄、坝基排水条件好、冲填土料黏性小、脱水固结快、泥浆稠、冲填速度慢,流态区范围小的条件下,边埂可以窄一些;反之,则应当宽一些。

分层碾压式边埂的断面为梯形,外坡为设计坝坡,内坡约为 1∶1 的自然坡。通常把分层夯碾宽度 b 称为边埂的宽度(见图 4-9)。

边埂顶宽应根据设计坝高、坝坡、土料性质、冲填速度及流态区深度等确定,并不应小于 3m。在坝体中下部应采用等宽边埂;在坝体上部 1/3～1/4 坝高范围内,边埂宽度可在满足稳定和施工要求情况下逐步缩窄(见图 4-10)。

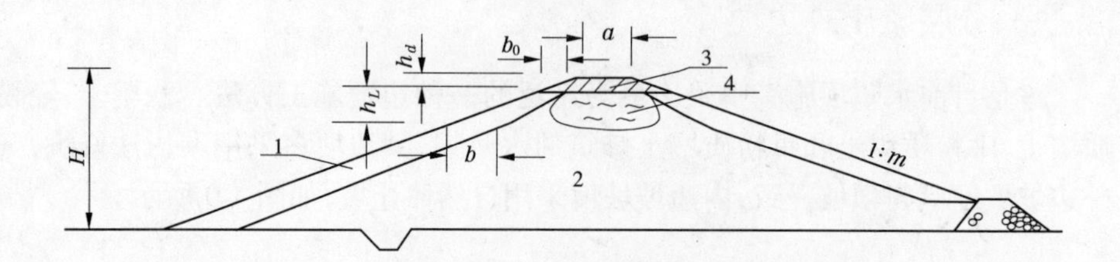

图 4-10 设计边埂示意图

H—设计坝高；b—设计埂宽；a—坝顶宽度；

h_L—流态区深度；b_0—坝顶附近埂宽；h_d—封顶厚度

1—边埂；2—冲填坝体；3—封顶；4—流态区

1.沙壤土、壤土边埂

沙壤土、壤土的边埂顶宽应采用以下方法综合分析确定：

(1)根据坝高和土料类别，按表 4-9 确定。

表 4-9 沙壤土、壤土边埂宽度值 （单位：m）

设计坝高	沙壤土	壤土		
		轻粉质壤土	中粉质壤土	重粉质壤土
＞40	8～10	10～13	13～18	15～20
30～40	6～8	7～10	9～13	10～15
20～30	4～6	5～7	6～9	7～10
＜20	3～4	3～5	4～6	5～7

(2)根据坝体冲填泥浆的流态区深度，按表 4-10 确定。

表 4-10 水坠坝流态区深度与边埂顶宽度关系 （单位：m）

流态区深度	＜3	3～4	4～5	5～6	6～7	7～8	8～9	9～10	＞10
需要边埂顶宽	3	4～5	5～6	6～7	7～9	9～10	10～12	12～14	14～17

(3)根据经验公式计算确定。沙壤土、壤土的边埂顶宽也可采用下式计算确定：

$$b = \alpha_1 \rho v H \tag{4-11}$$

式中　b——设计边埂宽度,m;

α_1——与坝基排水条件、泥浆浓度有关的经验系数,$\alpha_1=0.10\sim0.11$,排水条件良好、泥浆浓度高时取小值,反之取大值;

ρ——冲填土料的黏粒含量,%;

v——坝面平均冲填速度,$v=0.1\sim0.3$m/d,当 $v\leqslant0.1$m/d 时,采用 $v=0.1$m/d;

H——设计坝高,m。

2. 花岗岩、砂岩风化残积土均质坝边埂

花岗岩、砂岩风化残积土均质坝边埂顶宽度可根据土料的黏粒含量和平均冲填速度,按表 4-11 确定,也可按经验公式(4-12)算得。

表 4-11　花岗岩、砂岩风化残积土均质坝边埂顶宽度值

土料黏粒含量(%)	平均冲填速度(m/d)		
	<0.1	0.1~0.2	0.2~0.3
	边埂宽度(m)		
<15	3~6	5~8	7~10
15~20	4~7	6~9	8~11
20~25	5~8	7~10	9~12
25~30	6~9	8~11	10~13

$$b = \alpha_2(\rho + v)H^{1/3} \tag{4-12}$$

式中　α_2——与冲填土料中砂砾含量有关的系数,$\alpha_2=6.4\sim7.2$,当砂砾含量较大时取小值,反之取大值;

其余符合意义同前。

花岗岩、砂岩风化残积土非均质坝边埂可利用坝壳区已冲填的粗粒土拍筑,并在冲填过程中不断加固。断面大小应与输泥量的大小相适应,外坡与坝坡一致,内坡可取 1:1.0 左右;埂顶宽度应大于 1.0m;埂高宜取 0.5~1.0m。

(三)边埂设计与施工时的注意事项

1. 分层碾压式边埂在接近马道时,应适当加大边埂宽度

由于水坠坝的边埂在施工期起挡泥阻滑作用,坝坡马道附近要保证设计埂宽,避免因留平台,突然收缩、错坡而形成边埂的薄弱带。具体做法是:在马道以下提前增加边埂的宽度,应保证上下两层埂重叠部分的宽度不小于底宽的 1/2。

2.当坝高超过 30m 时,边埂宽度还应进行稳定验算

坝高超过 30m 时,边埂的工程量会大幅度增加,同时边埂宽度对水坠坝的施工安全影响较大。为了使边埂的设计更加经济合理,对坝高超过 30m 的水坠坝,还应通过坝坡的稳定计算确定水坠坝的边埂宽度。

二、泥拍筑埂

这是目前在沙土修筑水坠坝中广泛使用的一种边埂修筑方法。在内蒙古自治区鄂尔多斯市、陕西省榆林市一带修筑的沙土坝,由于沙土的渗透性大,脱水固结速度较快,坝体不存在流态区,因此沙土水坠坝边埂的主要作用是控制坝形和约束泥流方向,而不需要边埂起阻滑稳定作用,通常沙土水坠坝的边埂多采用淤泥拍筑。由于其省时省工,可以大大加快施工进度,而被广泛采用。

(一)泥拍筑埂的高度

泥拍筑埂一次筑埂高度应根据一次冲填厚度而定,边埂高度宜取 0.5~1.0m。

(二)泥拍筑埂的宽度

泥拍筑埂的顶宽宜取 0.4~0.6m。

(三)泥拍筑埂施工注意事项

泥拍筑埂的挖泥部位应离开围埂 0.5~1.0m,拍埂时泥块之间应压茬错缝。泥拍边埂断面布置如图 4-11 所示。

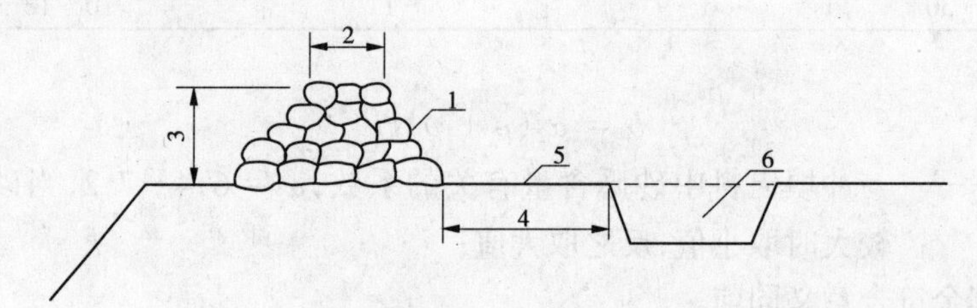

图 4-11　泥拍边埂断面示意图

1—泥拍边埂;2—边埂顶宽;3—边埂高;
4—边埂至挖泥处距离;5—冲填泥面;6—挖泥部位

三、非均质坝边埂

非均质坝的边埂即非均质坝的坝壳部分,是由进入坝面的泥浆,经过分选冲洗、细颗粒流走之后,剩下的粗颗粒形成的。由于粗颗粒具有较强的抗滑稳定性,故实际上起到边埂的作用。按水枪工作面的要求,坝壳的宽度应不小于 10m,如图 3-8 所示。

四、边埂试验研究及成果介绍

(一)黄土水坠坝的经验埂宽

根据陕西、山西两省水坠坝的现场观测研究,坝体泥浆的流态区深度和坝坡鼓肚中心位置 h_L(指坝坡水平位移最大的部位),随施工坝高的升高而抬高,对于轻、中粉质壤土水坠坝,一般 $h_L = (0.2 \sim 0.3)H$(H 指坝高)。因此,坝高中、下部可以采用等宽边埂,鼓肚中心以上埂宽可以逐渐缩窄。封顶埂宽 b_0 根据施工要求而定,一般不小于 3m。封顶厚度 h_d 一般采用 2~3m,如图 4-10 所示。

根据实践经验调查总结和有关边埂的稳定分析计算成果,黄土水坠坝的边埂宽度可以按表 4-12 或经验关系式(4-13)拟定。

表 4-12　黄土水坠坝边埂宽度　　(单位:m)

冲填土料	坝高					
	<15	15~20	20~25	25~30	30~35	35~40
沙壤土	3~4	4~5	4~5	4~5	4~5	5~6
一般黄土(轻粉质壤土)	3~4	4~5	5~6	6~7	7~8	8~10
硬黄土(中粉质壤土)	4~5	6~8	9~10	11~13	14~17	18~20
红黏性土(重粉质壤土)	5~7	8~11	12~16	17~21	22~27	28~30

注:1. 本表适用本章推荐的坝坡和第四章允许的冲填速度,如果条件有变化,可酌情增减边埂宽度。
2. 坝高下部和中部可采用等宽边埂,上部可逐渐缩窄。

埂宽经验关系式:

$$b = 0.005(m + \alpha)(1 + v)H\rho \tag{4-13}$$

式中　b——边埂宽度,m;

m——坝坡坡率;

v——冲填速度,m/d;

H——设计坝高,m;

ρ——黄土的黏粒含量,%;

α——坝顶宽度系数,$\alpha = \dfrac{a}{H}$,一般在 0.1~0.15;

a——坝顶宽度,m。

【算例】　某轻粉质壤土水坠坝,坝高 30m,土料黏粒含量 13%,坝坡比 1∶3,

坝顶宽度系数 $\alpha = 0.15$，平均冲填速度 0.18m/d，查算边埂宽度。

(1)按表 4-12 查得轻粉质壤土坝高 30m 时的边埂宽度为 7m。

(2)按经验埂宽式(4-13)计算：

$$
\begin{aligned}
b &= 0.005(m + \alpha)(1 + v)H\rho \\
&= 0.005 \times (3 + 0.15)(1 + 0.18) \times 30 \times 13 \\
&= 7.3(\text{m})
\end{aligned}
$$

从而选定边埂宽度 $b = 7.5$m。

上述埂宽经验关系式(4-13)和埂宽表 4-12，对于小型水坠坝可以直接应用，对于较大的水坠坝，还必须通过土料试验，由稳定计算，最后确定安全经济合理的边埂宽度。对于黏性较大、脱水固结较慢的重粉质壤土水坠坝，边埂还应满足运用初期的坝坡稳定性要求。

(二)砾质土水坠坝的经验埂宽

广东省水利电力科学研究所，根据本省工程实践经验认为，对坝高 40m 以下的砾质土(花岗岩、砂岩风化残积土)水坠坝的边埂宽度，最小埂宽不得小于 4m，并提出了以下的经验参考值，见表 4-13。

表 4-13　花岗岩和砂岩风化土水坠坝边埂宽度参考值

坝高(m)	20	21～30	31～40
埂宽(m)	4～7	7～10	10～14

广西壮族自治区的玉林市利用砾质土颗粒分选的特点，坝体设置竖井廊道，采取四角冲填形成砂砾石坝壳，其上、下游坝壳宽度各约为坝体断面的三分之一，可以满足挡泥稳定要求。当河谷较宽时，主河槽部位往往较难形成足够宽度的砂砾石坝壳。此时还需辅以人工铺筑。埂宽根据具体情况确定。重要工程还需要通过土性试验、稳定计算，以确定安全经济的埂宽。

值得指出的是，水坠坝边埂宽度的确定是一个比较复杂的问题。由于对边埂的受力条件研究得不够，目前还难以提出完整的理论解答，有赖于今后进一步研究解决。

第四节　中心防渗体

一、中心防渗体的形成

中心防渗体是水坠非均质坝在施工过程中，由于土体颗粒大小不均匀，在人工配合分选作用下，冲填土料的颗粒在水的冲力和自重作用下，在坝体横断面上，从外向内、由粗到细逐步沉积，在坝面上形成坝壳区、过渡区和中心防渗区。

二、中心防渗体的作用与特点

中心防渗体位于坝体横断面的中心地带，是坝体的主要防渗部位。

考虑到水坠坝施工的特点，中心防渗区的范围过宽，对坝体脱水固结和坝体稳定都不利；过窄，则防渗效果差且施工不便。由于水坠坝施工时上下层中心防渗体的位置难免有些交错，不像碾压式土石坝的心墙施工时那样规则，因此中心防渗区的宽度一般较心墙的大一些。

三、中心防渗体的断面设计

中心防渗体断面尺寸应满足下列条件：

(1)中心防渗体断面尺寸应能满足防渗、施工以及与坝基、岸坡连接的要求。通常水坠坝的中心防渗区的宽度占坝面宽的1/8～1/5；坝壳区的宽度以占坝面宽的1/4为宜，且不宜小于10m，以满足用水枪进行颗粒分选所需的工作面宽度；过渡区介于上述两区之间。

(2)中心防渗体边坡坡度宜采用1:0.3～1:0.6。

(3)中心防渗体顶应高出最高静水位0.3m，避免大坝在高水位运行中使坝体发生渗透破坏。如中心防渗体顶部设有防浪墙，其顶部超高可以适当降低，但不应低于最高静水位，并应妥善处理中心防渗体与防浪墙的连接，确保不发生绕渗和其他形式的渗透破坏，影响工程的安全运行。

(4)中心防渗体与两岸岸坡及泄水建筑物的连接部位应设置必要的结合槽或齿墙等，在结合部位应适当增大中心防渗体的断面，但其边坡坡度不宜超过1:1.0。

以广西壮族自治区茂化水库水坠坝为例，坝壳区的宽度约占坝面宽度的1/4，中心防渗区的宽度约占坝面宽度的1/8，各区填料的颗粒级配见图4-12。这种坝型多见于花岗岩、砂岩风化残积土修筑的水坠坝。

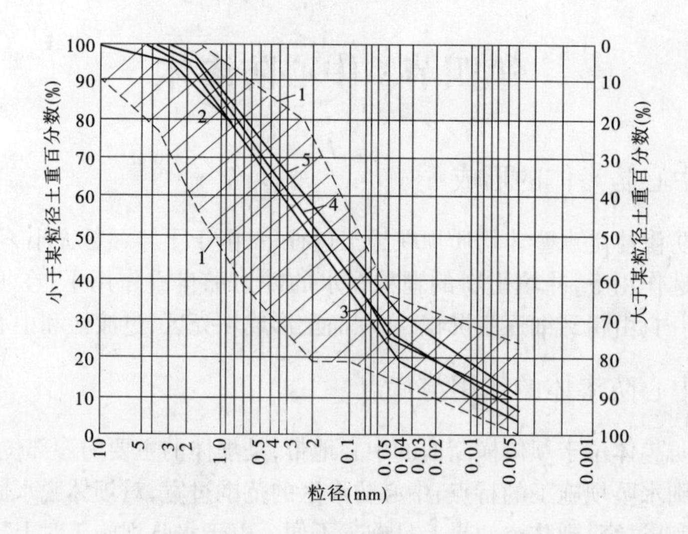

图 4-12　茂化非均质水坠坝料场及坝体各部分土料颗分曲线

1—料场土颗分范围；2—料场平均颗分曲线；3—坝壳平均颗分曲线；4—中心防渗区平均颗分曲线；5—坝体平均颗分曲线

第五节　坝体排水设施

坝体排水设施分为永久排水设施和临时排水设施两类。

永久排水设施是指排除运用期的渗透水流，降低坝体浸润线，增加坝体稳定性，同时在施工期也能起到排除施工期坝体孔隙水作用的排水设施。这类排水设施的型式与碾压坝的相同，应视具体情况选用。

临时排水设施是指为排除坝体冲填土体的固结渗水，加快土体的固结速度而设置的排水设施。这类排水设施是水坠坝特有的，型式多样，亦应根据工程的具体情况，合理选用。

一般来说，按水库运行的水坠坝、沟道有常流水的以拦泥淤地为主的水坠坝、两岸或坝基为基岩的水坠坝，为了保证蓄水后坝脚的稳定，应在坝脚设置永久反滤体。对水坠坝来说，反滤体也是下游的边埂，在施工期同时起着坝体排水作用。冲填开始前，就要预先修好下游坝脚的反滤体。

一、坝体排水设施的基本要求与选型

（一）坝体排水设施的基本要求

(1)排除施工期冲填土体的固结渗水、运用期的渗透水流和固结渗水，降低坝体浸润线，减小孔隙水压力，控制渗流，增加坝体稳定性。

(2)具有充分的排水能力，保证自由地排出全部渗水。

(3)按反滤原则设计，防止坝体与地基土产生渗透破坏。

(4)排水材料应使用坚硬的、耐风化的块石、碎石、砂砾料。

（二）坝体排水设施选型

坝体排水设施型式选择，应结合坝体和坝基排水的需要，综合考虑下列情况后确定：

(1)坝型及坝体和坝基材料的性质。

(2)坝基的工程地质和水文地质条件。

(3)下游水位。

(4)排水设施的材料及施工情况。

(5)坝址区的气候条件。

二、常用的坝体排水型式及其适用条件

（一）棱式反滤体

1.基本结构

棱式反滤体一般做成梯形断面，如图 4-13 所示。均质坝反滤体的高度为坝高的 1/6～1/4，地基透水时，可较低，地基透水性差时，应稍高。若下游有水，反滤体应高出下游最高水位 0.5～1.0m。顶宽一般采用 1.5～2.5m，最窄不应小于 1.0m。反滤体的内坡 1∶1.0，外坡陡缓视石块大小而定，一般堆石体外坡为 1∶1.5～1∶2.0，若采用干砌块石，外坡可适当改陡，为 1∶1.0～1∶1.5。反滤料中土的含量不应超过 2%。土基上的反滤体应砌入清基线以下 0.5m。

2.棱式反滤体设计要点

(1)棱式反滤体适用于下游有水的情况，其顶部高程应超出下游最高水位 0.5m 以上。

(2)保证坝体浸润线与坝面的最小距离大于本地区的冻结深度。

(3)棱式反滤体的顶宽应满足施工和观测的需要，不宜小于 1.0m。

(4)棱式反滤体的内、外坡可根据石料和施工情况确定，内坡可取 1∶1.0，外坡取 1∶1.5 或更缓。

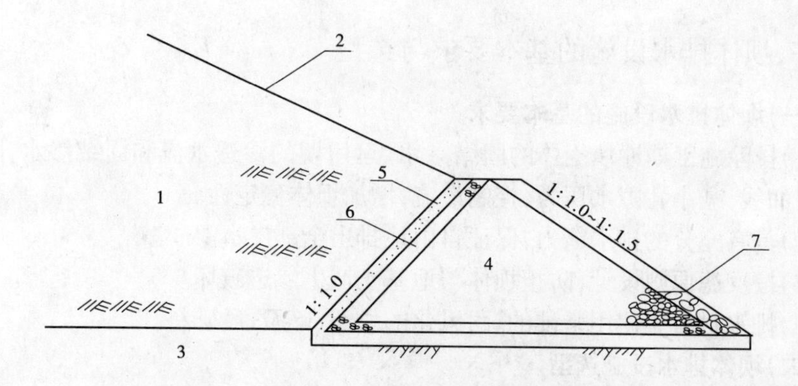

图 4-13　棱式反滤体示意图

1—坝体;2—坝坡;3—透水地基;4—卵石;
5—粗砂;6—小砾石;7—干砌块石

(二)贴坡式反滤体

1. 基本结构

贴坡式反滤体也称斜卧式反滤体,见图 4-14。在砂石料缺乏的地方修建工程时,可以采用这种形式。贴坡式反滤体虽然节省石料,施工方便,但阻滑能力差。一般采用两层反滤料,其厚度和棱体式反滤层相同,贴筑在背水坡面上,最外层用块石干砌。贴坡式反滤体高度的确定与堆石棱体反滤体相同。

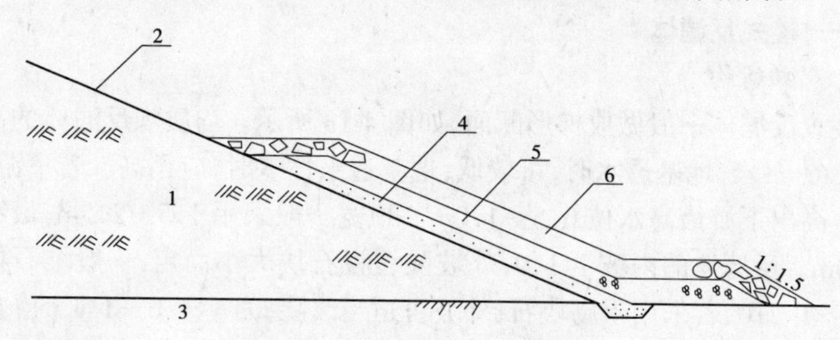

图 4-14　贴坡式反滤体示意图

1—坝体;2—坝坡;3—非岩石地基;4—粗砂;5—砾石;6—干砌块石

2. 贴坡排水设计要点

(1)贴坡式反滤体的顶部应高出浸润线逸出点,超出高度应使坝体浸润线在冻深以下,且不小于 1.5m;

(2)贴坡式反滤体的厚度应大于冻结深度。

(三)褥垫式反滤体

1.基本结构

褥垫式反滤体是坝内式反滤体的一种,见图4-15。适合于不透水地基或透水较差的地基,对冲填施工时排除坝体的水分有利。水平褥垫的长度宜为坝底宽度的1/3～1/2,厚度为1～2m。对褥垫反滤料的要求和堆石棱体相同。

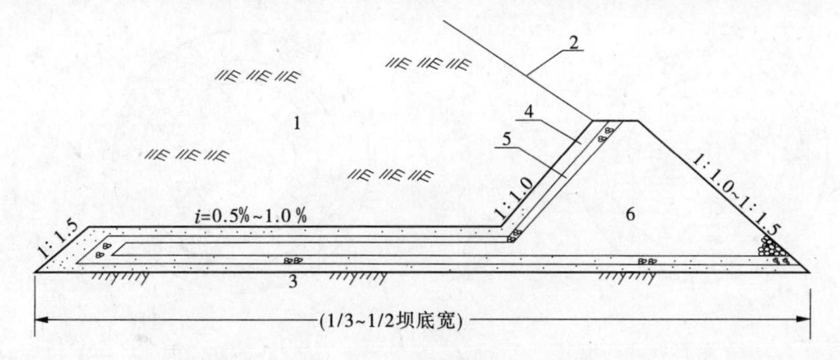

图4-15　褥垫式反滤体示意图

1—坝体;2—坝坡;3—非透水地基;4—粗砂;5—砾石;6—块石

2.褥垫式反滤体设计要点

(1)褥垫排水适用于下游无水的情况。

(2)在褥垫排水的坝脚处,应设置与之相连通的纵向排水明沟,沟底面应低于褥垫排水的底面。在寒冷地区,排水明沟冻冰后,应保证冰层以下仍有足够的排水断面。

(3)对于均质坝,褥垫排水一般用中粗砂或砂砾料填筑,砂砾料应满足反滤要求,不得有砾石集中现象,较大的颗粒要剔除,含泥量($d<0.1$mm)应小于5%,渗透系数应大于坝基和坝体。

(4)褥垫厚度可按排除2倍入渗量确定,对易产生不均匀沉降的坝基应增加褥垫排水的厚度。

(5)褥垫排水伸入坝体内的长度可为坝底宽度的1/3～1/2。

(6)在两岸坝基面,应增设横向排水暗沟,以利于分段将褥垫中的渗水汇集并引至坝脚排水沟内。暗沟顶面应低于褥垫的底面。

(四)砂沟及砂井

1.结构型式

采用含黏量较高的冲填土料修筑均质黄土水坠坝时,坝体内应设置砂沟及砂井。

砂井、砂沟排水系统可采用实心砂井、空心砂井、柔性砂井和子母砂井等型式。砂沟应铺设在坝基上，出口应与反滤体相连接，不得从坝坡引出。有排水褥垫时，砂井应与排水褥垫直接连通。砂沟分单级砂沟和多级砂沟，宜与坝轴线垂直布置，砂沟的间距和长度视排水要求而定，坡度可采用 1/100～1/200。砂井、砂沟的布设如图 4-16 所示。

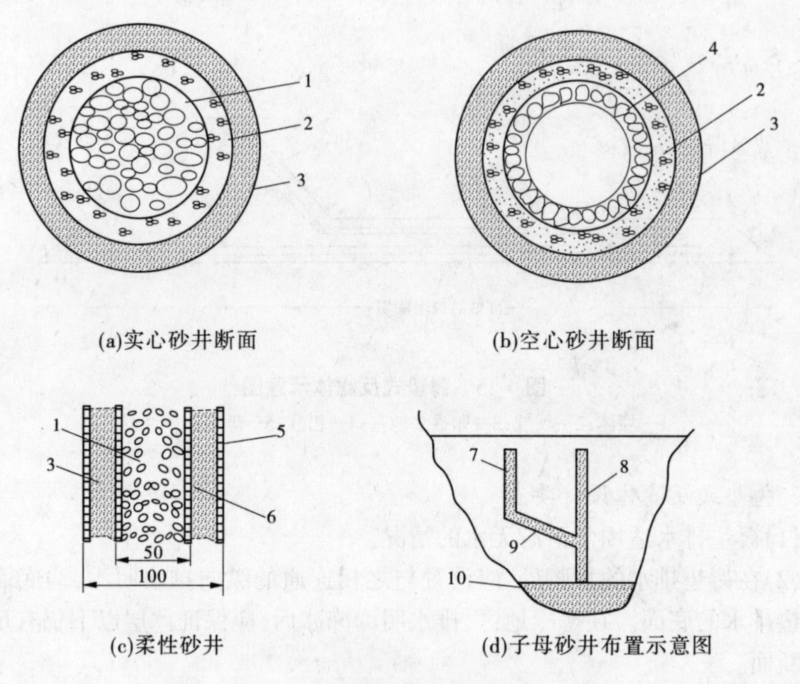

图 4-16　砂井结构及布置示意图

1—卵石；2—砾石；3—粗砂；4—块石；5—外井圈；6—内井圈；
7—子砂井；8—母砂井；9—砂道；10—砂砾垫层

2. 砂井与砂沟设计要点

1) 砂沟布设要求

(1)砂沟应铺设在坝基上，并与棱体排水设施或贴坡排水设施或褥垫排水相连。

(2)按地形条件和排水需要，可布置 1～2 条横向(垂直坝轴线)干沟或横向干沟加纵向支沟。干沟底坡降不宜小于 1%。

(3)砂沟端部距上游坝坡的距离不应小于砂沟底高程处的坝底宽度的 1/3。

(4)砂沟为梯形断面，底宽及高度均为 1m 左右，边坡 1∶1。

2)砂井布设要求

(1)砂井直径为1.0m,井距为10～15m。

(2)砂井底部与砂沟或透水地基相连。

(3)砂井顶部距坝坡面的法向距离不得小于3m。

(五)聚乙烯微孔波纹管网状排水

采用重粉质壤土作为水坠坝的冲填土料时,宜采用聚乙烯微孔波纹管网状排水。

近年来,随着水坠坝应用范围的不断扩大,为了保证重粉质壤土水坠坝的施工稳定性,工程技术人员研究出了采用聚乙烯微孔波纹管网状排水。这种设施对提高坝体脱水固结速度、增加施工期坝体的稳定性具有显著的作用,大大提高了重粉质壤土水坠坝的施工进度,降低了工程造价。

聚乙烯微孔波纹管网状排水系统是一种新型的施工排水技术,具有施工方便、造价低廉、排水效果良好的优点,近年来在甘肃、青海和宁夏等地的水坠坝施工中得到广泛应用。

1.聚乙烯微孔波纹管的规格

目前采用的聚乙烯微孔波纹管的规格为:外径62mm,内径54mm,管壁厚1mm,波纹距6mm,波纹深3mm,微孔为1mm×5mm的长方形,沿周长分为8排,排距23.5mm,每米管长开孔面积为32cm^2。

2.聚乙烯微孔波纹管的布设

聚乙烯微孔波纹管网状排水系统应分层布置,每层由纵向(平行坝轴线)和横向(垂直坝轴线)组成,相互连接贯穿成网状,层间应采用竖向排水管连接贯通,将水汇集后排出坝外(如图4-17所示);管长应根据施工坝面尺寸确定,管间距以10m左右为宜;横向排水沟应有倾向下游的底坡,坡度宜取1%～2%。

3.聚乙烯微孔波纹管的施工保护

在聚乙烯微孔波纹管施工铺设中,外包的保护层可采用以下方法:

(1)对聚乙烯微孔波纹管的外壁,应采用20cm宽的塑料编织布条沿管壁缠绕,压茬应大于1/2布条宽(相当于缠绕两层),两端用铁丝捆扎牢固。

(2)水平方向的聚乙烯微孔波纹管,应铺设在断面25cm×25cm的砂砾沟内,将波纹管埋设在砂砾沟中间,以防聚乙烯微孔波纹管堵塞。

(3)竖直方向的聚乙烯微孔波纹管,应采用尼龙编织袋装砂砾料,中心部位布置波纹管,随着泥面的上升逐步加高。

4.聚乙烯微孔波纹管的连接方式

聚乙烯微孔波纹管可采用以下连接方式:

(1)刚性连接。采用塑料或金属三通等成品件将各管连接。

(2)柔性连接。将管子相互穿插联结,然后采用塑料编织布进行捆扎。

聚乙烯微孔波纹管排水系统布设如图 4-17 所示。

(六)竖井、廊道及垂直透水墙排水

采用花岗岩、砂岩风化残积土等砾质土修筑水坠非均质坝时,坝体内应设置竖井、廊道及垂直透水墙排水。水坠非均质坝的这种临时排水设施,除了有效排除冲填土体的固结渗水外,还有排除中心防渗体内多余的黏粒和胶粒,控制中心防渗体宽度的作用。

1. 竖井、廊道及垂直透水墙的结构型式

广西玉林市 20 座水坠非均质坝施工期坝体排水设施采用了在中心防渗区内设置竖井、廊道及垂直透水墙的形式,效果较好。其排水设施的布设如图 4-18 所示。

2. 竖井、廊道及垂直透水墙的设计要点

(1)竖井排水设施应满足下列要求:①竖井数目由坝面大小决定,宜设置一个或数个,坝轴线较短时可只设一个竖井,坝轴线较长时可设数个;②竖井设置的位置应在中心防渗区内;③竖井应采用预制混凝土管制作,井壁四周设排水孔,其外置反滤层;④竖井底部与廊道排水设施相连,形成排水通道。

(2)廊道排水设施应满足下列要求:①廊道的横断面采用圆形或城门洞形,大小以人能进入检查为宜;②廊道宜采用浆砌石或混凝土修筑;③位于中心防渗区内的廊道,其外壁应设置截水环。

(3)垂直透水墙应满足下列要求:①垂直透水墙的厚度一般为 1.0~1.5m;②垂直透水墙应与坝轴线平行布置;③垂直透水墙应与竖井排水相连。

经常有一部分沟道无常流水。在这些地方建坝主要是拦蓄洪水泥沙,发展坝地,改善农业生产条件。对非蓄水运用的淤地坝,由于库内一般不蓄水,汛期洪水能在较短的时间内泄完,坝体不会形成稳定的浸润线。对此类运用方式的坝体,允许不设置永久性的反滤体或只进行简易的防护,但在设计时应进行必要的论证。

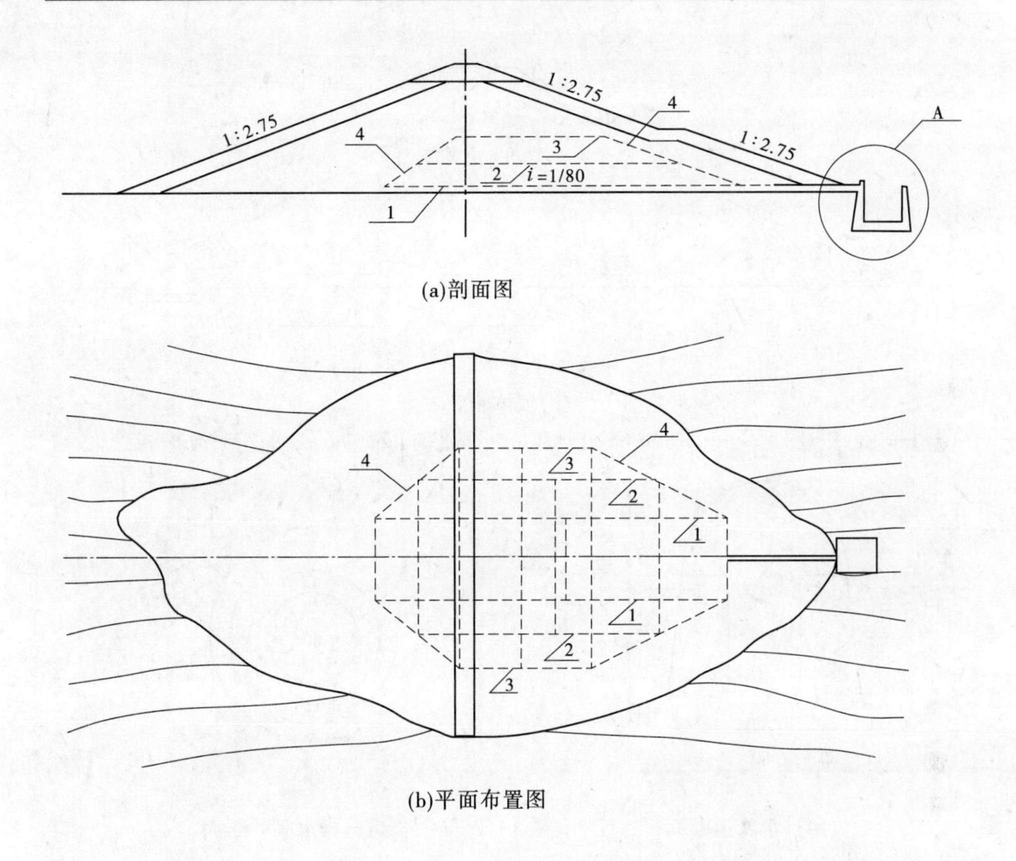

(a)剖面图

(b)平面布置图

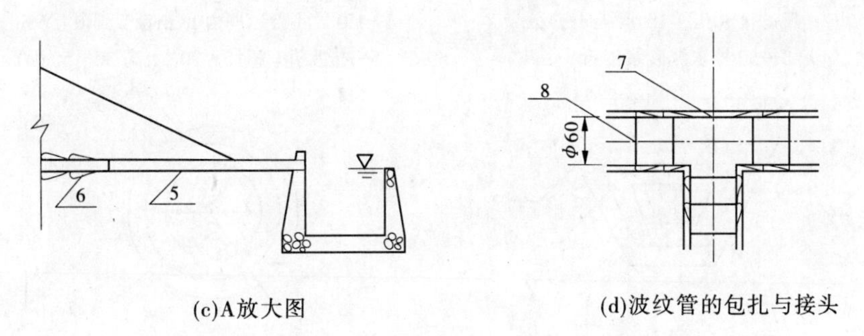

(c)A放大图　　(d)波纹管的包扎与接头

图 4-17　聚乙烯微孔波纹管排水系统布设示意图

1—第一层排水管；2—第二层排水管；3—第三层排水管；4—竖管；
5—塑料管；6—聚乙烯微孔波纹管；7—外包棕皮二层或土工织物一层；8—22 号铅丝绑扎

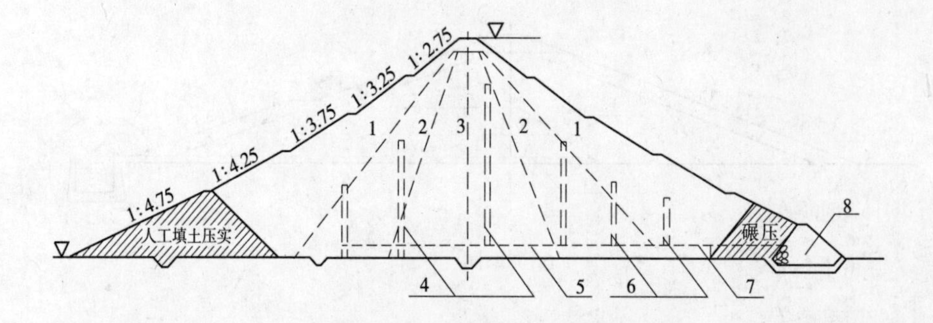

(a)坝体断面

1—坝壳;2—过渡区;3—中心防渗体;4—排水竖井;5—排水廊道或砂沟;6—砂井;7—砂沟;8—反滤体

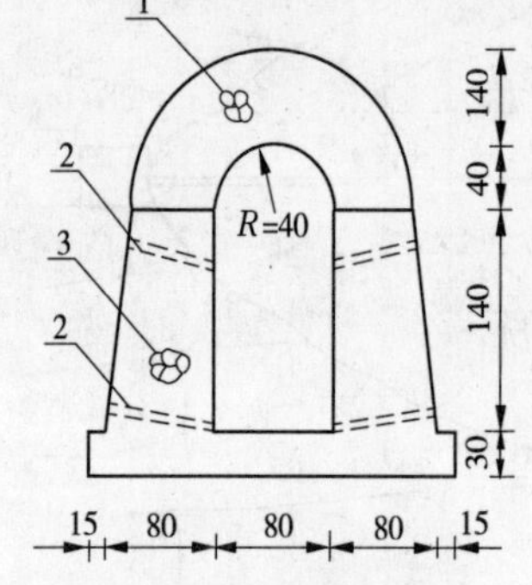

(b)排水廊道断面

1—80 号水泥砂浆砌石拱;

2—反滤排水孔(ϕ10,间隔 1m);

3—50 号水泥砂浆砌石

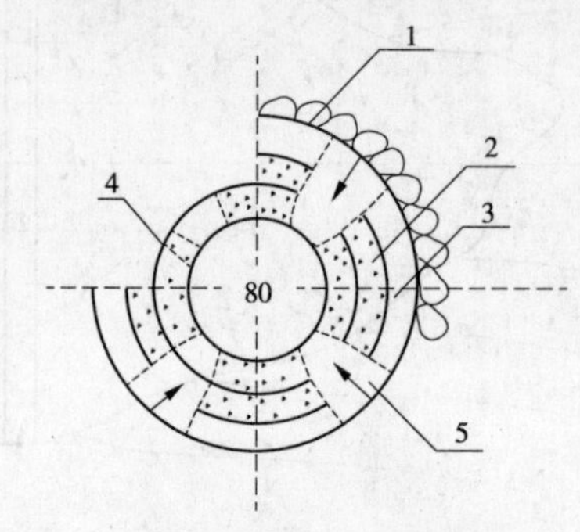

(c)排水竖井断面

1—块石护外;2—砂;3—碎石;

4—150 号混凝土(厚由 18cm 渐变到顶上 6cm);

5—排水孔(宽 15～20cm,高 30～50cm)

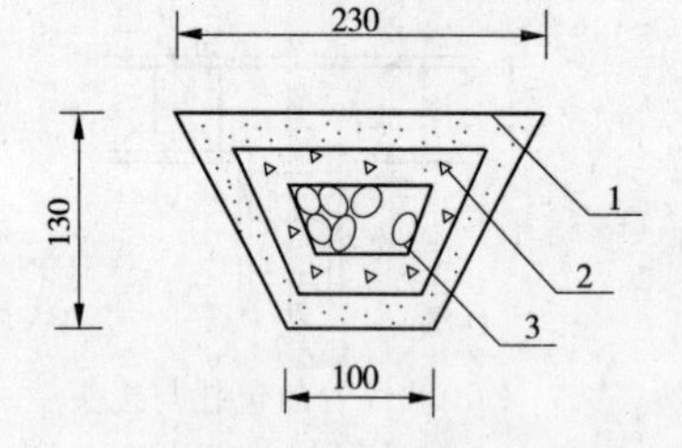

(d)排水砂沟或反滤沟

1—20cm 厚砂;2—20cm 厚砾石;3—片石

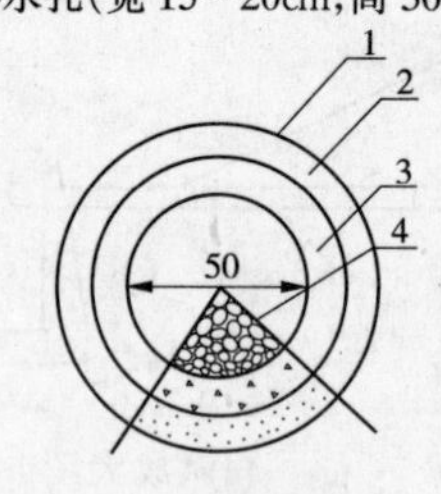

(e)排水砂井

1—竹篓;2—20cm 厚砂;

3—20cm 厚碎石;4—块石

图 4-18　水坠非均质坝排水设施布置图　(单位:cm)

第六节　坝面排水

为了防止雨水冲刷对水坠坝坝体表面造成冲沟、塌陷等不利影响，一般要求在坝体表面设置坝顶和坝面排水。

一、坝顶排水

坝顶排水型式有散排和集排两种。散排就是坝顶不做排水沟渠，雨水通过坝坡分散排向坝面排水沟。集排就是将坝顶雨水径流集中到一个或几个坝面排水沟内，由排水沟排向安全地带。

（一）坝顶散式排水

无防浪墙的坝顶，可将坝顶做成拱背状，分别向上、下游坝坡分散排水。有防浪墙坝顶，可向下游倾斜，坡度2%～3%，将坝顶雨水分散排向下游坝坡。

（二）坝顶集中排水

在坝顶设置纵向排水沟，收集坝顶雨水径流，坝顶排水沟与坝面排水沟相连。排水沟的断面一般为20cm×20cm。

在黄土高原地区，可将坝顶两侧做成围埂，埂高20～30cm，埂顶宽20～30cm，在坝顶与坝面排水沟结合处留排水口，使雨水安全流入坝面排水沟（坝坡纵向排水沟或岸坡排水沟），可有效避免雨水自由漫流对坝坡造成冲沟。

需要说明的是，对坝顶无交通要求的工程，可将坝顶做成畦状，即将坝顶两侧做成围埂，埂高20～30cm，埂顶宽20～30cm，沿坝轴线每10～20m做一道横向围埂。雨水可以在坝顶就地入渗，避免雨水在坝顶形成集中径流或集中入渗对坝顶产生不良影响。

二、坝面排水

（一）布置

在下游坝坡应布设纵、横向排水沟。纵向排水沟（与坝轴线平行）一般设在各级马道内侧。横向排水沟宜顺坝坡每隔50～100m布设一条（垂直于坝轴线），并与纵向排水沟和岸坡排水沟互相连通。横向排水沟自坝顶至坝趾排水沟或最低尾水位以下。纵向排水沟用以排除坡面雨水径流，再流向横向排水沟，排至下游坝趾排水沟，故在横向排水沟之间的纵向排水沟应从中间向两端倾斜，倾斜坡度为1%～2%，以便将雨水排向横向排水沟。

坝体与岸坡连接处应设置岸坡排水沟，以排除岸坡上流下来的雨水径流。岸坡排水沟自坝顶沿坝面与岸坡连接处而下，与坝趾排水沟相连。

(二)排水沟的尺寸及材料

排水沟宜采用浆砌石或预制混凝土块(板)砌筑，断面尺寸不宜小于 25cm×25cm。

第五章　坝基处理、坝体与坝基及建筑物的连接

做好水坠坝坝基处理以及坝体同岸坡和混凝土建筑物的连接设计，目的有二：一是使水坠坝在施工期坝基和岸坡有良好的渗水条件，以利于冲填坝体的脱水固结；二是使水坠坝在蓄水运用后不致产生超过允许值的渗流量，防止管涌、流土、接触冲刷和不均匀沉降，导致坝体开裂等渗透破坏，以确保水坠坝的安全运行。水坠坝防渗与碾压坝一样，要使坝体和坝基两岸结合紧密，无论何种类型坝基都不能允许有任何破坏性渗透。

第一节　坝基处理

水坠坝的底面面积较大，坝基应力较小，加之水坠坝冲填坝体的含水率高，坝身具有较强的适应变形的能力，因此对坝基处理的要求相对较低。

修建在不透水或弱透水地基上的以拦泥淤地为主的水坠坝，在坝体填筑前，一般可以不采取专门的防渗措施，只对坝基的草皮、腐殖土等进行开挖清除，深度0.5～1.0m即可满足施工要求。对透水坝基或其他松软坝基，则应根据工程的具体情况采取不同的技术处理方案。

坝基处理的主要要求，一是控制渗流，避免管涌等有害的渗流变形；二是保持坝体和坝基的稳定，不产生明显的不均匀沉陷，竣工后坝基和坝体的总沉陷量一般不宜大于坝高的3%；三是在保证坝体安全运行的情况下节省投资。

一、岩石地基

修筑在岩基上的水坠坝，由于岩石的结构、性质不同，存在不同程度的风化、节理裂隙、断层破碎带和软弱夹层等，都需要进行处理，以保证水坠坝与岩基结合面以及岩基本身的渗透稳定。岩石地基的处理方法有以下三种。

(一)基岩接触面的清理

为了有效防止坝体与基岩接触面的渗透破坏，冲填坝体与基岩的接触面要求紧密结合，对表层强风化、裂隙密集的岩石碎屑及易冲物质，应予挖除。

(二)基岩灌浆与表面喷护

在岩面不平整或存在微小裂缝处,可通过灌浆、喷水泥砂浆或浇混凝土进行处理,防止表层裂缝渗水直接冲刷坝体。

(三)开挖结合槽

沟床和岸坡表层为强烈风化、破碎岩石时,坝基应挖1～3道结合槽,深至完整岩基,宽不小于2.0m,用泥浆冲填。以拦泥淤地为主的小型水坠坝可不设结合槽。坝肩两岸倒坡、悬崖应进行补坡或开挖成顺坡;若范围过大,可考虑在坝轴线以上分别砌齿墙隔水。齿墙垂直坡面,伸出倒坡悬崖以外,采用块石浆砌,齿墙宽1.0m左右,高度与道数视具体情况决定。

二、土基

大多数水坠坝修建在黏土、壤土、沙壤土、砾石土等土基上。要求沿土基的渗流量及渗流出逸比降不超过允许值,筑坝后不会产生过大沉降变形,不会因土基剪切破坏导致土坝滑坡。

重要的工程还应该通过地质勘探,查清土基的成因(冲积或坡残积)、分层及空间分布。通过钻孔、分层取样和土工试验,获得土基的天然干容重、含水率、级配、流限、塑限、有机质及可溶盐含量、抗剪强度、压缩性、渗透性和破坏渗透比降等物理力学性质指标,然后进行土基处理设计。

(一)表面清理

水坠坝坝体施工前,应做好土基表面清理。挖除树根草皮、表层腐殖土、淤泥、粉粒砂、乱石砖瓦等,对水井、泉眼、洞穴、地道、冲沟、凹塘等应进行开挖,回填上坝土料并夯实。清基厚度视需要而定,一般为0.5～1.0m。在经过表面清理后的土基上开挖若干小槽,用泥浆冲填,以利于结合。

(二)开挖结合槽

土基与水坠坝体的连接应视地基的透水性而定。

(1)土基一般不作防渗处理。

(2)透水性较大的土基,应进行如下处理:如土基透水性过大,可开挖截水槽,以透水性较小的泥浆冲填,槽底应开挖至相对不透水层,以切断渗流,如相对不透水层埋藏较深,挖槽不经济,可改用混凝土防渗墙或高压喷射灌浆穿透地基,与相对不透水层连接;也可做成悬挂式截水槽或修建铺盖以延长土基渗径,减少渗流量。

(3)土基与下游坝体的连接,在土基与下游透水坝壳接触面,或在下游坝脚以外一定范围内,渗流出逸比降超过允许值的土基表面,都应铺设反滤层。

在土基上的水坠均质坝，一般要设坝体排水，以降低浸润线。

三、砂砾石地基

修建在砂砾石地基上的水坠坝，地基处理的主要目的是解决渗流问题，控制渗流量，保证地基的稳定性。一般需同时采取上游防渗及下游排渗措施。

(一)防渗措施

一般有水平及垂直两种方案，前者如水平铺盖，用以延长砂砾坝基渗径，适用于组成比较简单的深厚砂砾层上的中低坝；后者为截水槽、混凝土防渗墙等，完全切断砂砾层，防渗较为彻底，适用于多种地层组成的坝基、各种坝高或对坝基渗漏量控制比较严格的情况。

1.水平铺盖

水平铺盖是一种水平防渗措施，其结构简单，造价较低，适用于透水层很厚的砂砾石地基。当采用垂直防渗设施有困难或不经济时，可采用这种形式。这种处理方式不能完整截断渗流，但可延长渗径，降低渗透比降，减小渗流量。铺盖由黏土和壤土组成，其渗透系数与地基渗透系数之比在1 000倍以上。铺盖的合理长度应根据允许渗流量以及渗流稳定条件，与排水设备配合起来，由计算决定，一般为4～6倍水头。铺盖的厚度由允许渗透坡降决定。铺盖上游端部按构造要求不得小于0.5m。填筑铺盖前必须清基，在砂砾石地基上应设过滤层，铺盖上面应设保护层。

以拦泥淤地为主的水坠坝，可以利用拦蓄的泥沙做为水平铺盖防渗，但必须论证其可行性，并加强水坠坝的运行管理和渗流观测。

2.截水槽

在砂砾覆盖层中开挖明槽，切断砂砾层，再用筑坝土料冲填，与冲填坝体连为一体，形成可靠的垂直防渗，效果显著。

截水槽底宽应根据冲填土的允许渗透比降而定。重壤土底宽不小于(1/8～1/10)H(H为上下游水头差)，中、轻壤土不小于(1/5～1/6)H。如冲填土的允许渗透比降不能满足要求，可增加截水槽的数量。一般可按不同坝高设1～3道截水槽。为满足施工要求，槽宽不应小于3m。截水槽上、下游坡度取决于开挖时边坡稳定要求，一般采用1:1.0～1:1.5。

截水槽位置视工程地质条件和水文地质条件及坝型而定。水坠均质坝常将截水槽设在坝轴上游，一般离上游坝脚不小于1/3坝底宽。

(二)排渗措施

砂砾石坝基除了采取上述的防渗措施外，尚需针对不同防渗方案，相应采取各种排渗措施,安全排泄渗水,降低坝基扬压力,保证坝基渗流稳定。对于垂直防渗方案,砂砾层渗水被完全截断,坝基渗流得到较彻底控制,下游排渗措施可适当简化,而水平铺盖由于砂砾覆盖层未被截断,一般在下游设水平褥垫排水、反滤排水沟、减压井或透水盖重等。

1. 水平褥垫排水

适用于均质或上层透水性大于下层的双层地基。水平褥垫排水的核心为堆石或卵石,外包反滤层,满足与坝体及坝基之间的反滤过渡要求。

2. 反滤排水沟

砂砾覆盖层为双层结构,且上层比下层透水性小,同时上层又不厚时,可在下游坝趾设平行于坝轴的反滤排水沟,穿过上层弱透水层,排泄下层透水层渗水,削减可能产生的承压水,沿沟四周与坝基接触面填反滤层,再在沟内填堆石或卵砾石,见图 5-1。沟底宽应满足减压排水需要并方便施工,一般不小于 2m,下游坝面排水沟宜同反滤排水沟分开,分别排水,避免排泄坝面雨水时将泥带入反滤排水沟中,影响排水效果。

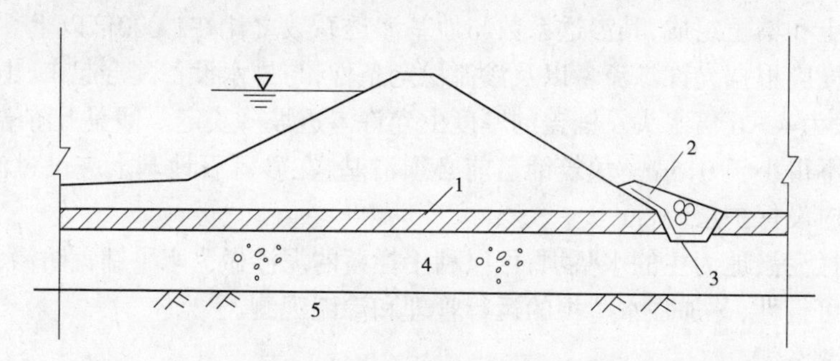

图 5-1　反滤排水沟示意图

1—弱透水层;2—反滤排水沟;3—反滤层;4—砂砾覆盖层;5—基岩

反滤排水沟也可做成暗沟,设在坝内,接间隔式水平排水褥垫,将渗水排出坝外。暗沟设在坝内更有利于消减坝基扬压力,增加下游坝坡稳定。

反滤排水沟不宜用于上部不透水层比较厚或存在许多透水夹层和渗流集中带的多层结构砂砾地基。

在黄土高原地区,尤其是水土流失严重地区,在砂砾石冲积层上修建水坠坝较为常见。由于该区水土流失严重,坝体建成运行后拦截泥沙,能够很快在库底形成大面积的淤泥,这种大面积的淤泥类似水库工程在坝前修筑的铺盖,能有效防止砂砾石地基的渗漏。因此,在砂砾石地基上修建的以拦泥淤地为主的水坠坝一般无需进行特殊的地基防渗处理。

在水土流失轻微的地区修建的以蓄水运用为主的水坠坝，必须搞好砂砾石地基处理，保证坝基渗透稳定，以确保大坝安全运行。

四、湿陷性黄土地基

天然黄土遇水后，其钙胶结物（如碳酸钙与硫酸钙等）被溶解软化，颗粒之间的黏结力遭到破坏，强度显著降低，土体产生明显沉陷变形。具有遇水沉陷性的黄土称为湿陷性黄土，作为坝基应该处理，否则蓄水后将由于坝基湿陷使坝体开裂甚至塌滑，引起坝体失事。

在水坠坝施工前，对湿陷性黄土坝基一般采用预先浸水法进行处理。这种方法可用以处理强或中等湿陷而厚度又较大的黄土地基。在坝体冲填施工前，将待处理坝基划分条块，沿其四周筑小土埂，灌水对湿陷性黄土层进行预先浸泡，使其在坝体施工前及施工过程中消除大部分湿陷性，保证坝库蓄水后的第二次湿陷变形为最小。

上下游处理范围宜超出上下游坝脚以外一定距离。如处理深度超出15m，可通过钻孔或竖井进行深层预先加水，以加快浸水过程。坝基浸水后应处理表面因湿陷产生的裂缝，并尽快冲填坝体，不使浸水后的土层干燥，以便在坝体填筑过程中，坝基得到压实，避免运行期出现大的沉降。

在预先浸水过程中应进行必要的观测试验，如量测灌水量；钻孔测定沿土层深度的含水率变化，了解水分自上而下的转移过程，掌握浸湿范围；进行坝基表面沉降观测；进行浸水后黄土的物理力学性试验等。

取坝基黄土原状样，配制不同含水率加荷进行湿陷度试验，寻找达到非湿陷土标准的最小含水率，即临界含水率及相应饱和度；结合水源情况及浸水处理时间等综合确定黄土预浸水后所需达到的含水率和饱和度，按式(5-1)计算预先浸水所需水量，在浸水过程中严格控制水量，使浸水后的黄土含水率满足设计要求。

$$Q = \eta A H n_a (S_{r1} - S_{r2}) \tag{5-1}$$

式中　Q——预先浸水需水量，m^3；

η——考虑渗漏与蒸发损失的加大系数，一般采用1.1～1.2；

A——预浸面积，m^2；

H——预先浸水的土层厚，m；

n_a——土的平均孔隙率，$n_a = \frac{\sum_{i=1}^{m} h_i n_i}{H}$，$h_i$ 及 n_i 为各分层层厚及孔隙率；

S_{r1}——预先浸水后需达到的饱和度；

S_{r2}——天然状态土的饱和度。

五、软土地基

软土是指天然含水率大于液限，孔隙比大于1的黏性土。其抗剪强度低，压缩性高，透水性小，灵敏度高（灵敏度指原状土样和同一含水率重塑土样的无侧限抗压强度之比），工程特性恶劣，地基处理工作十分重要。

（一）软土地基可能产生的问题

（1）由于强度低，使坝基产生局部塑性破坏和大坝整体滑坡。

（2）出现较大沉降和不均匀沉陷，使坝体出现大的纵横向裂缝，破坏整体性。

（3）透水性小，固结缓慢，竣工后坝的沉降将持续很长时间。

（4）因为灵敏度高，施工期间扰动会使坝基软土强度迅速降低，导致剪切破坏。有些水坠坝修建在原淤地坝的淤泥面上，这种坝基一般属软土地基，应引起高度重视。

（二）软土地基处理的目的

通过一定的工程措施，提高软土地基的抗压强度，降低压缩性，减小沉降及不均匀沉陷，防止产生大的裂缝。

（三）软土地基的处理方法

常用的处理方法有：开挖换土、铺排水垫层、设镇压台、打砂井、铺垫土工合成材料等。

1.开挖换土

如软土不厚，可全部或部分挖除，用土料回填并夯实。如有条件，可用砂、砾石或碎石等回填，防止持力层剪切破坏，还可起排水作用，加速下卧软土固结。通过开挖换土，使受附加应力较大的上部软土被密实的土料所替换，可减少坝基沉降量。

2.铺排水垫层

填筑排水褥垫可防止由于填土引起局部破坏，并可加速在填土荷载作用下软土的排水固结。排水垫层厚可采用0.8～1.5m，其宽度应大于坝底宽。垫层材料一般用砂、砾石、碎石等，要求碎石粒径不超过10cm。当采用碎石垫层时，为防止软土挤入碎石，影响排水功能，可先填薄层砂作反滤，再填碎石。

3.设镇压台

在坝两侧用土或砂、砂砾石、石渣等在软土上填成镇压台，形成反压荷载。镇压台的作用是提高地基抗滑力，防止地基软土侧向挤入而破坏，增加坝的抗滑稳定。

镇压台宽度和厚度应通过稳定分析确定。一般情况下其厚度为坝高的1/3～1/2，如果一级镇压台的厚度超过地基的允许承载力，应改用多级较低的镇压台。镇压台的宽度一般为高度的2～4倍。以上数值供初选时参考，最终由稳定计算确定。

4.打砂井

在软土中打孔，用沙土回填形成砂井，上接排水褥垫，分别通向上、下游，这样就可缩短软土层排水距离，改善排水条件，使软土中的水可通过砂井和排水褥垫向外排，在荷载作用下迅速固结，增加抗剪强度，使大部分沉降在填土过程中完成。在软土深厚、固结系数较大的情况下，打砂井是行之有效的处理措施。

5.铺垫土工合成材料

在位于软基上的坝底面铺设土工合成材料（土工织物、土工网等）和砂石等组成加筋垫层，使其底面保持完整连续，约束浅层地基软土的侧向变形，改善软基浅部的应力分布，提高地基强度和承载力，加强抗滑稳定，并调整不均匀沉降。此外，在软土地基与坝体之间铺设土工织物可以加速地基土的排水固结。该法如与上述其他方法联合使用，则处理效果更为显著。

6.分级填土，控制加荷速率

对于软土层不太厚（小于5～10m）、固结系数 C_v 较大（大于 $1\times10^{-2}cm^2/s$），且工期允许的情况，亦可采取分级填土、间歇冲填、控制加荷速率的办法，使坝基软土有足够时间排水固结，强度随填土加高而大体同步增加。施工期，应在坝脚设边桩，观测地基水平位移，其允许水平位移速率与软土性质、地基处理方法及加载方式有关，应参照已成工程经验确定。此外，还应设置地面沉降观测，监视地面沉降速率，一般可采用小于10mm/d进行控制，如有条件应进行坝基孔隙水压力观测，直接监控坝基软土的变形和强度变化情况。

对于软土层厚度大于10m，固结系数 C_v 小于 $1\times10^{-3}cm^2/s$ 的情况，单纯依靠分级填土、控制加荷速率的办法处理软土坝基，所需排水固结时间较长，宜采用以上其他处理办法。但应强调的是，不论采用哪一种处理方法，都应控制填土速率，施工期对坝基软土进行如上所述的各种观测，严密监控，否则同样会导致失事。

第二节　坝体与岸坡的连接

土坝与岸坡连接设计应满足以下要求：①避免由于不均匀沉降使坝体产生

横向裂缝;②防止因绕坝渗流产生管涌冲刷等渗流破坏;③保证岸坡稳定。

一、控制岸坡削坡坡度与变化

土坝与岸坡连接处往往由于不均匀沉降产生垂直与坝轴方向的横缝,蓄水后将形成漏水通道,产生管涌,招致失事。设计时应选择适宜的接头坡度,并紧密结合,防止产生裂缝。

接头坡度过陡,将使坝体填土发生较大的不均匀沉降而产生横缝,同时引起拱效应使岸坡接头处的坝体下部产生低应力区,导致水力劈裂。根据实践经验,如岸坡为岩基,坡度不得陡于 1∶0.5~1∶0.75(竖∶横),同时不要出现局部岸坡突变。实践证明,此处最易产生横缝,应控制变角 $\theta<20°$(见图 5-2),不允许存在台阶式和倒悬坡。如遇倒坡,或用爆破消除,或回填混凝土使成正坡(最好不用浆砌石回填,因浆砌石有缝隙,蓄水后可能形成漏水通道)。应力求清理后岸坡平顺均匀,无明显凹凸不平或突变。岸坡若为土基,则土坝不均匀沉降值不仅取决于坝体填土本身,还与土基压缩有关,岸坡接头要求更缓,一般不要超过 1∶1.5。

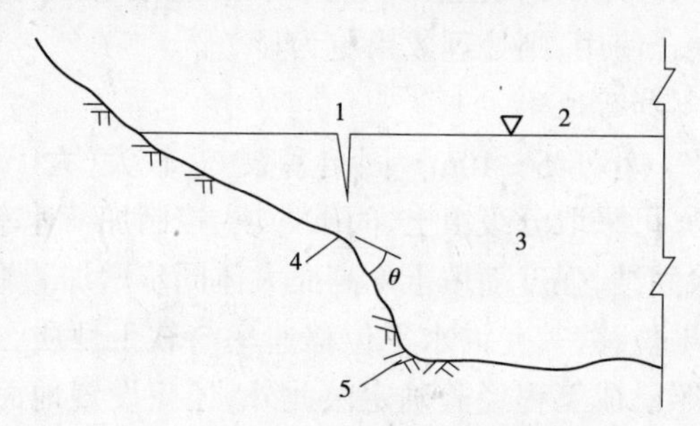

图 5-2　岸坡骤变接头纵断面示意

1—横缝 ;2—坝顶;3—坝体填土;4—岸坡骤变;5—岩基

二、岸坡接头的渗流稳定

(一)岸坡接头的渗流破坏形式

(1)渗水沿坝体填土与岸坡接触面发生集中冲刷。

(2)通过坝体横缝产生集中渗漏。

(3)发生严重绕坝渗漏。

(二)保证岸坡接头渗流稳定的工程措施

1.扩大防渗体断面

扩大岸坡接头处中心防渗体断面,以延长接触渗径,防止接触冲刷。对于心墙,可向着岸坡逐渐放缓心墙上、下游坡;对于斜墙,可向着岸坡将斜墙逐渐向下游扩展加厚,到岸边变成厚心墙。

2.局部加厚防渗体上、下游面反滤

如坝体产生横缝导致渗漏,加厚下游面反滤,可防止土粒不被渗水带走,横缝不致扩大,最后坍塌自愈。加厚上游面反滤,可使其随渗水进入横缝,冲填封闭。

3.延长坝肩绕流渗径

对于基岩岸坡可设灌浆帷幕,并向岸内延伸。延伸长度及岸坡范围的帷幕深度,可通过三向绕流计算确定。

三、岸坡抗滑稳定

应确保岸坡稳定,防止蓄水后坍滑危及大坝安全。首先应查明与土坝连接的岸坡上、下游是否存在滑坡体或软弱夹层等地质构造,蓄水后或遇地震后是否失稳。若存在危险,应挖成稳定坡或加压戗等,采取综合措施予以加固。

如岸坡上、下游有冲沟切割,形成单薄分水岭,与土坝相连接应将其削成稳定坡,或用石渣压坡加固。

第三节　坝体与混凝土建筑物的连接

坝体常与岸边溢洪道、坝下埋管等混凝土或浆砌石建筑物连接,必须搞好设计施工,防止沿接触面产生集中渗流,以及因不均匀沉降使坝体产生裂缝。

一、常用的连接方式

对于中低坝多采用混凝土接触面设刺墙和L形重力墙的接头形式。

(一)墙后设刺墙

刺墙形式示意见图5-3。在墙后设刺墙,以延长渗径,对刺墙与坝体的接触部位需进行人工夯实。

(二)L形重力墙

L形重力墙接头的平面示意见图5-4。这种接头其上游折向土坝,与裹头连接,在平面上呈L形。

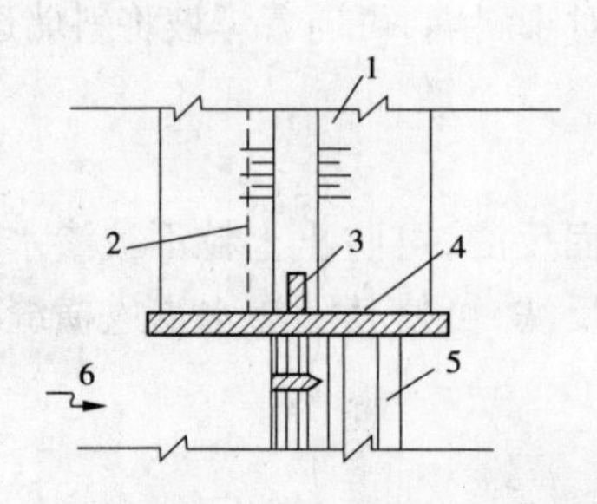

图 5-3 刺墙式接头平面示意

1—土坝;2—上游水边线;3—刺墙;
4—渐下式翼墙;5—混凝土或浆砌石溢洪道;6—流向

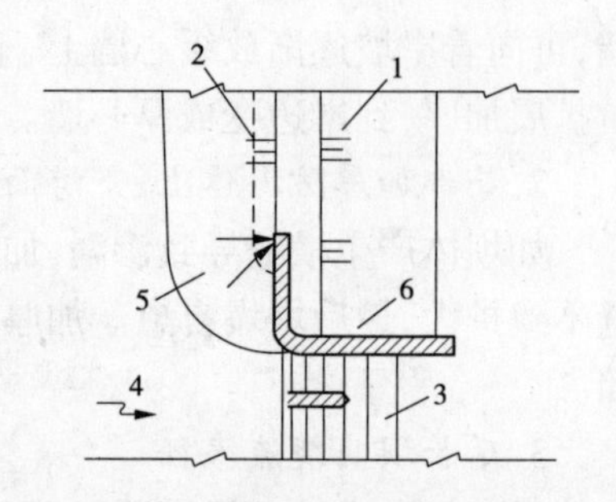

图 5-4 L 形重力墙接头平面示意

1—土坝;2—上游水边线;3—溢洪道;
4—流向;5—裹头;6—L 形重力墙

二、提高连接部位渗流稳定的措施

(一)提高填筑质量

在距填土与重力墙接触面 1～2m 范围内最好选用黏粒含量大于 20%、抗管涌性能较好的土料进行填筑。

(二)控制接触面的坡度

与填土相接触的重力墙坡度不陡于 1∶0.25,以利于填土结合,防止因不均匀沉降而出现裂缝。

(三)铺设反滤层

沿着土坝与接头重力墙的接触渗流入渗段和出渗段要铺设反滤,以防沿接触面出现裂缝,入渗段反滤可起冲填自愈作用,而出渗段反滤可阻拦土粒被渗水带走。

三、坝下埋管

水坠坝坝下埋管应尽量设在基岩上,防止因不均匀沉降导致管身开裂漏水,冲刷坝体。为了延长接触渗径,多沿涵管与坝体或防渗体接触面设三道以上的截流环,并将截流环周围的填土压实。有些工程取消截流环(或最多在埋管间设一道截流环),而局部扩大与涵管连接的防渗体断面,可同样达到延长渗径的目的。在涵管从防渗体出来的下游出口处,加厚反滤层,以防止由涵管外漏的渗水将土粒带走。

设在土基上的坝下埋管最好为无压流,以防压力水直接外渗,冲刷管周的填土。

第六章 坝坡稳定和固结计算

第一节 计算指标及经验参数

一、坝体计算要求

水坠坝坝体稳定最不利的情况出现在施工期。设计时除了按已成工程经验,初步拟定坝坡及埂宽以外,还要根据冲填土的物理力学指标,进行坝体固结和稳定性计算。

(一)计算目的

水坠坝坝体稳定计算的目的,是为了保证水坠坝在自重、各种情况下的孔隙水压力和外部荷载的共同作用下,具有足够的稳定性,不至于发生坝体或坝体和地基的整体剪切破坏。通过坝坡的不断调整与多次的稳定计算,寻求满足稳定要求的经济坝坡。

(二)计算内容

水坠坝应分别进行施工期和运用期坝坡稳定性分析。坝坡抗滑稳定安全系数应符合表 6-1 的规定。

表 6-1 坝坡抗滑稳定最小安全系数

运用条件	工程级别		
	3	4	5
正常运用条件	1.30	1.25	1.25
非常运用条件	1.20	1.15	1.15

注:(1)正常运用条件:①蓄水运用条件下水位处于蓄水位和设计洪水位与死水位之间的各种水位的稳定渗流期;②水位在上述范围内经常性的正常降落。

(2)非常运用条件:①施工期;②校核洪水位有可能形成稳定渗流的情况;③水位非常降落。

1. 施工期

施工过程中,坝体的含水率及孔隙水压力在坝体的不同部位、不同时间都在发生变化。坝体中心部位存在着流态区,坝体依靠边埂与岸坡的阻滑作用维持在稳定状态。根据工程的施工经验,在 1/2 坝高至设计坝高之间是发生稳定破坏的危险区域。因此,施工期应对 1/2 坝高至设计坝高间的若干高度(包括坝顶部位)的坝体,进行坝坡整体稳定计算,还应对边埂(均质坝)或坝壳(非均质坝)自身进行稳定计算。

当在施工期发生鼓肚及水平错位缝时,应计算坝坡和边埂的稳定性。

对于连续冲填且有度汛要求的水坠坝,施工过程还应分析拦洪坝高时上、下游坝坡及边埂的稳定性。

2.运行期

水坠坝运行期稳定计算的内容包括:冲填坝体已达到稳定含水率或固结度超过 90%时,进行的下游坝坡在稳定渗流情况下及上游坝坡在库水位骤降情况下的稳定计算;按试验得到的固结系数等指标进行坝体固结计算;按照正常运用条件下的安全系数(见表 6-1),进行坝坡的稳定性分析。

3.其他

修建在狭窄河谷的水坠坝,由于坝体受岸坡的阻滑作用较大,坝坡的稳定性较好,因此在对此类工程的坝坡整体抗滑稳定分析时,应按平面问题算得的抗滑稳定安全系数乘以相应的修正系数,修正系数可按表 6-2 取值。

表 6-2 平面稳定修正系数

计算高程处的河谷宽度/滑弧弧长	≤2	3	4	>6
修正系数	1.09	1.06	1.04	1.00

二、计算指标及经验参数

水坠坝施工期的稳定性分析,应根据坝址地形、地质条件和水坠施工的特点,坝体孔隙水压力及含水率的分布情况,坝坡鼓肚、裂缝变形特征,坝体荷载变化、脱水固结、强度增长规律等,分析研究冲填土的力学性质,选用比较切合实际的计算指标及经验参数,以保证分析结果的准确性。

坝坡稳定计算主要涉及以下计算指标及经验参数。

(一)土的有效强度指标和总强度指标

1.有效强度指标

各类土的有效强度指标可按表 6-3 取值。

2.总强度指标

水坠坝坝体土料的总强度指标与冲填土的含水率及土料的含黏量有关,分

表 6-3 有效强度指标经验值

土类		φ′(°)	c′(t/m²)
沙土		30～32	0
沙壤土		27～30	0
壤土	轻、中粉质壤土	26～28	0
	重粉质壤土	22～26	0
花岗岩、砂岩风化残积土(黏粒含量 15%～30%)		26～29	0

述如下:

1)沙壤土、壤土总强度指标

沙壤土、壤土总强度指标与冲填体的含水率经验关系见图 6-1 和表 6-4。

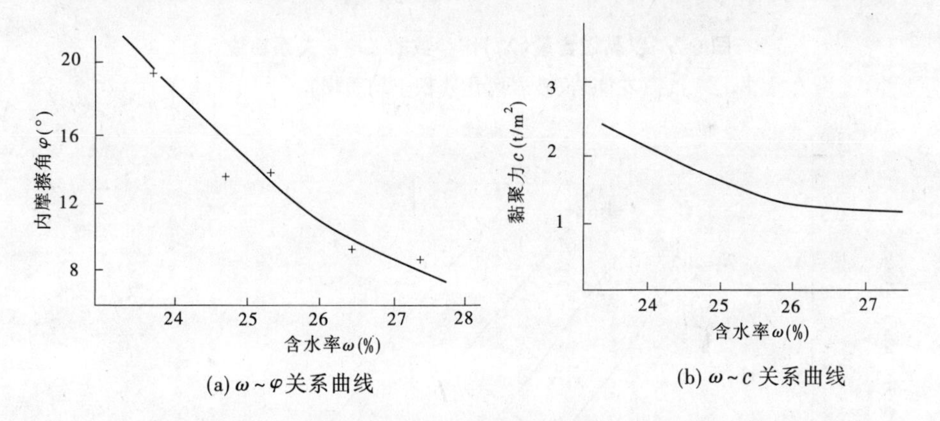

(a) ω～φ关系曲线 (b) ω～c 关系曲线

图 6-1 轻粉质壤土三轴不固结不排水剪与含水率关系

表 6-4 轻、中粉质壤土现场十字板抗剪强度与含水率关系

含水率(%)	25	26	27	28	29	30	31	32	33	34	35	36	37	38
十字板抗剪强度(t/m²)	3.822	2.803	2.038	1.470	1.009	0.706	0.519	0.353	0.255	0.196	0.127	0.098	0.069	0.049

2)花岗岩、砂岩风化残积土总强度指标

花岗岩、砂岩风化残积土总强度指标经验关系见图 6-2～图 6-6,可根据坝型及土类选用。

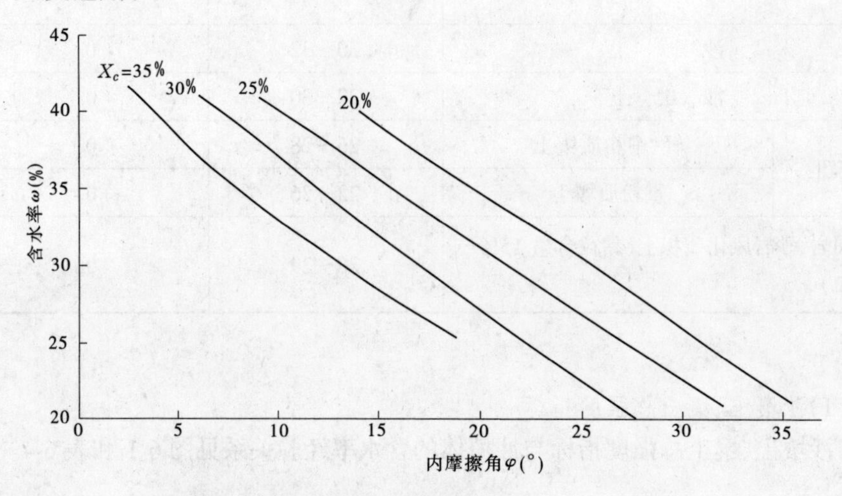

图 6-2　以黏粒含量(X_c)作参数的 $\omega \sim \varphi$ 关系曲线

(花岗岩、砂岩风化残积土均质坝)

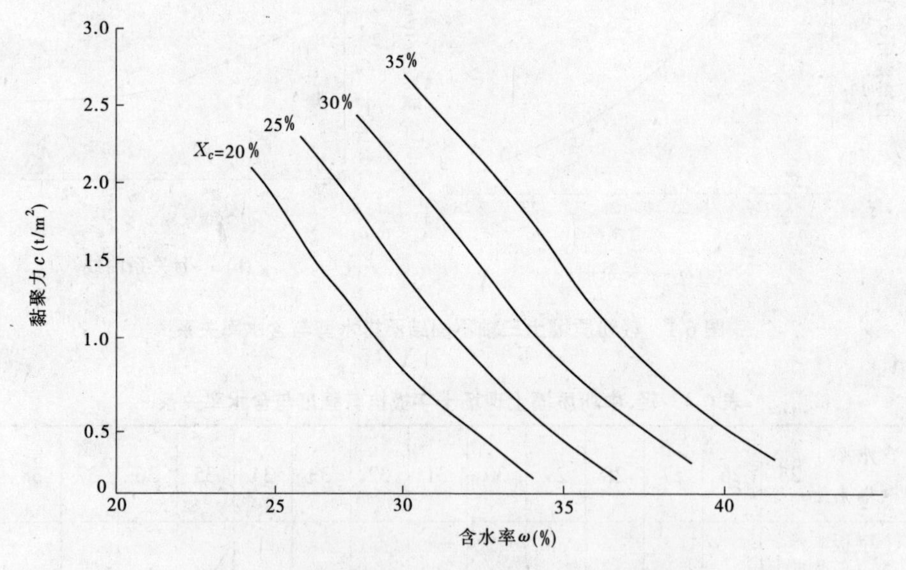

图 6-3　以黏粒含量(X_c)作参数的 $\omega \sim c$ 关系曲线

(花岗岩、砂岩风化残积土均质坝)

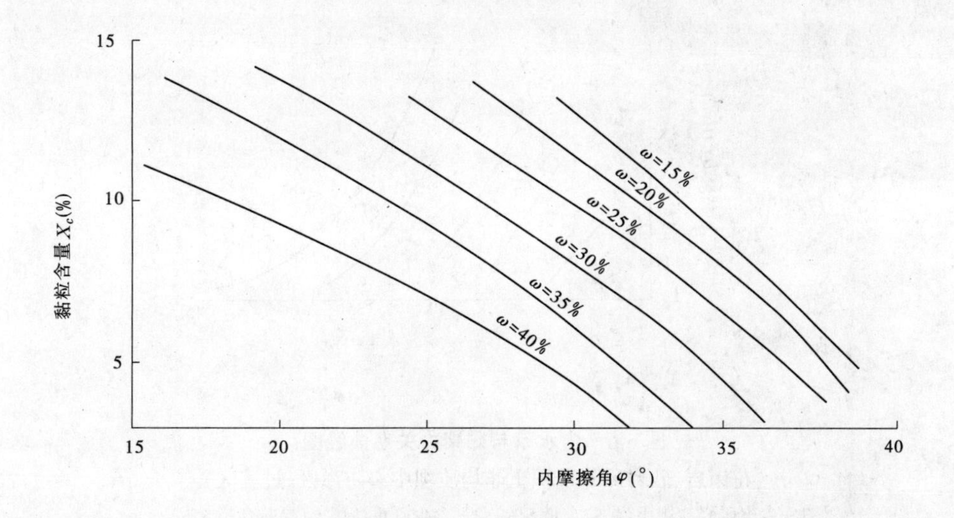

图 6-4　含水率、黏粒含量与内摩擦角关系曲线

（花岗岩、砂岩风化残积土非均质坝坝壳区）

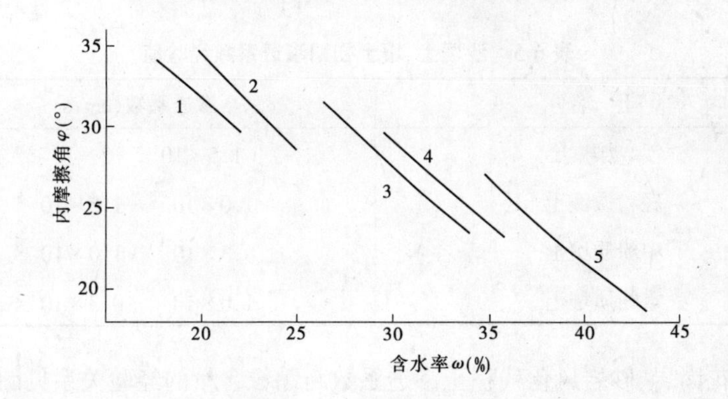

图 6-5　含水率与内摩擦角关系曲线图

（花岗岩、砂岩风化残积土非均质坝中心防渗区、过渡区）

1—含少砾轻沙壤土(平均黏粒含量 5%)；2—含少砾重沙壤土(平均黏粒含量 8%)；

3—轻粉质壤土(平均黏粒含量 11%)；4—中粉质壤土(平均黏粒含量 16%)；

5—重粉质壤土(平均黏粒含量 22%)

(二)冲填土的渗透系数

(1)沙壤土、壤土的初期渗透系数可按表 6-5 取值。

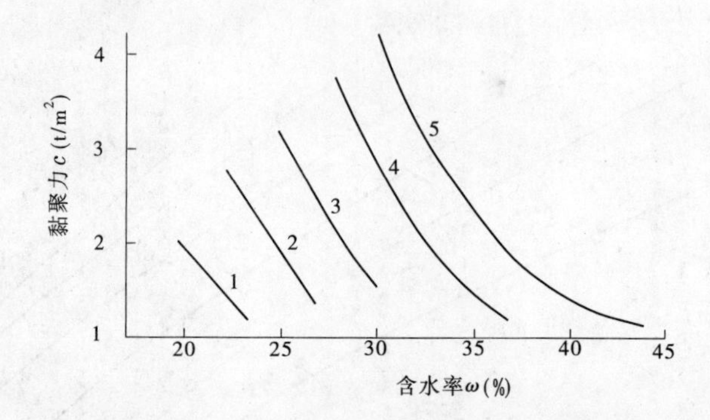

图 6-6 含水率与黏聚力关系曲线图

(花岗岩、砂岩风化残积土非均质坝中心防渗区、过渡区)

1—含少砾轻沙壤土(黏粒含量 5%);2—含少砾重沙壤土(黏粒含量 8%);

3—轻粉质壤土(黏粒含量 11%);4—中粉质壤土(黏粒含量 16%);

5—重粉质壤土(黏粒含量 23%)

表 6-5 沙壤土、壤土初期渗透系数经验值

土 名	渗透系数(cm/s)
沙 壤 土	$1.5\times10^{-5}\sim2\times10^{-5}$
轻粉质壤土	$1.0\times10^{-5}\sim1.5\times10^{-5}$
中粉质壤土	$0.3\times10^{-5}\sim1.0\times10^{-5}$
重粉质壤土	$1.0\times10^{-6}\sim0.3\times10^{-5}$

(2)花岗岩、砂岩风化残积土渗透系数与黏粒含量的经验关系见图 6-7。

(三)冲填土的固结系数和起始孔隙水压力系数

1.冲填土的固结系数

实验室测定固结系数时,通常采用单向固结试验方法或三轴消散试验方法,也可以采用固结-消散试验方法。

冲填沙壤土、壤土的固结系数(即消散系数)见表 6-6。

2.坝体起始孔隙水压力系数

坝体冲填土的起始孔隙水压力系数 B_0,不分土类,可取 $B_0=0.8\sim1.0$。

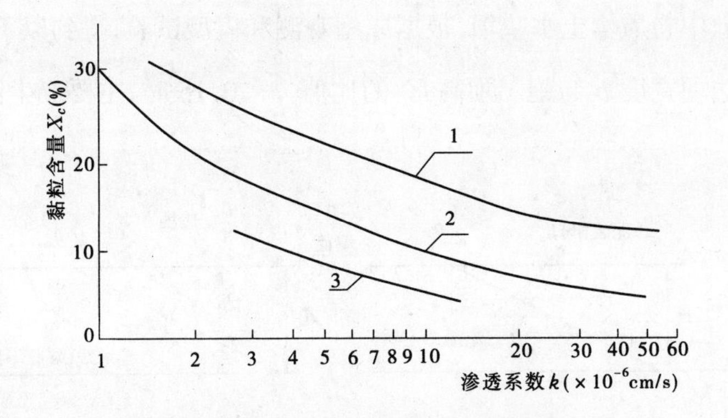

图 6-7　黏粒含量与渗透系数关系曲线

（花岗岩、砂岩风化残积土非均质水坠坝）

1—中心防渗区曲线;2—平均曲线;3—坝壳区曲线

表 6-6　冲填沙壤土、壤土的固结系数经验值

土名	固结系数 B_0(m^2/d)
沙　壤　土	1.0～3.0
轻粉质壤土	0.5～1.5
中粉质壤土	0.2～0.7
重粉质壤土	0.1～0.3

三、水坠坝滑坡形式与范围

根据水坠坝滑坡、鼓肚形式调查及模型实验研究,水坠坝施工期滑动面形状和滑动区范围有如下规律。

(一)滑坡形式分类

水坠坝施工期的滑坡破坏形式有两种,一种是流滑、一种是坐滑。流滑是泥浆挤破边埂流出坝外,一般发生在冲填表层的流态区。泥浆流出坝坡脚以外的距离可达数百米,最后形成1:20或更缓的自然坡度。坐滑就是一般的滑移,它与碾压式土坝、水中倒土坝的滑弧形状相似。

用沙壤土修建的水坠坝,由于脱水固结快,流态区很浅,一般不会发生流滑。用轻、中粉质壤土修建的水坠坝,如果冲填上升速度太快、流态区较深,埂宽不够,就会发生鼓肚甚至流滑。利用重粉质壤土修建水坠坝时,由于土的含黏量高,脱水固结慢,流态区很深,很容易发生流滑,在这种情况下,边埂需要有足够的宽度和填筑质量才能防止流滑。

对于轻、中粉质壤土水坠坝,根据原型观测和模型试验,得到以下几点结论:

(1)当边埂宽度 b 与施工坝高 H_t 的比值 $\frac{b}{H_t}<0.15$ 时,主要产生流滑。见图6-8(a)。

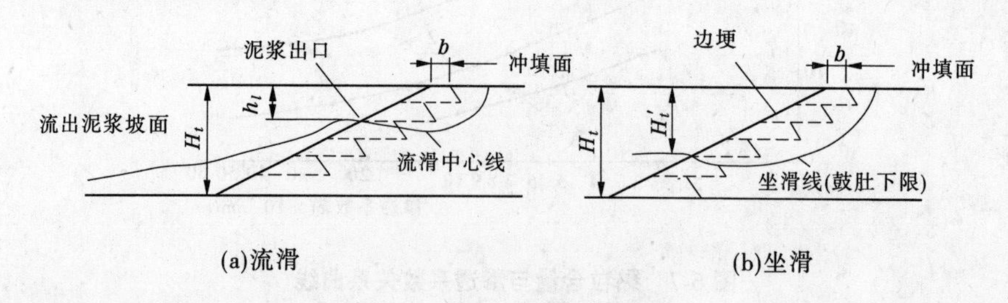

图 6-8 水坠坝的滑动面形状

流滑的滑动中心线,将沿着坝内位移最大点的连线。流滑时,泥浆在坝坡上的出口位置,是坝坡水平位移最大的地方,称为鼓肚中心。滑动面的形状为一上陡下缓的曲线,可以近似地看做水平滑动面或折线滑动面。边埂在施工期起挡泥作用,其挡泥高度 h_l 相当于鼓肚中心的深度或接近流态区的深度。

(2)当 $\frac{b}{H_t}>0.4$ 时,易发生坐滑,见图6-8(b)。坐滑沿着鼓肚下限发生,鼓肚下限为坝体发生剪切错位的界线,其下部土体不发生位移,坐滑的滑动面接近圆弧形状,滑动区深度可以按鼓肚下限位置确定。

(3)当 $\frac{b}{H_t}=0.15\sim0.4$ 时,上述两种滑动形式都可能发生,两者都应核算。一般水坠坝多因施工埂宽不均匀而出现这种情况。

(二)滑动区范围的经验统计关系

根据水坠坝的滑坡调查及滑坡模型试验研究成果,可以看到流滑位置 h_l 在 $(0.225\sim0.476)H_t$ 范围内,坐滑位置 H'_t 在 $(0.4\sim0.69)H_t$ 范围内。河谷愈宽,坝基排水条件愈差,滑动面位置愈低;对于宽高比小于6的V形河槽,下部岸坡阻滑作用大,坐滑位置 H'_t 一般位于坝体的上半部,即 $H'_t=(0.4\sim0.5)H_t$。设计时,坐滑验算深度可近似取 $H'_t=0.47H_t$,滑动区范围见图6-9。

滑动区范围的宽度 f_t 经验统计关系式为:

$$\left.\begin{array}{l}\text{当 } H_t<\dfrac{mH+0.5a}{1+m}\text{ 时},f_t=H_t\\ \text{当 } H_t\geqslant\dfrac{mH+0.5a}{1+m}\text{ 时},f_t=m(H-H_t)+0.5a\\ \text{当 } H_t=H\text{ 时},f_t=0.5a\end{array}\right\}\tag{6-1}$$

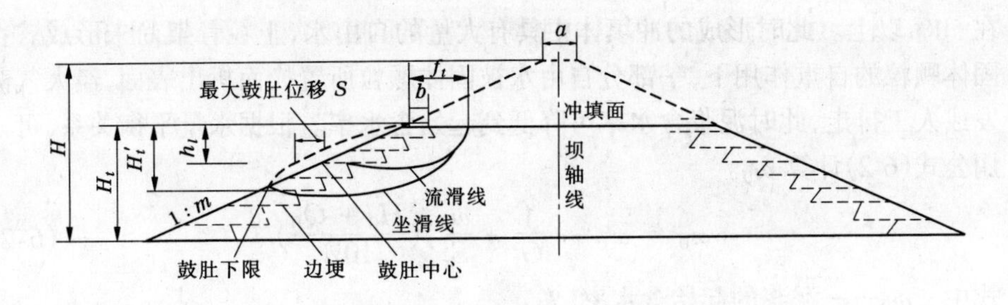

图 6-9　水坠坝滑动面特征符号

式中　H——设计坝高,m;

H_t——施工时坝高,m;

a——坝顶设计宽度,m;

m——坝坡率。

第二节　固结计算

坝体冲填土的固结计算,可按饱和土体采用差分法、有限元法或简化计算方法计算。

一、水坠坝脱水固结的基本规律

(一)脱水固结计算的目的

水坠坝冲填体的脱水固结是一个含水率降低、密度增加、孔隙水压力消散、强度增长的过程。水坠坝脱水固结的快慢,主要决定于冲填土的透水性、坝体的排水边界条件和当地的气候条件,同时也与上坝泥浆浓度、冲填速度、冲填方式等有关。水坠坝固结计算的目的,就是掌握在坝体自重作用下不稳定渗流引起的孔隙水压力或孔隙比(含水率)随时间的变化规律,至于其他因素则可作为初始条件或边界条件加以考虑。

在进行坝体稳定分析时,如采用总应力法进行坝坡稳定计算,需要了解坝体含水率的分布情况;如采用有效应力法进行坝坡稳定计算,需要了解坝体孔隙水压力的分布情况。而水坠坝孔隙水压力或孔隙比(含水率)计算正是固结计算的主要内容。因此可见,固结计算对坝体的稳定分析具有十分重要的作用。

(二)脱水固结计算基本关系式

泥浆刚进入坝面时含水率远超过流限,有很大的流动性。通常情况下黄土泥浆进入坝面时的含水率可达40%左右,花岗岩风化砾质黏土上坝泥浆含水率在50%以上。此时形成的冲填体中具有大量的自由水,土粒骨架尚未形成。在固体颗粒的自重作用下,一部分自由水被固体颗粒所置换而析出表面,经大气蒸发或人工排走,此时泥浆含水率可降低到起始含水率。根据水量平衡关系,可以用公式(6-2)计算 ω_0。

$$\omega_0 = \omega_1 - (\frac{1}{G_s} + \frac{\omega_1}{S_r})(\frac{H_0 + Q_0}{10v}) \tag{6-2}$$

式中 ω_0——泥浆的起始含水率,%;

ω_1——刚进冲泥池的泥浆含水率,%;

H_0——泥面日蒸发量,mm/d;

Q_0——表面单位排水量,$m^3/(d \cdot m^2)$;

v——冲填速度,cm/d;

G_s——土粒相对密度;

S_r——饱和度,%。

(三)水坠坝面蒸发作用

水坠坝的坝面由大气蒸发的水量,主要决定于当地的气候条件,通常泥面蒸发的水量比水面蒸发还更大一些。西北黄土干旱地区,夏天日蒸发量可超过10mm。如某座水坠坝的上坝泥浆含水率为40%,每日冲填体升高15cm,日蒸发量10mm,没有表面排水,通过计算,仅仅因蒸发作用,泥浆含水率可降低至34.9%,可见蒸发作用是不能忽视的。因此,气温高、蒸发量大的季节往往是水坠坝施工的良好时机。

(四)孔隙水压力作用

随着坝体的升高,下层土体在上层土体重量的作用下,固体之间的孔隙水将引起压力水头,即为孔隙水压力。而在透水地基和边埂等处,则孔隙水压力为零或很小,在毛细作用处甚至为负值。所以对整个坝体来讲,不同部位的孔隙水压力是不同的,这样就产生压差,引起渗透作用,将孔隙中的一部分水排走,从而使坝体含水率逐渐降低。随着孔隙水压力逐渐消散,干容重相应增加,强度不断增长,从而增加了坝体的稳定性。

以上就是水坠坝脱水固结的基本规律。

二、坝体含水率分布计算

(一)非线性固结公式计算法

1.非线性固结计算

坝体含水率按饱和土体非线性固结理论采用下式计算:

$$\frac{\partial \varepsilon}{\partial t}=\frac{\partial}{\partial x}\left[\frac{k(1+\varepsilon_0)}{\gamma_f}\left(\frac{\partial \sigma'_x}{\partial x}-\frac{\partial \sigma_x}{\partial x}\right)\right]-\frac{\partial}{\partial y}\left[\frac{k(1+\varepsilon_0)^2}{\gamma_f(1+\varepsilon)}\left(\frac{\partial \sigma'_y}{\partial y}-\frac{\gamma_s-\gamma_f}{1+\varepsilon_0}\right)\right] \tag{6-3}$$

式中　ε_0——起始孔隙比；

ε——t 时间的孔隙比；

x、y——水平及垂直坐标，m；

σ'_x、σ'_y——水平及垂直向有效应力，t/m²；

σ_x——水平向的总应力，t/m²；

k_s——渗透系数，cm/s；

γ_s、γ_f——土的固相和液相容重，t/m³。

2.绘制坝体含水率分布图

根据水坠坝的边界条件及初终条件，按一维问题或二维问题，采用数值计算法求解，得出坝体在不同时期、不同部位孔隙比，再换算成含水率，绘制坝体含水率分布图。

3.非线性固结参数计算

可采用特制的固结—消散装置，测定非线性固结计算参数 a_1、b_1、a_2、b_2。所采制试样的制样含水率应与冲填土的起始含水率一致，荷重等级可采用0.05、0.10、0.25、0.5、1.0、2.0、4.0kg/cm²，绘制孔隙比～渗透系数关系曲线和孔隙比～有效应力关系曲线（见图6-10和图6-11），然后根据试验结果按下式计算冲填土的非线性固结参数 a_1、b_1、a_2、b_2：

$$\begin{aligned} k_s &= a_1 e^{b_1 \varepsilon} \\ \sigma' &= a_2 e^{-b_2 \varepsilon} \end{aligned} \tag{6-4}$$

式中　k_s——渗透系数，cm/s；

ε——孔隙比；

σ'——有效应力，kg/cm²。

（二）坝体含水率分布的简化计算

1.含水率计算内容

按照经验统计资料，分别计算起始含水率 ω_0、液限含水率 ω_L、稳定含水率 ω_f 等值。绘制含水率等值线图，划分流态区、流塑～软塑区及稳定含水率区，见图6-12所示。

含水率的垂线分布，假定含水率两特征点间为直线分布，稳定含水率 ω_f 相应深度 h_f 以下的含水率均假定为 ω_f，各特征含水率 ω_0、ω_L 和 ω_f 值可按土类分

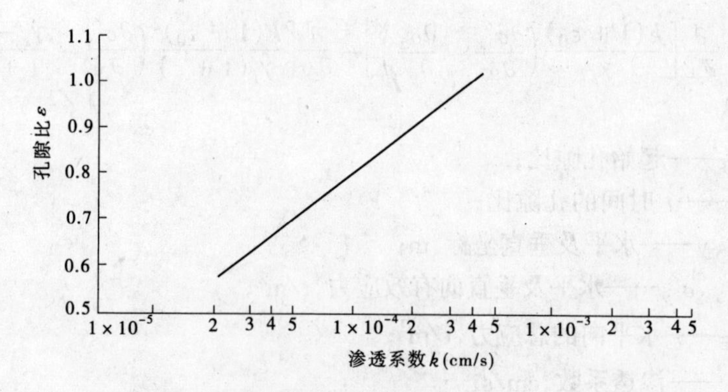

图 6-10　ε～k 关系曲线

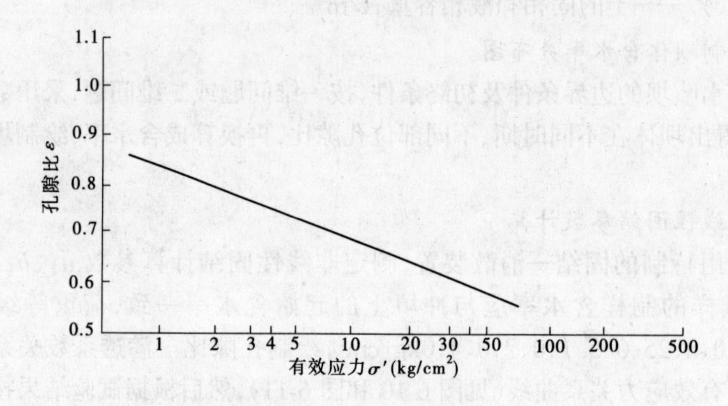

图 6-11　ε～σ′关系曲线

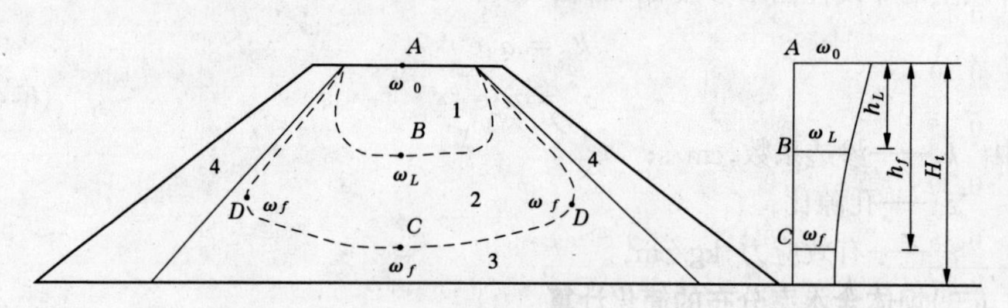

图 6-12　坝体含水率分布示意图

1—流态区;2—流塑～软塑区;3—稳定含水率区;4—边埂或坝壳

别求出。

2. 沙壤土、壤土特征含水率计算

1)冲填坝面的含水率计算

冲填坝面的含水率取设计要求的起始含水率或按下式计算:

$$\omega_0 = (0.6X_c + 31) \times 100\% \tag{6-5}$$

式中　ω_0——起始含水率，%；

X_c——土的黏粒含量，%。

2)流态区深度及液限含水率 ω_L 计算

(1)液限含水率 ω_L 可按表 6-7 经验值确定。

(2)流态区深度 h_L 可按表 6-8 确定。

表 6-7　沙壤土、壤土的液限含水率经验值

土类	液限含水率 ω_L(%)
沙　壤　土	25～27
轻粉质壤土	27～28
中粉质壤土	28～29
重粉质壤土	29～30

表 6-8　沙壤土、壤土流态区深度系数(h_L/H_t)经验统计值

冲填速度 v (m/d)	沙壤土	轻粉质壤土	中粉质壤土	重粉质壤土
0.05	0.03	0.07	0.15	0.30
0.10	0.06	0.14	0.29	0.45
0.15	0.08	0.20	0.40	0.60
0.20	0.11	0.27	0.50	0.80
0.25	0.14	0.32	0.59	—
0.30	0.16	0.37	—	—
0.35	0.19	—	—	—

注：表中 H_t——施工坝高(m)，统计范围为 $H_t = 14～32$m，相当于 0.5～0.9 倍坝高。

3)稳定含水率层深度 h_f 及稳定含水率 ω_f 计算

(1)稳定含水率层的深度，可按下式确定：

$$h_f = v \cdot T_f \tag{6-6}$$

式中　v——平均冲填速度，m/d；

T_f——达到稳定含水率 ω_f 所需时间，d，可按表 6-9 确定。

表 6-9　沙壤土、壤土达到稳定含水率的时间

土类	达到稳定含水率所需时间 T_f(d)
沙　壤　土	40～60
轻粉质壤土	60～90
中粉质壤土	90～120
重粉质壤土	120～180

(2)稳定含水率可按下式计算：

$$\omega_f = 30.3 - 0.22X_c - 10p \tag{6-7}$$

$$p = \gamma h_f \tag{6-8}$$

式中　p——固结压力，t/m²；

γ——土的饱和容重，t/m³；

h_f——稳定含水率层的深度，m；

其余符号意义同前。

4)边埂平均含水率计算

关于含水率在水平方向的分布情况，在边埂与冲填土的界面上，一般可取相应的稳定含水率；边埂的含水率，按设计干容重，以饱和度 $S_r = 40\% \sim 70\%$，采用公式(6-9)计算。边埂宽、干容重大、填筑时间短、透水性差的，饱和度取小值。反之，则取大值。

$$\omega = \frac{S_r(G_s - \gamma_d)}{\gamma_d \cdot G_s} \tag{6-9}$$

式中　ω——边埂平均含水率，%；

S_r——边埂饱和度，以小数表示；

G_s——土粒密度，t/m³，沙壤土取 2.69，轻粉质壤土取 2.70，中粉质壤土取 2.71，重粉质壤土取 2.71；

γ_d——边埂设计干容重，t/m³。

3.风化残积土的含水率计算

1)不同深度的含水率计算

含水率随深度的分布，可按下式计算：

$$\omega = N_1\omega_0 - 0.45(25 - X_c) - 0.20X_g \tag{6-10}$$

式中　ω——某一深度的含水率，%；

ω_0——设计要求的起始含水率,%;

X_c——土的黏粒含量,%;

X_g——含砾量,%;

N_1——含水率变化率参数,不同冲填速度及深度 h 相应的 N_1 值可按表 6-10 取值。

表 6-10　含水率变化率参数 N_1 值

冲填速度 v (m/d)	不同深度 h						
	1m	3m	5m	7m	9m	10m	12m
0.05	0.803	0.740	0.685	0.627	0.585	0.570	0.550
0.10	0.820	0.755	0.700	0.644	0.605	0.590	0.570
0.15	0.837	0.770	0.715	0.663	0.625	0.610	0.590
0.20	0.854	0.784	0.730	0.682	0.645	0.630	0.610
0.25	0.870	0.797	0.745	0.700	0.665	0.650	0.630
0.30	0.885	0.810	0.760	0.720	0.685	0.670	0.650

位于边埂附近处冲填体的含水率可适当减少 3%～5%。公式(6-9)已经考虑了排水砂井的影响。对没有排水砂井的工程,计算所得的含水率应增加 3%～4%。

2)坝体稳定含水率计算

坝体稳定含水率可按下式计算:

$$\omega_f = M + 0.25X_c - 0.08X_g \tag{6-11}$$

式中　M——稳定含水率系数,按表 6-11 取值。

其余符号意义同前。

表 6-11　坝体稳定含水率系数 M 值

土料名称	M
含少量砾的重、中、轻壤土,含少量砾的黏土,砾质黏土	22
砾质重、中、轻壤土,砾质砂质黏土,砂砾	17

3)边埂含水率计算

边埂的含水率可按设计干容重、以饱和度50%～80%估算。

4)非均质坝各部位含水率估算

非均质坝的坝壳视为边埂,坝壳区平均黏粒含量,上游可取9.02%、下游可取7.73%;过渡区平均黏粒含量,上游过渡区可取17.93%、下游过渡区可取15.0%;中心防渗区黏粒含量可取18.63%。然后采用均质坝式(6-10)和式(6-11)估算坝体中心防渗区和过渡区的含水率分布。

三、坝体孔隙水压力分布计算

(一)一维渗透固结计算法

1.计算方法

对水坠坝来讲,荷重并不是一次加上的,而是随着冲填施工的进展逐渐增加的。也就是说,荷载随时间而变,是有关时间的函数。吉甫森对此问题做出了解答:他区分透水地基和不透水地基两种边界条件,分别考虑了以下两种施工条件下的泥面上升——也可以认为是荷载增加——速率。

(1)冲填体匀速上升,即

$$h(t) = vt \tag{6-12}$$

(2)冲填体变速上升,即

$$h(t) = k\sqrt{t} \tag{6-13}$$

计算结果用图6-13(透水地基)和图6-14(不透水地基)表示。两图中的(a)图表示冲填体随时间平方根增高,(b)图表示冲填体随时间匀速增加。图中曲线

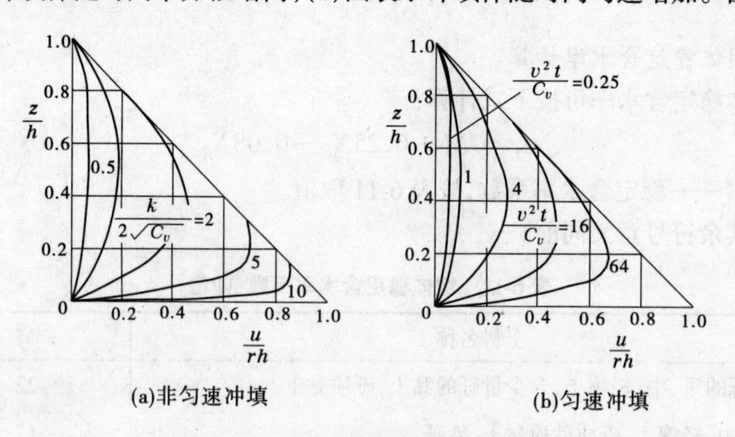

(a)非匀速冲填　　(b)匀速冲填

图6-13　透水地基孔隙水压力计算图

表示坝体升高到 h 时孔隙水压力的分布规律，纵坐标表示冲填体中任一点与总高 h 的比值，横坐标表示孔隙水压力与全部填土重的比值，即孔隙压力系数，C_v 是固结系数。

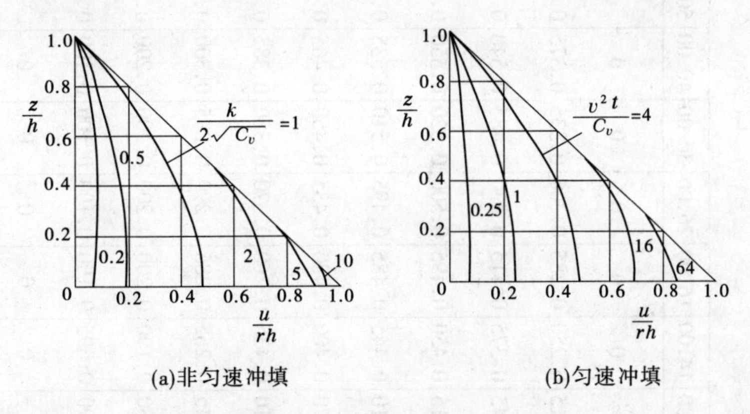

图 6-14　不透水地基孔隙水压力计算图

表 6-12、表 6-13 为透水地基孔隙水压力计算用表，可供查用。表中：$A=\frac{u}{\gamma H}$。其中，u 为孔隙水压力，t/m^2；H 为坝高，m；γ 为土的容重，t/m^3。

匀速冲填时，$H=vt$，A 值见表 6-12，可根据$\frac{Z}{H}$及$\frac{v^2 t}{C_v}$值查出。

非匀速冲填时，$H=k\sqrt{t}$，A 值见表 6-13，可根据$\frac{Z}{H}$及$\frac{k}{2\sqrt{C_v}}$值查出。

表中，Z 为计算点距河底的高度，m；v 为平均冲填速度，m/d；t 为冲填时间，d；C_v 为土的固结系数，m^2/d；k 为土料的渗透系数，cm/s。

2. 计算示例

某水坠坝坝基是透水的，坝高 20m，冲填速度为 0.15m/d，冲填土的平均固结系数为 $0.18m^2/d$，容重为 $1.85t/m^3$，试求孔隙水压力随深度的变化。

已知：$H=20m$，$v=0.15m/d$

根据公式(6-12)，通过计算可得：

$$t = H/v = 20/0.15 = 133(d)$$

$$v^2 t/C_v = 0.15^2 \times 133/0.18 = 16.6 \approx 16$$

查图 6-13(b)，从 $v^2 t/C_v$ 的曲线上可查出不同坝高处 $u/\gamma h$ 的值，从而计算出不同坝高的孔隙水压力 u。

以上计算也可查表 6-12。

表 6-12　透水地基 A 值表(匀速冲填 $H=vt$)

$\frac{Z}{H}$	$\frac{v^2 t}{C_v}$																
	0.25	0.50	1.00	2.00	3.00	4.00	6.00	8.00	10.00	12.00	14.00	16.00	26.00	30.00	40.00	50.00	64.00
0.0	0	0	0	0	0	0	0	0	0	0	0	0	0	0	0	0	0
0.1	0.020	0.025	0.045	0.065	0.090	0.115	0.135	0.150	0.200	0.215	0.250	0.285	0.300	0.335	0.375	0.415	0.485
0.2	0.030	0.045	0.075	0.115	0.160	0.195	0.235	0.275	0.310	0.345	0.375	0.415	0.430	0.485	0.540	0.595	0.665
0.3	0.035	0.055	0.100	0.145	0.195	0.250	0.310	0.345	0.385	0.415	0.450	0.495	0.500	0.520	0.550	0.585	0.645
0.4	0.040	0.065	0.115	0.165	0.225	0.280	0.310	0.345	0.380	0.410	0.445	0.485	0.495	0.510	0.535	0.555	0.535
0.5	0.040	0.060	0.113	0.163	0.210	0.255	0.285	0.315	0.345	0.370	0.400	0.430	0.435	0.450	0.465	0.480	0.500
0.6	0.035	0.060	0.105	0.145	0.185	0.225	0.245	0.270	0.290	0.310	0.435	0.260	0.370	0.380	0.385	0.395	0.400
0.7	0.030	0.050	0.085	0.115	0.145	0.180	0.190	0.210	0.230	0.245	0.265	0.285	0.290	0.295	0.300	0.300	0.300
0.8	0.020	0.035	0.065	0.080	0.100	0.130	0.140	0.160	0.170	0.180	0.190	0.200	0.200	0.200	0.200	0.200	0.200
0.9	0.010	0.020	0.035	0.043	0.050	0.065	0.070	0.080	0.085	0.090	0.095	0.100	0.100	0.100	0.100	0.100	0.100
1.0	0	0	0	0	0	0	0	0	0	0	0	0	0	0	0	0	0

表 6-13　透水地基 A 值表(非匀速冲填 $H=k\sqrt{t}$)

$\frac{Z}{H}$	$\frac{k}{2\sqrt{C_v}}$								
	0.5	1.0	1.5	2.0	3.0	4.0	5.0	7.5	10.0
0.0	0.000	0.000	0.000	0.000	0.000	0.000	0.000	0.000	0.000
0.1	0.020	0.073	0.116	0.200	0.245	0.313	0.500	0.700	0.865
0.2	0.040	0.145	0.235	0.335	0.460	0.600	0.735	0.770	0.800
0.3	0.055	0.177	0.297	0.423	0.506	0.610	0.667	0.700	0.700
0.4	0.070	0.200	0.325	0.455	0.497	0.555	0.600	0.600	0.600
0.5	0.076	0.190	0.300	0.407	0.437	0.470	0.500	0.500	0.500
0.6	0.067	0.175	0.265	0.360	0.372	0.385	0.400	0.400	0.400
0.7	0.054	0.140	0.205	0.277	0.300	0.300	0.300	0.300	0.300
0.8	0.040	0.105	0.150	0.200	0.200	0.200	0.200	0.200	0.200
0.9	0.020	0.053	0.073	0.100	0.100	0.100	0.100	0.100	0.100
1.0	0.000	0.000	0.000	0.000	0.000	0.000	0.000	0.000	0.000

不同坝高处孔隙水压力计算结果见表 6-14。

表 6-14　不同坝高处孔隙水压力计算结果

坝高(m)	4	8	10	12	16
z/h	0.2	0.4	0.5	0.6	0.8
$u/\gamma h$	0.415	0.485	0.430	0.360	0.200
u(t/m^2)	3.06	7.20	7.96	8.00	5.92

(二)二维渗透固结计算法

上述一维渗透固结计算,适用于水坠坝冲填施工初期,冲填池的面积很大;或者在冲填池的中心部位,其受力情况和排水条件与一维渗透固结相似的情况下。但在施工后期并靠近边埂或岸坡附近时,则受力情况、排水能力和边界条件就与一维渗透固结相差较远,为了使计算结果基本符合实际,就应考虑二维、三维渗透固结问题。二维、三维渗透固结要比一维渗透固结问题复杂得多,以下介绍采用差分法计算二维渗透固结的计算方法。

1.施工期(坝前不蓄水条件下)坝体孔隙水压力计算

1)压密固结公式

水坠坝施工期和竣工时,土体的饱和度一般在95%以上,因此可按饱和土体计算孔隙水压力。

(1)饱和土体平面渗流固结理论的孔隙水压力微分方程式为:

$$\frac{\partial u}{\partial t} = B_0 \frac{\partial \sigma_y}{\partial t} + C_v \left(\frac{\partial^2 u}{\partial x^2} + \frac{\partial^2 u}{\partial y^2} \right) \tag{6-14}$$

式中 u——坝体中某点(x、y)在 t 时的孔隙水压力,t/m^2;

σ_y——该点的垂直向总应力,t/m^2;

B_0——起始孔隙水压力系数;

C_v——固结系数,m^2/d。

(2)采用差分方程求数值解时,可按下列公式计算:

$$\frac{\partial u}{\partial t} = \frac{u_{(i,j)t} + 1 - u_{(i,j)t}}{\partial t} \tag{6-15}$$

$$\frac{\partial^2 u}{\partial x^2} = \frac{1}{\partial x} \left(\frac{u_{(i+1,j)t} - u_{(i,j)t}}{2x} - \frac{u_{(i,j)t} - u_{(i-1,j)t}}{2x} \right) \tag{6-16}$$

$$\frac{\partial^2 u}{\partial y^2} = \frac{1}{\partial y^2} (u_{(i,j+1)t} + u_{(i,j-1)t} - 2u_{(i,j)t}) \tag{6-17}$$

将式(6-15)、式(6-16)和式(6-17)代入式(6-14),当采用正方网格时($\Delta X = \Delta Y = \Delta H$),则公式(6-14)可以简化为:

$$u_{(i,j)t+\Delta t} = B_0 \gamma \Delta H + (1 - 4\alpha) u_{(i,j)t} + \alpha \Diamond_{(i,j)t} \tag{6-18}$$

$$\alpha = \frac{\Delta t C_v}{\Delta H^2} \tag{6-19}$$

式中 $u_{(i,j)t}$——结点(i,j)在 t 时的孔隙水压力,t/m^2;

$u_{(i,j)t+\Delta t}$——该结点增加 Δt 时段后的孔隙水压力,t/m^2;

$\gamma\Delta H$——冲填一层所增加的荷载,并假设在瞬间一次加上;

$\Diamond_{(i,j)t}$——与结点(i,j)相邻的四个结点(见图6-15),在 t 时的孔隙水压力之和,t/m^2;

α——系数。

为简化计算,可令 $\alpha = 1/4$,则式(6-18)可简化为:

$$u_{(i,j)t+\Delta t} = B_0\gamma\Delta H + \frac{1}{4}\Diamond_{(i,j)t} \tag{6-20}$$

在计算中,每层土的孔隙水压力调整次数 $n = \Delta T/\Delta t$,式中 ΔT 为每层土的施工时间,调整次数也可表示为:

$$n = 4C_v\Delta T/\Delta H^2 \tag{6-21}$$

或

$$n = 4C_v/(\Delta H \cdot v) \tag{6-22}$$

式中　v——冲填速度,m/d。计算中全坝取平均值。

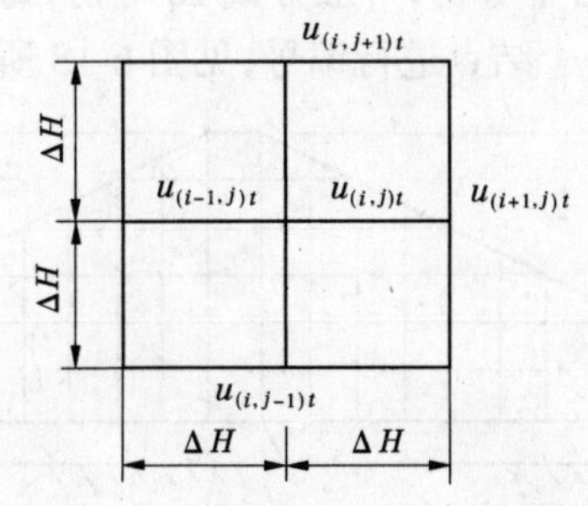

图 6-15　结点孔隙水压力示意图

2)边界条件的处理

(1)排水界面。$u_t=0$,即对坝坡坡面、透水地基或人工排水地基等,均按孔隙水压力恒为零考虑。

(2)不透水界面。在地基面以下虚拟一排结点(见图 6-16),按照地基表面上下不发生渗流的条件考虑。则:

$$u'_{i,L} = u_{i,L} + 2\gamma_w\Delta H \tag{6-23}$$

式中　γ_w——水的容重,t/m³。

(3)坝坡附近结点。从图 6-17 可见,坝坡附近网格不是正方形,当坝坡坡率为 m(取整数)时,结点孔隙水压力可按式(6-24)计算:

$$u_{(i,j)t+\Delta t} = B_0\rho\Delta H + \frac{\xi}{1+\xi}\left(\frac{u_{(i-1,j)t}+u_{(i+1,j)t}}{2} + \frac{u_{(i,j-1)t}}{1+\xi}\right) \tag{6-24}$$

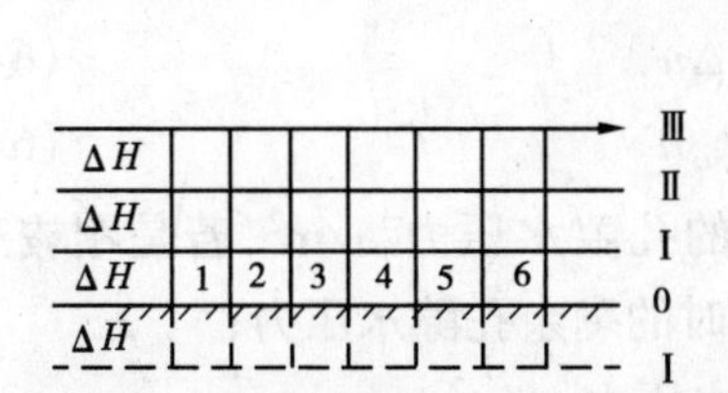

图 6-16　不排水界面虚拟结点示意

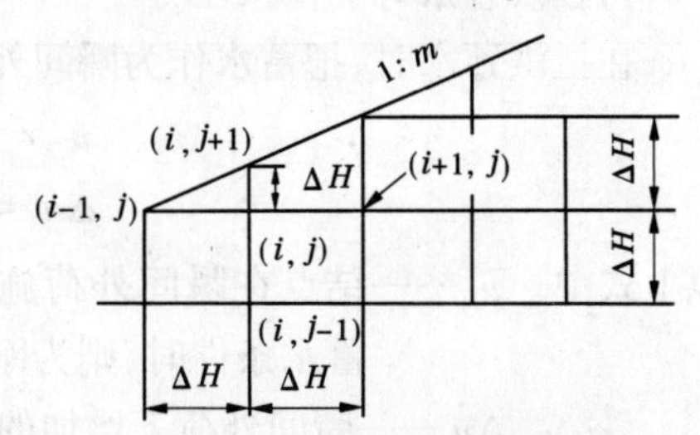

图 6-17　坝坡结点示意

3)初始条件

(1)坝基为透水地基时,则冲填第一层后坝面与坝基的各结点上的孔隙水压力均为零,无需调整;在冲填了第二层后,可按下述步骤进行消散计算。

(2)如为不透水地基,则第一层冲填后,就应进行消散计算。

4)计算步骤

(1)确定冲填土的计算参数:γ、C_v、B_0。

(2)将坝高 H 分成若干等份,一般分成10等份,每份 $\Delta H=0.1H$,使计算断面成正方网格,并对每一个结点进行编号,见图6-18所示。

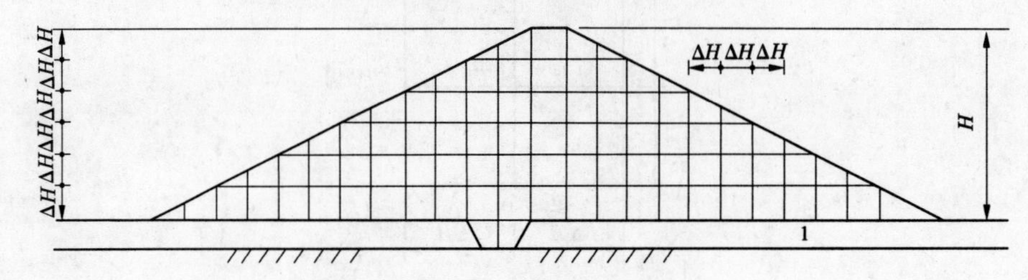

图6-18　断面网格示意图

1—透水层;H—设计坝高

(3)计算 $\Delta t=\Delta H^2/4C_v$。

(4)计算结点的孔隙水压力 $u=u_1+\Delta u$,式中 u_1 为冲填该层的结点孔隙水压力;Δu 为冲填一层后,瞬时增加孔隙水压力,$\Delta u=B_0\gamma\Delta H$。

(5)计算调整次数 $n=\Delta T/\Delta t=4C_v/(\Delta H\cdot v)$。

(6)继续对冲填的下一层土,按照上述步骤重复计算,逐层冲填,逐层计算,直到全坝完工。最后将计算成果标注在断面图上,并绘制孔隙水压力等值线图,供稳定分析用。

2.运用期(拦洪、泄空条件下)孔隙水压力计算

1)拦洪蓄水时孔隙水压力

在拦洪蓄水时,把蓄水作为瞬间外荷施加,则各结点的孔隙水压力为:

$$u=u'+\Delta u \tag{6-25}$$

$$\Delta u=B_0\gamma_w h \tag{6-26}$$

以上式中　u'——结点在瞬间外荷施加前的孔隙水压力,t/m²,若是刚竣工即蓄水条件时,则为刚竣工时的剩余孔隙水压力;

Δu——瞬间外荷下增加的孔隙水压力,t/m²;

h——作用在该结点上的水头,m。

其余符号意义同前。

2)水库泄空时孔隙水压力

在水库泄空时,随着库水位的下降进行消散计算,一般在库水位下降 $\Delta h<$ 3m 时,可近似按下式计算:

$$u_{(i,j)t+\Delta t}=\frac{1}{4}\Diamond_{(i,j)t}-B_0\gamma_w\Delta h \tag{6-27}$$

在此,把因水位下降所减少的孔隙水压力作为荷载的减少来考虑,这样的简化计算处理,误差并不大。

当 $\Delta h\geqslant$3m 时,应增加分割的份数,重新调整网格尺寸使之相适应。

3)边界条件

上游坝面及截水槽上游透水地基各结点的孔隙水压力,均等于该结点上的水柱压力。

如为不透水地基,则处理方法与前相同。

四、坝体平均孔隙水压力系数值计算

(1)水坠坝各高程以上的坝体平均孔隙水压力系数 $\overline{B}$ 值,当采用有效应力简化计算法(即土坡稳定系数法)时,可按饱和平面固结问题计算。

(2)对于图 6-19 所列的三类排水边界条件的水坠坝,当坝坡度为 1∶2~1∶5,调整次数 n 为 1、3、5、8、11、15、20、25,起始孔隙水压力系数 $B_0=1.0$ 时,水坠坝各高程以上坝体平均孔隙水压力系数 $\overline{B}$ 值,可通过查表 6-15~表 6-17 取值,表中调整次数按下列公式计算:

$$n=4C_v/(\Delta H\cdot v) \tag{6-28}$$

$$\Delta H=0.1H \tag{6-29}$$

式中 C_v——固结系数,m^2/d;

H——设计坝高,m;

ΔH——分层厚度,m;

v——平均冲填速度,m/d。

表 6-15~表 6-17 所列 $\overline{B}$ 的数值是按 $B_0=1.0$ 得出的。若 $0.8\leqslant B_0<1.0$ 时,则 $\overline{B}$ 近似值可将查表所得数值乘以 B_0 计算。

五、一维非线性固结计算

(一)非线性固结方程式

现场观测和室内试验成果说明,冲填体具有大变形非线性固结的性质。也

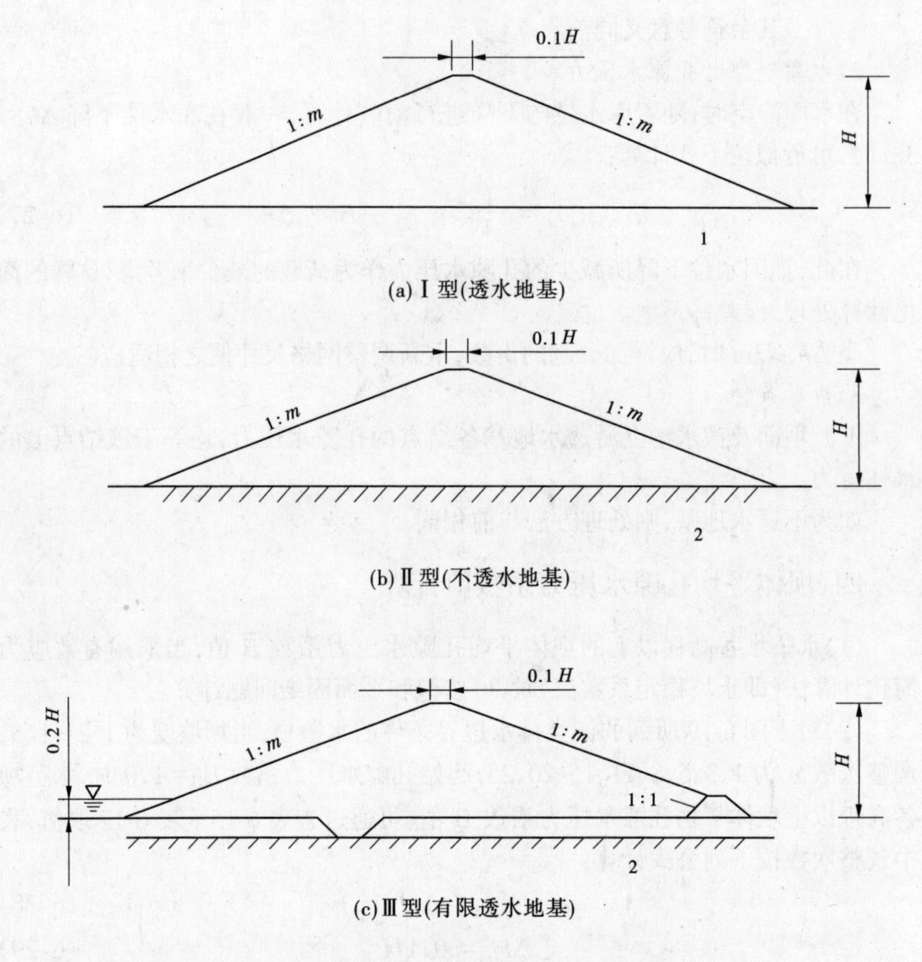

图 6-19　三类排水边界条件的水坠坝示意图

1—透水地基;2—不透水地基;H—设计坝高

就是说固结系数 C_v 不是一个常数,在不同大小的荷载作用和不同的固结阶段,C_v 有着大幅度的变化,数值可相差十倍以上。西北地区黄土冲填体的 C_v 值随着荷载级的增加而有增大的趋势;在同一级荷载下,随固结度的增加,固结系数有减小的趋势。如胡家圪塄黄土水坠坝,从室内固结－消散试验所得出的固结系数 C_v 值中就清楚地反映了这一点,如表 6-18 所示。

表 6-15　各坝高度以上坝体平均孔隙水压力系数 $\overline{B}$

（Ⅰ型，$B_0=1.0$）

坝坡	距坝底高度	调整次数								
		1	3	5	8	11	15	18	21	25
1:2	H	0.000	0.000	0.000	0.000	0.000	0.000	0.000	0.000	0.000
	$0.9H$	0.625	0.562	0.510	0.456	0.425	0.403	0.394	0.388	0.383
	$0.8H$	0.761	0.688	0.607	0.520	0.470	0.434	0.419	0.410	0.402
	$0.7H$	0.822	0.726	0.619	0.510	0.449	0.407	0.389	0.378	0.369
	$0.6H$	0.855	0.722	0.592	0.472	0.407	0.363	0.345	0.333	0.324
	$0.5H$	0.870	0.689	0.545	0.422	0.358	0.316	0.298	0.288	0.279
	$0.4H$	0.862	0.635	0.487	0.369	0.310	0.271	0.255	0.245	0.237
	$0.3H$	0.823	0.565	0.424	0.316	0.264	0.230	0.216	0.207	0.200
	$0.2H$	0.749	0.489	0.362	0.268	0.223	0.193	0.182	0.174	0.168
	$0.1H$	0.659	0.424	0.315	0.236	0.198	0.173	0.163	0.157	0.152
	0	0.594	0.382	0.284	0.212	0.178	0.156	0.147	0.142	0.137
1:3	H	0.000	0.000	0.000	0.000	0.000	0.000	0.000	0.000	0.000
	$0.9H$	0.729	0.685	0.626	0549	0.498	0.456	0.437	0.425	0.414
	$0.8H$	0.838	0.777	0.685	0.573	0.501	0.443	0.417	0.400	0.385
	$0.7H$	0.883	0.793	0.671	0.536	0.453	0.390	0.363	0.344	0.329
	$0.6H$	0.905	0.772	0.626	0.480	0.396	0.334	0.308	0.290	0.275
	$0.5H$	0.911	0.725	0.565	0.420	0.340	0.283	0.259	0.243	0.230
	$0.4H$	0.896	0.659	0.497	0.361	0.289	0.238	0.217	0.203	0.191
	$0.3H$	0.849	0.581	0.428	0.306	0.243	0.199	0.181	0.169	0.159
	$0.2H$	0.768	0.499	0.362	0.257	0.203	0.166	0.151	0.141	0.133
	$0.1H$	0.660	0.418	0.302	0.213	0.168	0.138	0.125	0.117	0.110
	0	0.594	0.377	0.272	0.192	0.152	0.124	0.112	0.105	0.099

续表 6-15

坝坡	距坝底高度	调整次数								
		1	3	5	8	11	15	18	21	25
1:4	*H*	0.000	0.000	0.000	0.000	0.000	0.000	0.000	0.000	0.000
	0.9*H*	0.787	0.751	0.687	0.597	0.532	0.476	0.448	0.429	0.412
	0.8*H*	0.878	0.821	0.722	0.595	0.508	0.436	0.402	0.378	0.357
	0.7*H*	0.913	0.824	0.694	0.544	0.449	0.373	0.338	0.314	0.294
	0.6*H*	0.929	0.794	0.640	0.481	0.386	0.313	0.281	0.259	0.240
	0.5*H*	0.931	0.740	0.572	0.416	0.328	0.262	0.233	0.214	0.198
	0.4*H*	0.911	0.669	0.500	0.355	0.276	0.219	0.194	0.178	0.163
	0.3*H*	0.860	0.587	0.428	0.300	0.231	0.182	0.161	0.147	0.135
	0.2*H*	0.776	0.503	0.362	0.251	0.193	0.151	0.134	0.122	0.112
	0.1*H*	0.666	0.421	0.301	0.208	0.159	0.125	0.110	0.101	0.093
	0	0.600	0.379	0.271	0.187	0.143	0.113	0.099	0.091	0.083
1:5	*H*	0.000	0.000	0.000	0.000	0.000	0.000	0.000	0.000	0.000
	0.9*H*	0.825	0.791	0.723	0.623	0.549	0.482	0.448	0.424	0.401
	0.8*H*	0.902	0.846	0.743	0.605	0.509	0.427	0.387	0.358	0.383
	0.7*H*	0.930	0.842	0.707	0.547	0.444	0.359	0.320	0.292	0.268
	0.6*H*	0.943	0.807	0.647	0.480	0.379	0.299	0.263	0.238	0.216
	0.5*H*	0.942	0.749	0.576	0.413	0.320	0.249	0.217	0.196	0.177
	0.4*H*	0.920	0.674	0.501	0.351	0.268	0.207	0.180	0161	0.145
	0.3*H*	0.867	0.590	0.428	0.296	0.224	0.172	0.149	0.134	0.120
	0.2*H*	0.781	0.504	0.361	0.247	0.186	0.142	0.123	0.110	0.099
	0.1*H*	0.669	0.422	0.300	0.204	0.154	0.118	0.102	0.091	0.082
	0	0.603	0.380	0.270	0.184	0.139	0.106	0.092	0.082	0.074

表 6-16 各坝高度以上坝体平均孔隙水压力系数 $\overline{B}$

（Ⅱ型，$B_0=1.0$）

坝坡	距坝底高度	调整次数								
		1	3	5	8	11	15	18	21	25
1:2	H	0.000	0.000	0.000	0.000	0.000	0.000	0.000	0.000	0.000
	$0.9H$	0.620	0.570	0.540	0.520	0.500	0.490	0.480	0.480	0.480
	$0.8H$	0.760	0.710	0.680	0.640	0.620	0.600	0.590	0.590	0.580
	$0.7H$	0.820	0.780	0.740	0.690	0.670	0.640	0.630	0.620	0.620
	$0.6H$	0.860	0.810	0.760	0.720	0.680	0.660	0.650	0.640	0.630
	$0.5H$	0.880	0.820	0.770	0.730	0.690	0.670	0.650	0.640	0.640
	$0.4H$	0.890	0.830	0.780	0.720	0.690	0.670	0.650	0.640	0.640
	$0.3H$	0.900	0.820	0.770	0.710	0.680	0.660	0.650	0.640	0.630
	$0.2H$	0.900	0.810	0.760	0.700	0.670	0.650	0.640	0.630	0.620
	$0.1H$	0.880	0.800	0.740	0.690	0.660	0.640	0.630	0.620	0.620
	0	0.860	0.780	0.730	0.680	0.650	0.630	0.620	0.620	0.610
1:3	H	0.000	0.000	0.000	0.000	0.000	0.000	0.000	0.000	0.000
	$0.9H$	0.729	0.699	0.675	0.628	0.628	0.611	0.603	0.597	0.591
	$0.8H$	0.838	0.809	0.780	0.718	0.718	0.695	0.684	0.675	0.667
	$0.7H$	0.884	0.852	0.817	0.745	0.745	0.718	0.705	0.695	0.686
	$0.6H$	0.908	0.871	0.831	0.751	0.751	0.722	0.707	0.697	0.686
	$0.5H$	0.923	0.877	0.832	0.746	0.746	0.716	0.701	0.690	0.680
	$0.4H$	0.931	0.874	0.824	0.736	0.736	0.706	0.692	0.681	0.671
	$0.3H$	0.932	0.864	0.811	0.723	0.723	0.694	0.680	0.670	0.660
	$0.2H$	0.925	0.847	0.793	0.709	0.709	0.681	0.668	0.648	0.649
	$0.1H$	0.908	0.825	0.773	0.694	0.694	0.668	0.656	0.647	0.639
	0	0.885	0.803	0.754	0.681	0.681	0.658	0.647	0.638	0.631

续表 6-16

坝坡	距坝底高度	调整次数								
		1	3	5	8	11	15	18	21	25
1:4	H	0.000	0.000	0.000	0.000	0.000	0.000	0.000	0.000	0.000
	$0.9H$	0.787	0.767	0.747	0.719	0.698	0.678	0.668	0.660	0.652
	$0.8H$	0.878	0.857	0.830	0.794	0.767	0.741	0.727	0.716	0.706
	$0.7H$	0.913	0.889	0.856	0.813	0.782	0.752	0.736	0.724	0.713
	$0.6H$	0.932	0.901	0.862	0.814	0.780	0.748	0.731	0.719	0.706
	$0.5H$	0.943	0.902	0.858	0.806	0.770	0.727	0.720	0.703	0.695
	$0.4H$	0.949	0.895	0.846	0.792	0.756	0.723	0.707	0.695	0.683
	$0.3H$	0.947	0.881	0.829	0.775	0.739	0.708	0.693	0.681	0.670
	$0.2H$	0.938	0.861	0.808	0.756	0.722	0.693	0.678	0.667	0.657
	$0.1H$	0.919	0.837	0.786	0.736	0.705	0.678	0.665	0.655	0.645
	0	0.894	0.814	0.766	0.720	0.691	0.667	0.655	0.646	0.637
1:5	H	0.000	0.000	0.000	0.000	0.000	0.000	0.000	0.000	0.000
	$0.9H$	0.825	0.810	0.791	0.764	0.741	0.719	0.707	0.698	0.689
	$0.8H$	0.902	0.885	0.859	0.823	0.794	0.766	0.751	0.739	0.727
	$0.7H$	0.931	0.910	0.878	0.835	0.802	0.770	0.753	0.740	0.727
	$0.6H$	0.946	0.918	0.879	0.831	0.795	0.762	0.744	0.730	0.716
	$0.5H$	0.955	0.916	0.872	0.820	0.783	0.748	0.730	0.717	0.703
	$0.4H$	0.958	0.907	0.858	0.803	0.766	0.732	0.715	0.702	0.688
	$0.3H$	0.956	0.891	0.839	0.784	0.748	0.716	0.699	0.686	0.674
	$0.2H$	0.945	0.869	0.816	0.763	0.729	0.699	0.684	0.672	0.661
	$0.1H$	0.925	0.844	0.793	0.743	0.711	0.683	0.669	0.659	0.649
	0	0.900	0.820	0.772	0.726	0.697	0.672	0.659	0.650	0.640

表 6-17　各坝高度以上坝体平均孔隙水压力系数 $\overline{B}$

（Ⅲ型，$B_0=1.0$）

距坝底高度	坝坡											
	1:2(上游)						1:2(下游)					
	调整次数											
	5	8	11	15	20	25	5	8	11	15	20	25
H	0.000	0.000	0.000	0.000	0.000	0.000	0.000	0.000	0.000	0.000	0.000	0.000
$0.9H$	0.436	0.310	0.222	0.147	0.094	0.063	0.436	0.310	0.222	0.147	0.093	0.062
$0.8H$	0.546	0.390	0.281	0.188	0.120	0.081	0.545	0.388	0.279	0.186	0.119	0.080
$0.7H$	0.570	0.402	0.289	0.195	0.126	0.086	0.567	0.398	0.286	0.192	0.123	0.084
$0.6H$	0.556	0.385	0.276	0.186	0.122	0.085	0.548	0.377	0.269	0.180	0.116	0.079
$0.5H$	0.525	0.357	0.255	0.174	0.116	0.082	0.507	0.342	0.424	0.161	0.104	0.071
$0.4H$	0.487	0.328	0.236	0.163	0.112	0.083	0.454	0.300	0.211	0.140	0.091	0.062
$0.3H$	0.448	0.302	0.220	0.157	0.113	0.088	0.395	0.258	0.180	0.119	0.077	0.053
$0.2H$	0.410	0.281	0.210	0.156	0.119	0.098	0.336	0.218	0.151	0.100	0.065	0.044
$0.1H$	0.380	0.270	0.210	0.165	0.134	0.116	0.281	0.181	0.126	0.083	0.054	0.037
0	0.380	0.282	0.229	0.189	0.162	0.146	0.254	0.164	0.114	0.075	0.049	0.033

距坝底高度	坝坡											
	1:3(上游)						1:3(下游)					
	调整次数											
	5	8	11	15	20	25	5	8	11	15	20	25
H	0.000	0.000	0.000	0.000	0.000	0.000	0.000	0.000	0.000	0.000	0.000	0.000
$0.9H$	0.729	0.670	0.578	0.442	0.336	0.236	0.729	0.670	0.578	0.442	0.336	0.236
$0.8H$	0.838	0.766	0.647	0.485	0.365	0.256	0.838	0.766	0.647	0.485	0.365	0.256
$0.7H$	0.883	0.784	0.640	0.465	0.344	0.239	0.883	0.784	0.640	0.464	0.344	0.239
$0.6H$	0.905	0.765	0.601	0.423	0.308	0.212	0.905	0.764	0.600	0.421	0.307	0.211
$0.5H$	0.912	0.722	0.547	0.374	0.269	0.184	0.911	0.718	0.542	0.371	0.266	0.181
$0.4H$	0.904	0.668	0.491	0.330	0.237	0.163	0.896	0.652	0.477	0.319	0.227	0.154
$0.3H$	0.876	0.610	0.440	0.396	0.215	0.152	0.849	0.575	0.411	0.271	0.191	0.129
$0.2H$	0.818	0.550	0.396	0.270	0.201	0.148	0.767	0.493	0.347	0.227	0.159	0.107
$0.1H$	0.743	0.497	0.364	0.257	0.199	0.155	0.658	0.414	0.289	0.188	0.132	0.088
0	0.690	0.473	0.357	0.264	0.214	0.176	0.594	0.373	0.260	0.170	0.119	0.080

续表 6-17

（Ⅲ型，$B_0=1.0$）

距坝底高度	坝坡											
	1∶4(上游)						1∶4(下游)					
	调整次数											
	5	8	11	15	20	25	5	8	11	15	20	25
H	0.000	0.000	0.000	0.000	0.000	0.000	0.000	0.000	0.000	0.000	0.000	0.000
$0.9H$	0.787	0.741	0.651	0.513	0.401	0.292	0.787	0.741	0.651	0.513	0.401	0.292
$0.8H$	0.878	0.713	0.695	0.530	0.405	0.291	0.878	0.813	0.695	0.530	0.405	0.291
$0.7H$	0.913	0.818	0.673	0.493	0.369	0.260	0.913	0.818	0.673	0.493	0.368	0.260
$0.6H$	0.929	0.790	0.622	0.440	0.322	0.224	0.929	0.789	0.622	0.439	0.322	0.223
$0.5H$	0.931	0.739	0.560	0.384	0.277	0.191	0.931	0.736	0.557	0.381	0.275	0.189
$0.4H$	0.921	0.681	0.501	0.338	0.243	0.169	0.911	0.664	0.486	0.326	0.282	0.158
$0.3H$	0.886	0.619	0.448	0.302	0.220	0.157	0.860	0.583	0.417	0.275	0.194	0.132
$0.2H$	0.824	0.556	0.402	0.275	0.206	0.153	0.776	0.499	0.351	0.229	0.161	0.109
$0.1H$	0.745	0.502	0.369	0.262	0.204	0.160	0.669	0.419	0.293	0.191	0.134	0.090
0	0.689	0.476	0.361	0.268	0.218	0.180	0.604	0.378	0.265	0.172	0.121	0.081

表 6-18　胡家圪塄坝室内固结—消散试验 C_v 值

荷载级(t/m^2)	2.5	5.0	10	20	40
C_{25}(m^2/d)	0.037	0.138	0.176	0.259	0.413
C_{50}(m^2/d)	0.033	0.086	0.132	0.192	0.262
C_{90}(m^2/d)	0.049	0.035	0.088	0.100	0.126

注：表中 C_{25}、C_{50}——孔隙水压力消散 25%和 50%时的固结系数；

C_{90}——根据垂直变形量，用时间平方根法求得固结度为 90%时的固结系数。

之前的计算都假设 C_v 是一个常数,可见用一个平均固结系数来计算水坠坝的整个过程是难以得到满意结果的。因此,为了更好地反映客观实际,提高计算的准确性,应当探求以非线性固结理论为基础的计算途径。

非线性固结理论与古典固结理论的区别,主要是非线性固结理论考虑到固结过程中压缩性和渗透性的变化,仍采用达西定律,但以骨架和孔隙水的相对运动速度与孔隙水压力梯度来建立关系式。此外非线性固结理论还考虑到土体大变形的影响,即所研究点的坐标随着土体变形而变化,所以非线性固结理论更具有普遍意义。吉甫森和蒙特等人根据上述前提,并以 $k=k(\varepsilon)$ 和 $\sigma'=\sigma'(\varepsilon)$ 来表示渗透性和压缩性与孔隙比之间的函数关系,推导出了薄土层在固定荷载作用下的一维非线性固结方程,见式(6-30)。

$$\left(\frac{\gamma_s}{\gamma_\omega}-1\right)\frac{\mathrm{d}}{\mathrm{d}\varepsilon}\left[\frac{k(\varepsilon)(1+\varepsilon_0)}{1+\varepsilon}\right]\frac{\partial\varepsilon}{\partial z}+\frac{\partial}{\partial z}\left[\frac{k(\varepsilon)(1+\varepsilon_0)^2}{\gamma_\omega(1+\varepsilon)}\frac{\partial\sigma'}{\partial\varepsilon}\frac{\partial\varepsilon}{\partial z}\right]+\frac{\partial\varepsilon}{\partial t}=0 \tag{6-30}$$

式中　γ_s——土骨架容重,t/m³;

γ_ω——水的容重,t/m³;

ε_0——冲填体开始固结时的孔隙比;

ε——任意时间 t 时的孔隙比;

其余符号意义同前。

公式(6-30)可以这样来理解:孔隙比的变化不仅与外荷载有关[式(6-30)中第二项],而且还与土的自重有关[式(6-30)中第一项],如自重较之外荷载很小可以忽略不计时,上式可简化为:

$$\frac{\partial}{\partial z}\left(C_F\frac{\partial\varepsilon}{\partial z}\right)=\frac{\partial\varepsilon}{\partial t} \tag{6-31}$$

$$C_F=\frac{k(\varepsilon)}{\gamma_\omega}\frac{(1+\varepsilon_0)^2}{(1+\varepsilon)}\frac{\partial\sigma'}{\partial\varepsilon} \tag{6-32}$$

式中　C_F——非线性固结系数;

其余符号意义同前。

公式(6-31)与太沙基理论 $\left(\frac{\partial u}{\partial t}=C_v\frac{\partial^2 u}{\partial z^2}\right)$ 比较,区别在于:

(1)以孔隙比 ε 作为未知参数代替孔隙水压力 u;

(2)固结系数 C_F 不是一个常数,它与土的孔隙比、渗透性和压缩性有关,随着时间和位置的不同而变化着。

吉甫森假设 C_F 是孔隙比的一次函数,其表达式为:

$$C_F = C_0 + \beta(\varepsilon - \varepsilon_0) \tag{6-33}$$

并以 C_0 和 β 为常数，计算并绘制出了一次加荷情况下的固结曲线。

上述成果用于水坠坝计算尚有困难，因水坠坝的坝高是不断增加的，而且水坠坝的固结主要由自重引起。为此，陕西省水利科学研究所曾结合水坠坝的特点进行了试验研究，由试验资料得知，有效应力 σ' 与孔隙比 ε 以及渗透系数 k 与孔隙比 ε 之间有很好的半对数关系，它们可用式(6-34)和式(6-35)表示：

$$k(\varepsilon) = a_1 e^{b_1 \varepsilon} \tag{6-34}$$

$$\sigma'(\varepsilon) = a_2 e^{-b_2 \varepsilon} \tag{6-35}$$

式中 a_1、b_1、a_2、b_2 为非线性固结参数，可由试验结果在半对数纸上作出 $\varepsilon \sim \ln\sigma'$ 和 $\varepsilon \sim \ln k$ 的关系曲线，在直线段上选取几组典型值，代入式(6-34)和式(6-35)进行联立求解，便可得到非线性参数 a_1、b_1、a_2、b_2。将式(6-34)、式(6-35)代入式(6-30)，经变换后可得到冲填土非线性固结方程式：

$$\frac{\partial}{\partial z}\left[\frac{a_1(1+\varepsilon_0)^2}{\gamma_\omega(1+\varepsilon)} e^{b_1 \varepsilon}\left(\frac{\gamma_s - \gamma_\omega}{1+\varepsilon_0} - a_2 b_2 e^{-b_2 \varepsilon}\frac{\partial \varepsilon}{\partial z}\right)\right] + \frac{\partial \varepsilon}{\partial t} = 0 \tag{6-36}$$

冲填土一维非线性固结计算，是根据已知参数及边界条件，采用方程式(6-36)求解；目前已经编制了差分法和有限元法的计算程序。

冲填土非线性固结计算，首先假设 Δt 时段内冲填体增高 ΔH，并且 ΔH 作为外荷载考虑一次瞬时加上，然后将坝体累计高度作为计算高度，逐层进行计算，如图 6-20 所示。坝体每次增加的荷载是相同的，但土体的计算厚度和初始条件是变化的；上边界的 ε_0 表示冲填土在蒸发和表面排水以后的初始孔隙比。下边界为透水地基时，认为边界处的土在上部土的重力作用下已完全固结，孔隙比达到稳定值 ε_f；不透水地基按 $\frac{\partial u}{\partial z}=0$ 处理。

(二)含水率分布情况对比

分别采用室内试验和对胡家圪捞坝、太仙河坝和李家川坝施工期坝体含水率变化计算两种方法，进行了坝体含水率分布情况分析和计算，获得了两组计算结果。在计算过程中，坝体冲填速度按照实际施工记录作了近似模拟。根据上述两组数据绘制了图 6-21，并将两组数据进行对比分析。以下以胡家圪捞坝的计算为例略加说明。

胡家圪捞坝的最大坝高为 27m，坝高 20m 以下的冲填速度为 6 天升高 1m，坝高 20～27m 之间的冲填速度为 12 天升高 1m，土粒密度为 2.68t/m^3，泥浆平均容重为 1.94t/m^3，考虑蒸发后的起始孔隙比 ε_0 为 0.910。室内固结－消散试验所获得的两组试样的非线性参数见表 6-19。

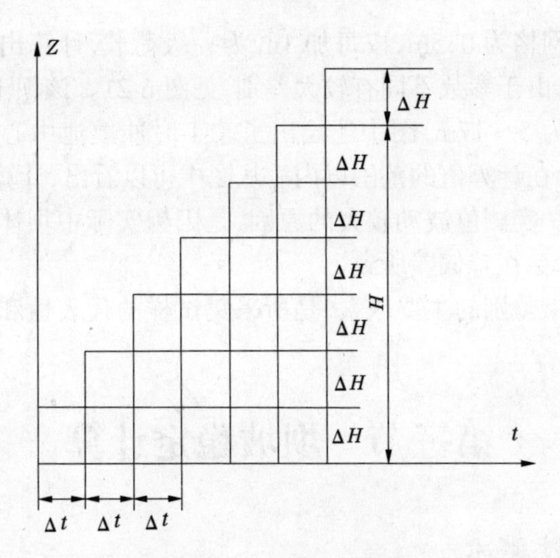

图 6-20　冲填土计算图

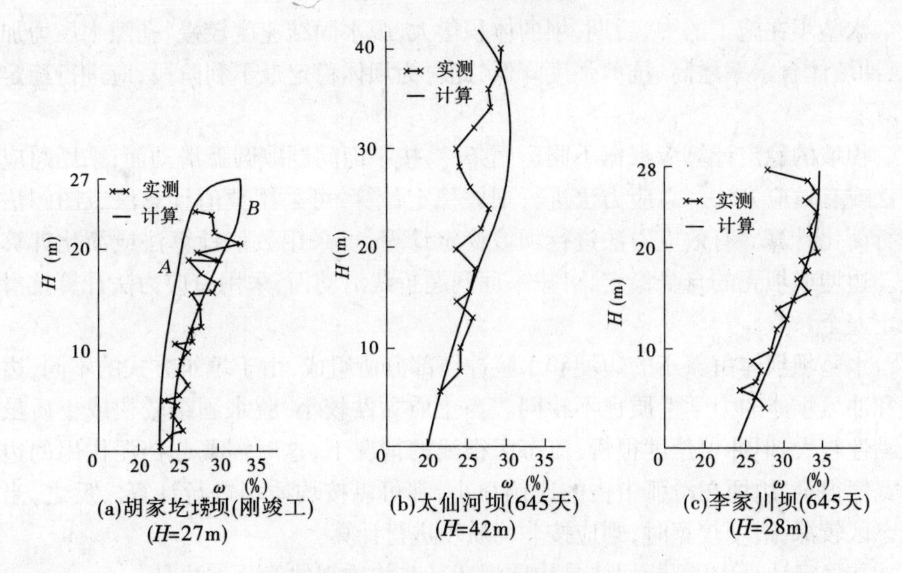

(a)胡家圪塄坝(刚竣工)
(H=27m)

(b)太仙河坝(645天)
(H=42m)

(c)李家川坝(645天)
(H=28m)

图 6-21　实测含水率与计算结果对比

表 6-19　非线性参数试验值

试样编号	a_1(m/d)	b_1	a_2(t/m^2)	b_2
A	4.23×10^{-5}	6.46	4.11×10^{8}	25.8
B	2.99×10^{-5}	5.55	8.31×10^{7}	21.7

冲填体划分网格为0.5m,按每加1m为一级荷载,计算出刚竣工时的含水率随深度的变化,由于参数不同有较大差别,见图6-21。该坝土料流限为28%,可见流态区深度为5～17m,图中还绘出了竣工时冲填池中心处实测含水率资料,几乎全部包含在计算值的范围以内。从图中可以看出,计算值与实测值具有一致的变化规律。实测值波动较大的原因,是因为实际中坝体不可能均匀连续冲填,试验与实际存在着偏差所致。

引发计算结果差别的主要因素,是所采集试样的代表性和试验模拟实际情况的准确性。

第三节　坝坡稳定计算

一、计算方法概述

水坠坝在施工的中、后期,坝的体积增大,脱水固结速度较慢,孔隙水压力加大,冲填体含水率增高,抗剪强度降低,此时为坝体稳定最不利阶段,应进行稳定计算。

坝坡的稳定计算应根据不同运用条件,按平面问题取圆弧滑动面,采用总应力法或有效应力法。总应力法进行坝坡稳定计算,可采用数值计算法或图解法进行简化计算。有效应力法进行坝坡稳定计算,可采用数值计算法或简化计算法。边埂或坝壳的自身稳定,可按平面问题折线滑动面,采用总应力法计算抗滑稳定安全系数。

水坠坝坝体由碾压的边埂和水坠冲填部分所组成,由于填筑方式的不同,边埂和冲填坝体的力学性质也不相同。当土质黏性较小,脱水固结较快或土质虽然黏性较大,但冲填速度很慢,流态区很浅的情况下,这时需要起挡泥作用的边埂宽度很窄,边埂在滑弧中占的比例很小,都可以按均质坝进行计算。反之,当流态区较深,边埂较宽时,则应按非均质坝进行计算。

在稳定计算中,判断坝体是均质坝还是非均质坝的经验方法是:

当埂宽 $b \leqslant 0.5H(1+m^2)^{1/2}$,按均质坝计算;

当 $b > 0.5H(1+m^2)^{1/2}$,按非均质坝计算。

上述判别式中的 b 为边埂宽度,m;H 为设计坝高,m;m 为坝坡率。

在实际工程的施工中,断面情况往往是很复杂的,有时为了保证坝体度汛安全,坝体需要抢修拦洪小断面或采取分期施工方式,所以应根据具体情况进行判定。

二、总应力法坝坡稳定计算

(一)土坡稳定数值解法

在应用圆弧总应力法时,为了反映水坠坝施工期脱水周结、强度增长以及边埂吸水饱和度增大的特点,计算时,需要预先确定冲填土的总强度与固结度的关系,以及边埂总强度与饱和度的关系。

圆弧总应力法静力分析见图 6-22。

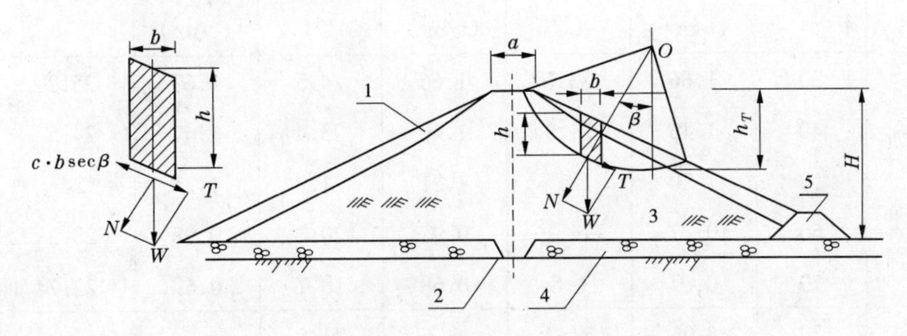

图 6-22　圆弧总应力法静力分析图

1—边埂;2—截水槽;3—冲填体;4—透水层;5—反滤体

圆弧总应力法坝坡稳定安全系数采用式(6-37)计算

$$K_P = \frac{M_r}{M_s} = \frac{\sum [\, cb\sec\beta + W\cos\beta\tan\varphi \,]}{\sum W\sin\beta} \tag{6-37}$$

$$W = \gamma bh \tag{6-38}$$

式中　K_P——平面问题坝坡稳定安全系数;

M_r——抗滑力矩总和,t·m;

M_s——滑动力矩总和,t·m;

c——黏聚力,t/m^2;

φ——内摩擦角,(°);

β——土条重心线与过此土条底面中点的半径之间的夹角,(°);

W——土条自重,t;

γ——土的湿容重,t/m^3;

b——土条宽度,m;

h——土条高度,m。

黄土碾压边埂总应力强度指标(c_2、φ_2)与饱和度(S_r)的经验参考值见

表 6-20。

表 6-20　边埂总强度(c_2、φ_2)与饱和度(S_r)的经验关系

土类	饱和度 S_r(%)	干容重 γ_d(t/m³) 1.40		1.50		1.60	
		边埂总强度					
		c_2 (t/m²)	φ_2 (°)	c_2 (t/m²)	φ_2 (°)	c_2 (t/m²)	φ_2 (°)
轻粉质壤土 沙壤土	30	1.66	23.6	1.66	24.5	1.67	25.2
	40	1.45	21.9	1.46	23.4	1.47	24.5
	50	1.20	18.7	1.21	21.9	1.21	24
	60	0.97	14.1	0.97	20.8	0.98	23.2
	70	0.67	6.8	0.68	18.7	0.69	22.7
中粉质壤土	30	3.06	21.2	6.2	21.6	—	—
	40	2.13	19.6	4.8	21.1	—	—
	50	1.53	17	3.6	20.2	—	—
	60	0.94	8.7	2.6	19	—	—
	70	0.60	3.4	1.8	10.2	—	—

注:表列数值为试验值乘 0.85。

冲填黄土的总应力强度指标(c_1、φ_1)与固结度(U)的经验参考值见表6-21。

对于重要工程,应根据强度试验确定总强度与固结度的关系和边埂总强度与饱和度的关系。

边埂的饱和度,可参考表 6-22 的经验关系,施工控制验算时,应在现场实际测定。

冲填土的固结度,对于设计坝高,可采用式(6-39)进行计算。

$$\overline{U} = 1 - \frac{\overline{B}}{B_0} \tag{6-39}$$

式中　$\overline{U}$——设计坝高时,某高程以上坝体平均固结度,以小数计;

$\overline{B}$——设计坝高时,某高程以上坝体平均孔隙水压力系数,见表 6-15～表 6-17;

B_0——起始孔隙水压力系数,水坠坝的 B_0 值一般为 0.8～1.0。

当 $B_0=1.0$，距坝底高程为 $0.53H$ 时（即鼓肚下限深度为 $H'_t=0.47H$ 时），坝体平均固结度 $\overline{U}$ 见表 6-22。

表 6-21　冲填土总强度（c_1、φ_1）与固结度（U）的经验关系

土类	含黏量 X_c (%)	固结度 U(%)											黏聚力 c_1 (t/m^2)
		0	10	20	30	40	50	60	70	80	90	100	
		冲填土的内摩擦角 φ_1(°)											
中粉质壤土	20	0	2.9	5.3	7.4	9.3	11.1	12.7	14.1	15.4	16.6	17.4	0.4
	17.5	0	3.2	5.7	8.1	10.1	12.1	13.7	15.3	16.5	17.8	18.6	
轻粉质壤土	15	0	3.4	6.3	8.8	11.0	13.1	14.9	16.6	17.8	19.1	20.1	
	12.5	0	3.7	6.7	9.5	11.8	14.0	16.0	17.8	19.3	20.6	21.6	
	10	0	3.9	7.2	10.4	12.8	15.1	17.3	19.3	20.8	22.1	23.2	
沙壤土	10～12	0	5.4	9.2	12.4	15.2	17.7	19.7	21.6	23.3	24.7	25.8	0.0

注：表中强度为试验值乘 0.85。

表 6-22　设计坝高时滑动区平均固结度

坝坡坡率 m	调整次数 n(次)							
	1	3	5	8	11	15	20	25
	固结度 $\overline{U}$(%)							
2	11	29	48	65	75	83	89	93
3	9	26	44	61	72	81	87	91
4	7	25	42	60	71	80	86	90

表 6-22 中的调整次数 $n=\dfrac{40C_v}{Hv}$，其中 v 为冲填速度(m/d)，其余符号同前。固结系数 C_v 应根据试验确定，表 6-23 给出了黄土的 C_v 经验参考值。

表 6-23　黄土的固结系数经验参考值

土名	沙壤土	轻粉质壤土	中粉质壤土	重粉质壤土
C_v(m^2/d)	1.0～3.0	0.5～1.5	0.2～0.7	0.1～0.3

施工控制验算时,可根据坝体实测孔隙水压力等值线计算坝体平均固结度$\overline{U}$。

$$\overline{U} = (1 - \frac{\overline{B}}{B_0}) \times 100\% \tag{6-40}$$

$$\overline{B} = \frac{\sum A \overline{B_{av}}}{\sum A} \tag{6-41}$$

$$\overline{B}_{av} = \frac{2\sum u_i \Delta h_i}{\gamma_1 h_1^2 + 2\gamma_2 h_1 h_2} \tag{6-42}$$

式中 $\overline{B}$——计算滑动区平均孔隙水压力系数,不包括边埂;

B_0——起始孔隙水压力系数;

A——土条面积,不包括边埂,m^2;

$\sum A$——计算滑动区总面积,不包括边埂,m^2;

$\overline{B_{av}}$——土条的平均孔隙水压力系数,以小数计;

Δh_i、u_i——分别为第 i 条土条中心线上的孔隙水压力等值线间的土层厚度,m;平均孔隙水压力,t/m^2;

h_1、γ_1——分别为冲填土层厚度,m;冲填土的湿容重,t/m^3;

h_2、γ_2——分别为边埂土层厚度,m;边埂土的湿容重,t/m^3。

关于最危险滑动面的位置,应通过试算确定。根据调查,对修筑在"V"形河槽中且宽高比小于6的水坠坝,最危险滑动面的位置(即鼓肚下限位置)一般位于施工时坝高的上半部;对于宽河槽、地基透水性差时,最危险滑动面位置将有所下降。鼓肚下限及滑动区范围的经验统计值参见本章第一节图6-9和式(6-1)。

【算例一】 胡家圪捞水坠坝位于透水地基上,筑坝土料为轻粉质壤土,设计坝高33m,坝顶宽5m,当坝高达27m时,下游坝坡比为1:2,平均埂宽7m,验算下游坝坡的整体稳定性。

解:已知 $H = 33m$, $a = 5m$, $H_t = 27m$, $m = 2$。

(1)计算滑动区范围内的 H'_t、f_t。根据图6-9和式(6-1)计算:

$$H'_t = \frac{mH + 0.5a}{1 + m} = \frac{2 \times 33 + 0.5 \times 5}{1 + 2} = 22.8(m) < H_t = 27m$$

$$f_t = m(H - H_t) + 0.5a = 2 \times (33 - 27) + 0.5 \times 5 = 14.5(m)$$

选用:$H'_t = 0.47H_t = 0.47 \times 27 = 12.7(m)$

H'_t 和 f_t 见图6-23。

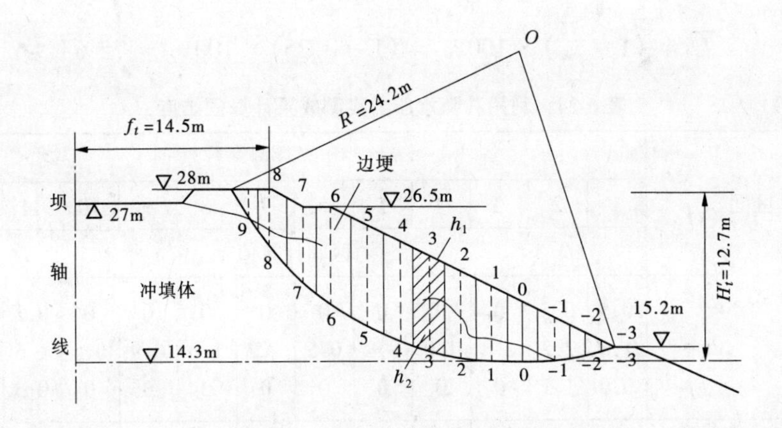

图 6-23　圆弧总应力法算例

(2)计算滑动区平均固结度。用实测孔隙水压力资料计算滑动区平均固结度,并绘制坝高 $H_t=27$m 时的孔隙水压力等值线图,见图 6-24。

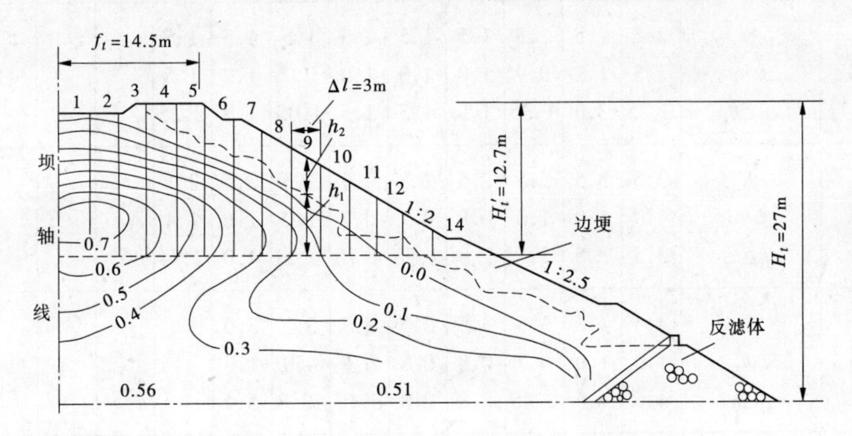

图 6-24　用孔隙水压力实测成果计算固结度

在图 6-24 中,从坝轴线向坝坡方向将滑动区等分成 14 个土条,土条宽度 $\Delta l=3$m,列表计算冲填体(不包括边埂部分)的平均固结度,见表 6-24。

从表 6-24 计算结果得坝体平均孔隙水压力系数:

$$\overline{B}=\frac{\sum A\overline{B}_{av}}{\sum A}=\frac{72.6}{290.1}=0.25$$

当起始孔隙水压力系数 $B_0=1.0$ 时,坝体平均固结度:

$$\overline{U}=(1-\frac{\overline{B}}{B_0})\times100\%=(1-0.25)\times100\%=75\%$$

表 6-24　利用孔隙水压力实测成果计算固结度

区间		土条序号											
		1	2	3	4	5	6	7	8	9	10	11	12
		区间计算值											
1	u_i	0.5	0.5	0	0	0	0	0	0	0	0	0.2	0
	Δh_i	1.8	2.2	1.0	1.0	0.8	0.5	1.2	1.0	0.9	0.5	1.5	1.0
	$u_i\Delta h_i$	0.9	1.1	0	0	0	0	0	0	0	0	0.3	0
2	u_i	1.5	1.5	0.5	0.5	0.5	0.5	0.5	0.5	0.5	0.5		
	Δh_i	1.2	1.0	2.1	2.0	1.9	1.7	1.3	1.4	1.7	3.4		
	$u_i\Delta h_i$	1.8	1.5	1.05	1.0	0.95	0.85	0.65	0.7	0.85	1.7		
3	u_i	2.5	2.5	1.5	1.5	1.5	1.5	1.5	1.5	1.5			
	Δh_i	1.3	1.2	0.9	1.0	1.0	1.0	0.7	1.2	1.5			
	$u_i\Delta h_i$	3.25	3.0	1.35	1.5	1.5	1.5	1.05	1.8	2.25			
4	u_i	3.5	3.5	2.5	2.5	2.5	2.5	2.5	2.5	2.1			
	Δh_i	1.0	1.0	1.0	0.8	0.7	0.7	1.0	1.6	1.4			
	$u_i\Delta h_i$	3.5	3.5	2.5	2.0	1.75	1.75	2.5	4.0	2.94			
5	u_i	4.5	4.5	3.5	3.5	3.5	3.5	3.2	3.0				
	Δh_i	1.0	1.0	0.7	0.8	0.8	0.9	4.0	1.8				
	$u_i\Delta h_i$	4.5	4.5	2.45	2.8	2.8	3.15	12.8	5.4				
6	u_i	5.5	5.5	4.5	4.5	4.5	4.3						
	Δh_i	0.9	0.9	0.9	1.2	1.4	4.4						
	$u_i\Delta h_i$	4.95	4.95	4.05	5.4	6.3	18.9						
7	u_i	6.5	5.5	5.5	5.5	5.5							
	Δh_i	0.8	1.0	0.8	0.7	4.1							
	$u_i\Delta h_i$	5.2	6.5	4.4	3.85	22.6							

续表 6-24

区间		1	2	3	4	5	6	7	8	9	10	11	12
		土条序号											
		区间计算值											
8	u_i	7.5	7.2	6.5	6.2								
	Δh_i	4.0	3.5	4.0	3.5								
	$u_i\Delta h_i$	30.0	25.2	26.0	21.7								
9	u_i	6.9	6.7	7.0	5.8								
	Δh_i	0.7	0.9	1.3	0.9								
	$u_i\Delta h_i$	4.83	6.03	9.1	5.22								
$2\sum u_i\Delta h_i$		117.80	112.56	101.8	86.94	71.8	52.30	34.00	23.80	12.08	3.40	0.60	0.00
h_1		12.7	12.7	12.7	11.9	10.7	9.2	8.2	7.0	5.2	3.9	1.5	1.0
h_2		0	0	0	1.8	3.0	3.5	3.3	3.2	3.5	3.2	4.0	3.7
$\gamma_1 h_1^2+2\gamma_2 h_1 h_2$		306	306	306	329	324	268	217.4	167.5	111.7	70.3	24.6	14.2
$\overline{B}_{av}$		0.385	0.368	0.333	0.264	0.222	0.195	0.157	0.142	0.108	0.049	0.024	0.000
$A=\Delta l\cdot h_1$		38.1	38.1	38.1	35.7	32.1	27.6	24.6	21.0	15.6	11.7	4.5	3.0
$A\cdot\overline{B_{av}}$		14.7	14.0	12.7	9.4	7.1	5.4	3.9	3.0	1.7	0.6	0.11	0.00
$\overline{B}=\sum A\cdot\overline{B_{av}}/\sum A=72.6/290.1=0.25;\overline{U}=(1-\overline{B})\times100\%=(1-0.25)\times100\%=75\%$													

注：$\gamma_1=1.9\text{t/m}^3$；$\gamma_2=1.66\text{t/m}^3$。

(3)确定土的强度指标。

冲填土：$\overline{U}=75\%$，从表 6-21 查得：$\varphi_1=19.1°$，$c_1=0.4\text{t/m}^2$；

边埂土：实测干容重 $\gamma_d=1.4\text{t/m}^3$，相应的湿容重 $\gamma_2=1.66\text{t/m}^3$，饱和度 $S_r=47\%$，从表 6-20 查得：$\varphi_2=18.9°$，$c_2=1.33\text{t/m}^2$。

(4)计算坝坡安全系数。采用公式(6-37)和表 6-25 计算坝坡稳定安全系数 K_P：

$$K_P=\frac{\sum[cb\sec\beta+W\cos\beta\tan\varphi]}{\sum W\sin\beta}=\frac{106.82}{104.35}=1.02$$

(二)坝坡稳定图解法

坝坡稳定数图解法是泰勒提出来的均质土坝的简化计算方法。这个方法建立在总应力原理的基础上，假定滑动面是圆弧形状，根据图 6-25 给出的稳定数

表 6-25 圆弧总应力法安全系数计算 $R=24.2$m

条块编号	条块宽度 b_1(m) (1)	冲填土层厚 h_1(m) (2)	边埂土层厚 h_2(m) (3)	条块重量(t)			$\sin\beta$ (7)	$\cos\beta$ (8)	$\sec\beta$ (9)	法向压力 $W\cos\beta$ (t) (10)=(6)×(8)	弧长 $b_1\sec\beta$(m) (11)=(1)×(9)	总强度指标		摩擦力 $W\cos\beta\tan\varphi$ (t) (14)=(10)×(12)	黏聚力 $b_1\sec\beta c$ (t) (15)=(11)×(13)	抗滑力 $W\cos\beta\tan\varphi+b_1\sec\beta c$ (t) (16)=(14)+(15)	滑动力 $W\sin\beta$ (t) (17)=(6)×(7)
				冲填土 W_1(4)=(1)×(2)×γ_1	边埂土 W_2(5)=(1)×(3)×γ_2	合计 W (6)=(4)+(5)						$\tan\varphi$ (12)	c(t/m²) (13)				
00′	2.42	1.2	3.4	5.32	13.6	19.12	0	1.0	1.0	19.12	2.42	0.346	0.4	6.62	0.97	7.59	0
11′	2.42	1.7	4.2	7.82	16.9	24.72	0.1	0.995	1.005	24.6	2.43	0.346	0.4	8.50	0.97	9.47	2.47
22′	2.42	3.2	3.6	14.7	14.5	29.2	0.2	0.980	1.02	28.6	2.47	0.346	0.4	9.90	0.99	10.89	5.84
33′	2.42	4.0	3.3	18.4	13.3	31.7	0.3	0.954	1.05	30.3	2.54	0.346	0.4	10.50	1.02	11.52	9.5
44′	2.42	3.9	3.7	18.0	14.9	32.9	0.4	0.917	1.09	30.2	2.64	0.346	0.4	10.45	1.06	11.51	13.2
55′	2.42	4.5	3.1	20.7	12.4	33.1	0.5	0.866	1.155	28.6	2.79	0.346	0.4	9.90	1.11	11.01	16.6
66′	2.42	4.2	2.9	19.3	11.7	31.0	0.6	0.800	1.25	24.8	3.03	0.346	0.4	8.58	1.21	9.79	18.6
77′	2.42	3.1	2.6	14.3	10.4	27.4	0.7	0.714	1.40	26.7	3.39	0.346	0.4	9.24	1.36	1060	19.2
88′	2.42	1.0	3.4	4.6	13.6	18.2	0.8	0.599	1.668	10.9	4.04	0.346	0.4	3.77	1.62	5.39	14.6
99′	1.20	0	1.9	0	2.7	2.7	0.87	0.512	1.96	1.4	2.36	0.342	1.33	0.479	3.14	3.62	2.35
−11′	2.42	0	3.3	0	13.3	13.3	−0.1	0.995	1.005	13.2	2.43	0.342	1.33	4.52	3.24	7.76	−1.33
−22′	2.42	0	1.8	0	7.2	7.2	−0.2	0.980	1.02	7.06	2.47	0.342	1.33	2.42	3.29	5.71	−1.44
−33′	1.20	0	0.5	0	0.9	0.9	−0.27	0.963	1.04	0.87	1.25	0.342	1.33	0.30	1.66	1.96	−0.24
Σ																106.82	104.35

计算指标 冲填土 饱和容重 $\gamma_1=1.90$t/m³，平均固结度 $\overline{V}=75\%$；总强度 $c_1=0.4$t/m²，$\varphi_1=19.1°$，$\tan\varphi_1=0.346$

边埂土 湿容重 $\gamma_2=1.66$t/m³，平均饱和度 $S_r=47\%$；总强度 $c_2=1.33$t/m²，$\varphi_2=18.9°$，$\tan\varphi_2=0.342$

安全系数 K_P=抗滑力矩/滑动力矩=106.82/104.35=1.02

N 与坡角 α 的关系线，无需进行大量的试算来寻找最危险的滑动面位置，就可以很方便地计算出坝坡稳定安全系数。

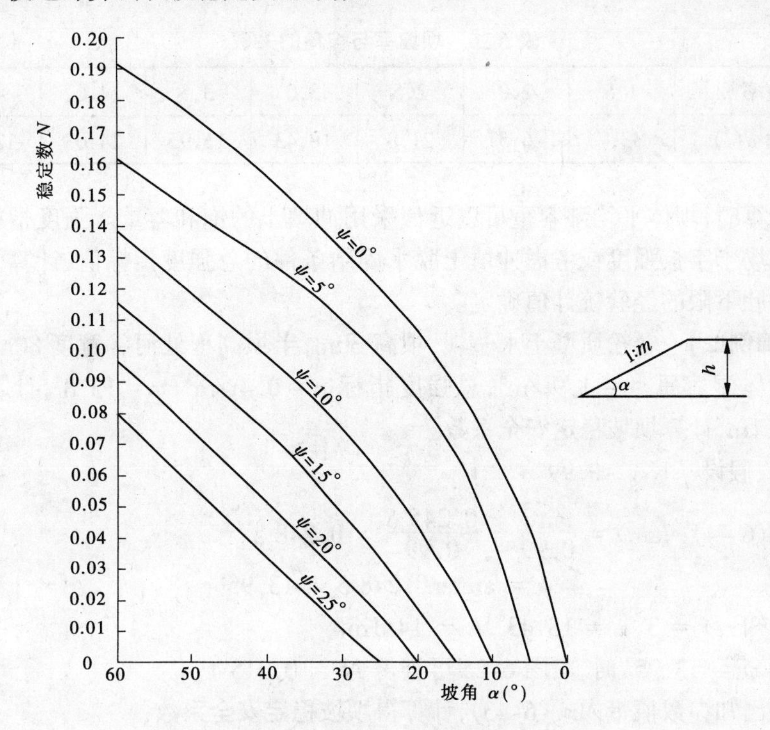

图 6-25　土坡稳定数图解

m——坝坡坡率；α——坡角，(°)；h——计算深度，m

坝坡稳定安全系数 K_p 可以采用公式(6-43)和式(6-44)计算：

$$N = \frac{\overline{c}}{K_P \overline{\gamma} h} \tag{6-43}$$

$$\tan\psi = \frac{\tan\overline{\varphi}}{K_P} \tag{6-44}$$

式中 N——稳定数，按图 6-25 查得；

$\overline{c}$——平均黏聚力，t/m^2；

K_P——抗滑稳定安全系数；

$\overline{\gamma}$——平均湿容重，t/m^3；

h——计算深度，m；

$\overline{\varphi}$——平均内摩擦角，(°)；

其余符号意义同前。

坝坡率 m 与坡角 α 的关系见表 6-26。

表 6-26　坝坡率与坡角的关系

坝坡率 m	1.5	2.0	2.5	3.0	3.5	4.0	4.5
坡角 α(°)	33.7	26.57	21.8	18.43	15.95	14.03	12.53

计算时,坝体平均湿容重可以近似采用冲填土的饱和容重。强度指标可以采用现场十字板强度或考虑冲填土脱水固结条件的总强度指标值,计算深度按坝坡鼓肚下限的经验统计值确定。

【算例二】 轻粉质壤土水坠坝,坝高 30m,半坝高程处河谷宽度 80m,坝坡 1∶3,坝体湿容重 $\overline{\gamma}=1.9\text{t/m}^3$,总强度指标 $\overline{c}=0.4\text{t/m}^3$,$\overline{\varphi}=13.8°$,计算深度 $h=14.1\text{m}$,计算坝坡稳定安全系数。

解:假设　$K_{设}=0.99$

则由式(6-44):$\tan\psi=\dfrac{\tan\overline{\varphi}}{0.99}=\dfrac{0.245\,6}{0.99}=0.248\,5$

$$\psi=\arctan0.248\,5=13.95°$$

已知:$m=3,\alpha=18.43°,h=14.1\text{m}$。

当 $\psi=13.95°$ 时,由图 6-25 可查得 $N=0.015\,1$

将已知参数值带入式(6-43),计算得坝坡稳定安全系数:

$$K_P=\frac{\overline{c}}{N\overline{\gamma}h}=\frac{0.4}{0.015\,1\times1.9\times14.1}=\frac{0.4}{0.405}=0.99\approx K_{设}$$

计算结果与假设值基本相同,故坝坡稳定安全系数 $K_P=0.99$。若不相同,则以计算值代替假设值,按上述步骤重新试算,直至基本相同为止。

三、有效应力法坝坡稳定计算

(一)简化有效应力(图解)法

简化有效应力法,亦称土坡系数($\frac{1}{2}\overline{B}_m$)法,它是在应用毕肖甫土坡稳定系数时,采用了简化的孔隙水压力计算方法确定平均孔隙水压力系数 $\overline{B}$ 值。这个方法建立在有效应力原理基础上,无需寻找最危险滑动面位置,就可以比较简捷地计算出施工期某高程以上的坝坡稳定安全系数。

坝坡稳定安全系数可以按下式计算:

$$K_P=a-b\overline{B}\tag{6-45}$$

式中　K_P——平面问题的坝坡稳定安全系数；

a、b——与有效内摩擦角有关的土坡稳定系数；

$\overline{B}$——平均孔隙水压力系数。

计算示意图见图 6-26。

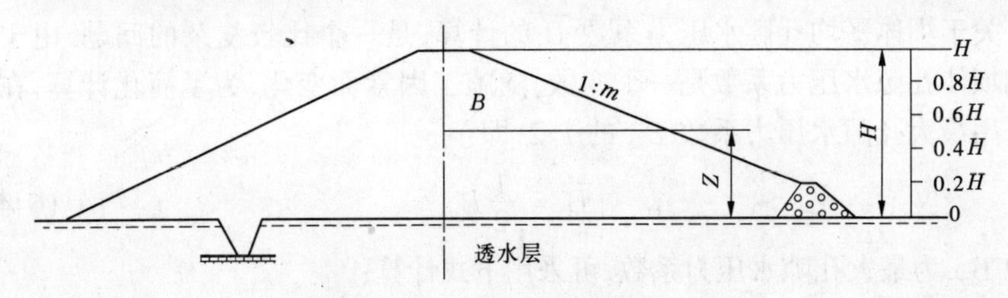

图 6-26　简化有效应力法计算示意图

当深度系数 $D=1.0$，土的有效黏聚力 $c'=0$，即 $\frac{c'}{\gamma H}=0$ 时的 a、b 值见表 6-27。

表 6-27　土坡系数 a、b 值 $(D=1.0, \frac{c'}{\gamma H}=0)$

有效内摩擦角 ψ'	坝坡坡率 m							
	2		3		4		5	
	土坡系数							
	a	b	a	b	a	b	a	b
20°	0.728	0.910	1.092	1.213	1.456	1.547	1.820	1.892
22.5°	0.828	1.035	1.243	1.381	1.657	1.761	2.071	2.153
25°	0.933	1.166	1.399	1.554	1.865	1.982	2.332	2.424
27.5°	1.041	1.301	1.562	1.736	2.082	2.213	2.603	2.706
30°	1.155	1.444	1.732	1.924	2.309	2.454	2.887	3.001
32.5°	1.274	1.593	1.911	2.123	2.548	2.708	3.185	3.311

冲填土的有效内摩擦角的经验参考值见表 6-28。

当土的有效黏聚力 c' 不等于零时，可以用提高有效内摩擦角 φ' 的办法考虑 c' 值的影响，查表 6-27 时，仍可取 $c'=0$。

表 6-28　不同土类的有效内摩擦角

土类	重粉质壤土	中粉质壤土	轻粉质壤土	沙壤土
有效内摩擦角 φ'(°)	22.0～23.0	23.0～24.2	24.2～26.4	26.4～29.7

关于坝体平均孔隙水压力系数 $\overline{B}$ 的计算，是一个比较复杂的问题，由于施工期坝体孔隙水压力系数是一个变数，随施工因素而变化，为了简化计算，在这里采用最大孔隙水压力系数 B_m 的 1/2，即：

$$\overline{B} = \frac{1}{2} B_m \tag{6-46}$$

式中 B_m 为最大孔隙水压力系数，可采用下式计算：

$$B_m = \frac{u_m}{\gamma h_m} \tag{6-47}$$

式中　B_m——最大孔隙水压力系数；

u_m——断面最大孔隙水压力，t/m²；

h_m——最大孔隙水压力点的上部土层厚度，m；

γ——坝体湿容重，t/m³。

简化孔隙水压力计算示意图见图 6-27。

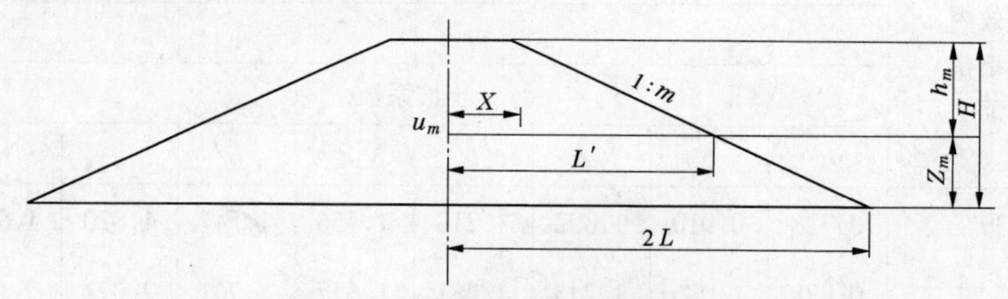

图 6-27　简化孔隙水压力计算示意图

断面最大孔隙水压力 u_m 的计算，可以在吉甫森一维固结计算的基础上，考虑水平方向消散的影响，乘以考虑双向消散的折减系数 θ_1 和考虑梯形断面的分布系数 θ_2，计算公式：

$$u = AB_0\gamma H\theta_1\theta_2 \tag{6-48}$$

式中　A——系数，见表 6-12、表 6-13；

B_0——起始孔隙水压力系数，对于水坠坝，一般取 $B_0 = 0.9 \sim 1.0$；

θ_1——考虑双向消散的折减系数；

θ_2——考虑梯形断面的分布系数；

其他符号意义同前。

双向消散的折减系数 θ_1，可采用下式计算。

$$\theta_1 = e^{-(C_v \pi^2 t/(4L^2))} \tag{6-49}$$

式中　C_v——土的固结系数，m^2/d；

t——冲填时间，d；

L——半坝底宽之半，m。

θ_1 值见表 6-29。

表 6-29　θ_1 值

$\frac{C_v\pi^2 t}{4L^2}$	0	0.01	0.05	0.10	0.15	0.20	0.25	0.30	0.35
θ_1	1	0.99	0.95	0.905	0.86	0.818	0.778	0.74	0.705
$\frac{C_v\pi^2 t}{4L^2}$	0.4	0.45	0.5	0.6	0.7	0.8	0.9	1.0	∞
θ_1	0.67	0.638	0.606	0.55	0.493	0.45	0.407	0.368	0

在表 6-29 中，$\theta_1 \leqslant 1$；当 $L \to \infty$ 时，$\theta_1 = 1$，指单向消散情况；当 $L \to 0$ 时，$\theta_1 = 0$，相当于极薄心墙，此时 $u = 0$。

考虑梯形断面的分布系数 θ_2 可以采用下式计算：

$$\theta_2 = \cos\frac{\pi x}{2L'} \tag{6-50}$$

式中　θ_2——考虑梯形断面的分布系数，见表 6-30；

L'——计算点 u_m 所在高程的半坝宽度，m；

x——计算点 u_m 距坝轴线的水平距离，m。

表 6-30　θ_2 值

$\frac{x}{L'}$	0	0.1	0.2	0.3	0.4	0.5	0.6	0.7	0.8	0.9	1.0
θ_2	1	0.985	0.95	0.89	0.808	0.707	0.587	0.459	0.309	0.157	0

在表 6-30 中，θ_2 介于 0～1 之间，表示在水平方向上孔隙水压力是按余弦分布的。当 $x = 0$ 时，即坝轴线处 $\theta_2 = 1$，孔隙水压力最大，当坝体断面对称时，孔隙水压力中心接近坝轴线位置，就属于这种情况；当 $x = L'$ 时，也就是在坝坡处，$\theta_2 = 0$，孔隙水压力 $u = 0$。

对于均质对称断面，最大孔隙水压力 u_m 出现在坝轴线上，此时，在利用式

(6-48)时,因 $x=0,\theta_2=1.0$,则公式可简化为:

$$u_m = A_m B_0 \gamma H \theta_1 \tag{6-48'}$$

式中符号意义同前。

关于固结系数 C_1,这里系采用实测孔隙水压力资料反算,因此 C_v 是一个与计算方法有关的、带有经验性的综合性固结系数值,应与简化有效应力法配合使用。固结系数 C_1 可采用下式计算:

$$C_1 = 0.344K^2H^{\frac{1}{2}} \tag{6-51}$$

$$K = \frac{塑性指数}{含黏量} + 0.1P^{\frac{1}{2}} \tag{6-52}$$

式中　含黏量——指小于 0.005mm 的黏土颗粒含量;

P——砾石含量百分数,如无砾石,则 $P=0$。

其余符号意义同前。

【算例三】 轻粉质壤土水坠坝建在透水地基上,坝高 30m,坝坡 1∶3,坝顶宽 5m,冲填速度为 0.18m/d,冲填土的湿容重 $\gamma=1.9\text{t/m}^3$,固结系数 $C_v=0.922\text{m}^2/\text{d}$,有效内摩擦角 $\varphi'=25.4°$,有效黏聚力 $c'=0$,采用简化有效应力法计算坝坡稳定安全系数。

解:已知:坝高 $H=30$m,冲填速度 $v=0.18$m/d,可以求出工期:

$$t = \frac{H}{v} = \frac{30}{0.18} = 167(\text{d})$$

故

$$\frac{v^2t}{C_v} = \frac{0.18^2 \times 167}{0.922} = 5.87$$

对于透水地基,从表 6-12 内插算得

$$h_m = 0.6H = 0.6 \times 30 = 18(\text{m})$$

$$A_m = 0.28 + \frac{0.31 - 0.28}{2} \times 1.87 = 0.308$$

计算断面见图 6-28。

从图 6-28 可量得 $L=46.25$m,可以求得:

$$\frac{C_v\pi^2t}{4L^2} = \frac{0.922 \times 3.1416^2 \times 167}{4 \times 46.25^2} = 0.177$$

从表 6-29 内插求得:

$$\theta_1 = 0.860 - \frac{0.860 - 0.818}{0.05} \times 0.027 = 0.836$$

取起始孔隙水压力系数 $B_0=1.0$,则

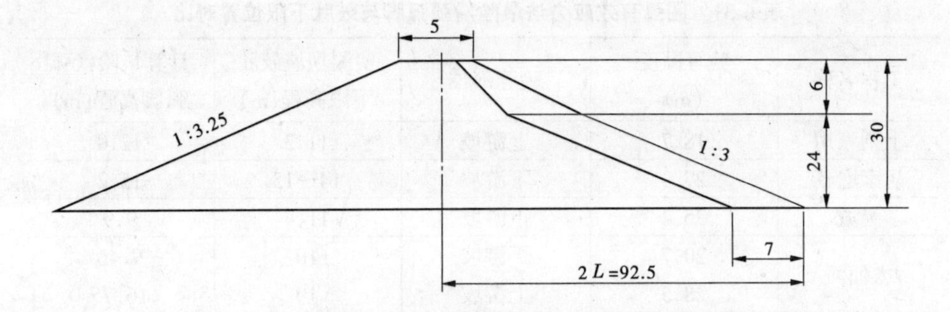

图 6-28　计算断面图(单位:m)

$$u_m = A_m B_0 \gamma H \theta_1 = 0.308 \times 1.0 \times 1.90 \times 30 \times 0.836 = 14.67(\text{t/m}^2)$$

$$B_m = \frac{u_m}{\gamma h_m} = \frac{14.67}{1.9 \times 18} = 0.43$$

$$\overline{B} = \frac{1}{2} B_m = \frac{1}{2} \times 0.43 = 0.215$$

从表 6-27 内插计算 a、b 值:

当坡率 $m=3, \varphi'=25°$时,$a=1.399, b=1.554$;

当坡率 $m=3, \varphi'=27.5°$时,$a=1.562, b=1.736$;

采用内插法计算,当坡率 $m=3, \varphi'=25.4°$时:

$$a = 1.399 + \frac{1.562 - 1.399}{2.5} \times 0.4 = 1.425$$

$$b = 1.554 + \frac{1.736 - 1.554}{2.5} \times 0.4 = 1.583$$

则坝坡稳定安全系数:

$$K_P = a - b\overline{B} = 1.425 - 1.583 \times 0.215 = 1.084$$

(二)有效应力数值解法

目前在土坝设计中,多采用毕肖甫圆弧有效应力法——即毕肖甫简化法计算坝坡稳定安全系数。此方法不考虑土条之间的竖向作用力,只考虑土条间的水平作用力 E_n 和 E_{n+1},大大降低了计算难度。由于这一简化,计算的安全系数与精确解的误差仅为 1%～2%。

根据几座水坠坝(见表 6-31)施工期稳定性验算结果可以看出,与实测孔隙水压力资料对比,计算出的最险滑弧弧脚位置与鼓肚下限位置基本上相符。

由此可见,毕肖甫圆弧有效应力法能够反映出水坠坝施工期的坝坡鼓肚变形特点,较为符合实际,可供大、中型水坠坝设计应用。

表 6-31　圆弧有效应力法最险滑弧弧脚与鼓肚下限位置对比

工程名称	验算高度（m）	验算部位	实测坝坡鼓肚下限高程（m）	计算最险滑弧弧脚高程（m）
上刘家川	18.7	上游坡	11.3	12.0
胡家圪塄	27.0	下游坡	14～15	15.2
吴城	25.4	下游坡	11.4	9.9
太仙河	20.7	下游坡	10	9.46
	28.5	上游坡	19	16.75
李家川	28.6	上游坡	17.2	16.5

圆弧有效应力法静力分析图见图 6-29。

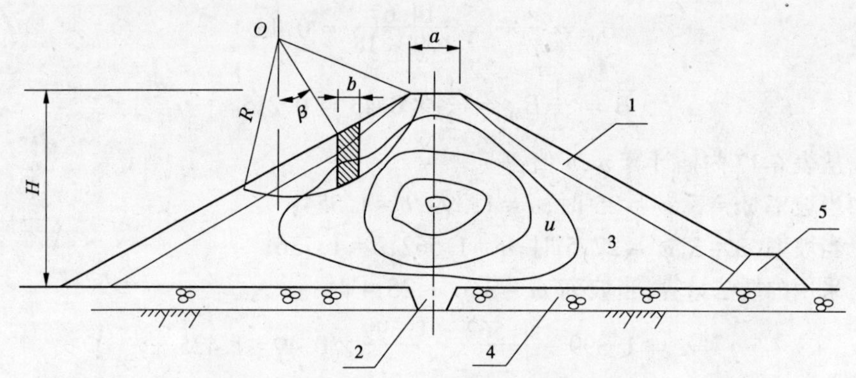

1—边埂；2—截水槽；3—冲填体；4—透水层；5—反滤体

(a)

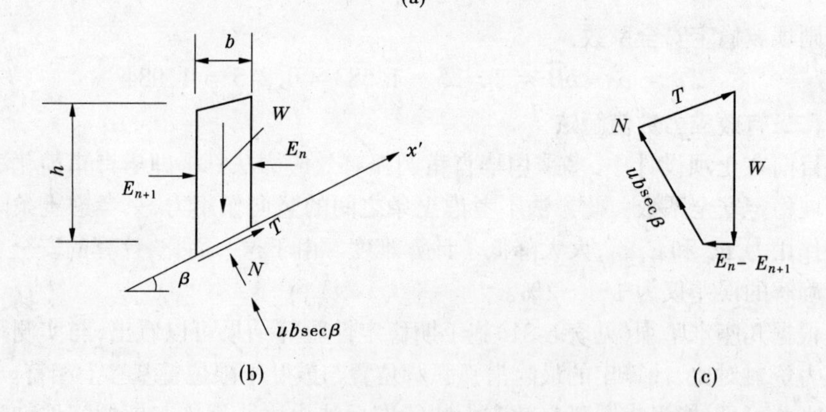

(b)　　　　(c)

图 6-29　圆弧有效应力静力分析图

在图 6-29(a)中取任一土条,作用于土条上的荷载有 W、E_n、$ub\sec\beta$,待求的反力、内力为 N、T、E_{n+1},见图 6-29(b)。

根据极限平衡要求,可以求得土条底面发挥的抗剪力 T 为:

$$T = \frac{1}{K_P}(N\tan\varphi' + c'b\sec\beta) \tag{6-53}$$

将所有的荷载和反力、内力均投影在 x'轴上,见图 6-29(b),则:

$$T = \frac{1}{K_P}(N\tan\varphi' + c'b\sec\beta) = (E_n - E_{n+1})\cos\beta + W\sin\beta \tag{6-54}$$

如果所分析的坝坡上,没有其他外力,则可知作用于土条侧面上的总的侧压力$\sum(E_n - E_{n+1}) = 0$,从而得出:

$$K_P = \frac{(\sum c'b\sec^2\beta + \sum N\sec\beta\tan\varphi')}{\sum W\tan\beta} \tag{6-55}$$

根据土条上竖向力的平衡条件,可以得出土条底面上的有效法向力 N 的计算公式为:

$$N\cos\beta + ub\sec\beta\cos\beta + \frac{c'b\sec\beta}{K_P}\sin\beta + \frac{N\tan\varphi'}{K_P}\sin\beta = W$$

解之得

$$N = \frac{W - ub - \dfrac{c'b\tan\beta}{K_P}}{\cos\beta + \dfrac{\tan\varphi'}{K_P}\sin\beta}$$

将 N 代入式(6-55),并整理之,得到坝坡稳定安全系数计算公式:

$$K_P = \frac{1}{\sum W\sin\beta}\sum\left[\frac{c'b + W(1-\overline{B})\tan\varphi'}{\cos\beta + \dfrac{\tan\varphi'\sin\beta}{K_P}}\right]$$

或

$$K_P = \frac{1}{\sum W\sin\beta}\sum\left[\frac{c' + (\gamma h - u)\tan\varphi'}{\cos\beta + \dfrac{\tan\varphi'\sin\beta}{K_P}}\right] \tag{6-56}$$

式中　u——土条底面的孔隙水压力,t/m^2;

$\overline{B}$——土条底面的平均孔隙水压力系数,以小数计:$\overline{B} = \dfrac{u}{\gamma h}$;

c'、φ'——土的有效剪强度;

其他符号意义同前。

在设计阶段,坝体的孔隙水压力可以按平面差分法进行计算[见式(6-18)];施工期可根据坝体实测孔隙水压力资料,绘出坝体孔隙水压力等值线图,然后按式(6-56)计算 K_P 值。

土的有效应力强度指标应根据三轴固结不排水剪测孔隙水压力的方法求出，并要有足够的试验组数，取平均值做为设计指标。

【算例四】 上刘家川水坠坝，筑坝土料为轻粉质壤土。刚竣工时坝高为25m，上、下游坝坡率均为3.0。实测孔隙水压力等值线见图6-30(a)，冲填土饱和容重 $\gamma_1 = 1.90 t/m^3$，边埂的湿容重为 $1.67 t/m^3$。验算坝下游坡的稳定性。

解：由于边埂宽度很窄，边埂部位又缺少孔隙水压力实测资料，因此应用圆弧有效应力法时，作了简化处理。即认为边埂的孔隙水压力 $u=0$，直接采用边埂的总强度 $c_2 = 1.13 t/m^2$、$\varphi_2 = 17°$进行计算。

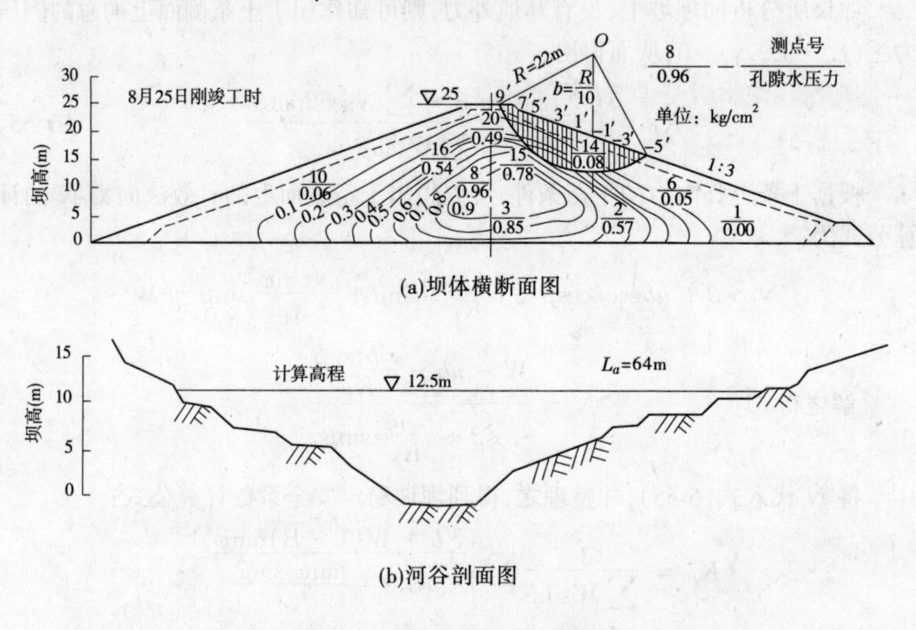

图6-30　圆弧有效应力法算例

冲填土的有效剪强度指标采用值，$c'=0$，$\varphi'=24.8°$

按式(6-56)列表计算坝坡稳定安全系数(计算表省略)

$$K_P = \frac{1}{\sum W\sin\beta}\sum\left[\frac{c'b + W(1-B)\tan\varphi'}{\cos\beta + \dfrac{\tan\varphi'\sin\beta}{K_P}}\right]$$

计算得 K_P，表明下游坝坡是稳定的。

四、空间问题的坝坡稳定计算

在进行水坠坝施工期的坝坡整体稳定性计算时，对于宽高比小于6的“V”

形河槽,应该考虑岸坡的阻滑作用,按空间问题计算坝坡的稳定安全系数。计算示意图见图 6-31。

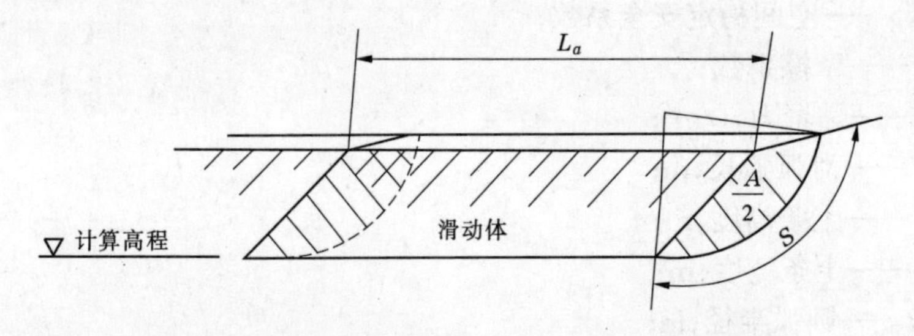

图 6-31　考虑侧面摩阻力的空间稳定计算示意图

考虑侧面摩阻力的抗滑安全系数 K_K 的方法较多,这里推荐以下两种简易计算方法可供选用。

(一)丹麦基础工程实用规范法

丹麦基础工程实用规范法计算公式为:

$$K_K = K_P(1 + \frac{A}{2SL_a}) \tag{6-57}$$

式中　K_K——考虑侧面摩阻的抗滑安全系数;

K_P——按平面稳定问题求出的最小安全系数;

S——平面问题的滑弧长度,m;

A——滑动体两侧滑弧面积之和,m^2;

L_a——滑动体长度,m;指局部荷载区段、滑动受限制区段或有软土层区段的长度。根据水坠坝坝坡鼓肚变形特点和河槽形式,L_a 可以采用实际鼓肚区域的长度或鼓肚下限高程处河谷的宽度(即计算高程处的河谷宽度)。

(二)总应力稳定系数查算法

阿利斯朵斯基按照总应力法得出的空间稳定安全系数的表达式为:

$$K_K = \frac{f\left[\sum h\cos\alpha + \frac{K_0\sum h^2(R - \frac{h}{3}\cos\alpha)}{ah}\right]}{\sum h\sin\alpha} + \frac{\frac{L_a cSR}{b} + 2c\sum h(R - \frac{h}{2}\cos\alpha)}{L_a\gamma R\sum h\sin\alpha} \tag{6-58}$$

$$K_0 = \tan^2(45° - \frac{\varphi}{2})$$

式中　K_K——空间稳定安全系数；

f——摩擦系数；

c——黏聚力，t/m^2；

S——滑弧弧长，m；

h——土条高度，m；

b——土条宽度，m；

R——圆弧半径，m；

γ——土的容重，t/m^3；

α——土条中心角，(°)；

L_a——计算高程处的河谷宽度，m。

其平面问题的安全系数表达式则为：

$$K_P = \frac{f\sum h\cos\alpha + \frac{cS}{\gamma b}}{\sum h\sin\alpha} \tag{6-59}$$

应用式(6-58)计算 K_K 是非常麻烦的，山西省水利勘测设计院根据式(6-58)和式(6-59)编制了空间稳定系数比值表($\frac{L_a}{S}\sim\frac{K_K}{K_P}$)，可以很方便地查算出 K_K 值，见表 6-32。

表 6-32　空间稳定系数比值

河谷宽度 L_a / 滑弧弧长 S	1/3	1/2	1	1.5	2	3	4	平面稳定问题
$(K_K/K_P)\times100\%$	154	135	118	112	109	106	104	100

【算例五】　从算例四的水坠坝工程已知，计算高程 12.5m 处的河谷宽度 $L_a = 64$m，已经求出平面问题的最小安全系数为 $K_P = 1.20$，相应的滑弧长 $S = 37$m，滑动体两侧滑弧面积之和 $A = 543.4m^2$。计算空间坝坡稳定安全系数 K_K。

解：

(1)采用"丹麦基础工程实用规范"公式计算：

已知：$K_P = 1.20$，$S = 37$m，$L_a = 64$m，$A = 543.4m^2$

代入式(6-57)得：

$$K_K = K_P(1 + \frac{A}{2SL_a}) = 1.20 \times (1 + \frac{543.4}{2 \times 37 \times 64}) = 1.33$$

(2)用空间稳定系数比值表查算：

$$\frac{L_a}{S} = \frac{64}{37} = 1.73$$

从表 6-32 内插得：$\frac{K_K}{K_P} = 110.6\%$

计算得：$K_K = 1.106K_P = 1.106 \times 1.20 = 1.33$

五、边埂稳定计算

(一)折线滑动面总应力法

施工边埂(均质坝)或坝壳(非均质坝)自身稳定，按平面问题折线滑动面，采用总应力法按下列公式计算抗滑稳定安全系数 K，参见图 6-32。

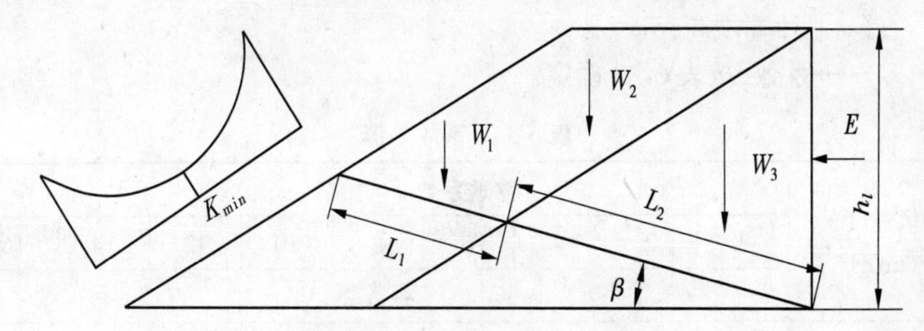

图 6-32 折线滑动面力系图

$$K = \frac{R}{E \cdot \cos\theta} \tag{6-60}$$

$$R = (W_1 + W_2 + W_3)\sin\theta + W_1\cos\theta\tan\varphi_1 + c_1L_1 + (W_2 + W_3 + E\tan\theta)\cos\theta\tan\varphi_2 + c_2L_2 \tag{6-61}$$

$$E = \frac{1}{2}\xi\gamma_T h_l^2 \tag{6-62}$$

$$\xi = 1 - \sin\varphi_2 \tag{6-63}$$

$$h_l = \lambda H \tag{6-64}$$

式中 K——边埂允许抗滑稳定安全系数；

E——泥浆水平推力，t；

θ——滑动面与水平面的夹角，(°)，可通过试算确定，取其相应于安全系数最小者；

W_1——滑动面 L_1 以上边埂土的重量，t；

W_2、W_3——滑动面 L_2 以上边埂土和冲填土的重量，t；

L_1、L_2——通过边埂及冲填土的滑动面长度，m；

φ_1、c_1——边埂土的总强度指标；

φ_2、c_2——冲填土的总强度指标，应按相应深度处的含水率确定；

γ_T——计算深度范围内冲填土的平均容重，t/m^3；

ξ——泥浆侧压力系数，可按公式(6-63)计算，也可采用经验值 0.8～1.0；

h_l——计算深度，m；沙土、沙壤土、壤土应按流态区深度计算，或按经验公式(6-64)确定；花岗岩、砂岩风化残积土计算深度应通过试验确定，取其相应于安全系数最小者；

H——计算坝高，m；

λ——系数，按表 6-33 确定。

表 6-33　系数 λ 值

冲填速度 v (m/d)	渗透系数 $k\times10^{-6}$(cm/s)								
	1	2	4	6	8	10	12	14	16
	系数 λ								
0.1	0.92	0.75	0.50	0.34	0.25	0.20	0.16	0.13	0.11
0.2	0.95	0.83	0.67	0.54	0.44	0.35	0.28	0.21	0.15
0.3	0.97	0.85	0.74	0.63	0.53	0.44	0.36	0.28	0.20

注：(1)此表适用于透水地基，对不透水地基表中数值可提高 50%；

(2)k 为初期渗透系数，即指冲填土在 $0.1kg/cm^2$ 荷重下固结试样的渗透系数。

(二)折线滑动面水平力法

此法认为用黏性较大的土修筑水坠坝，由于固结速度慢，施工期的边埂和冲填体实际是由两种强度相差悬殊的不同土体组成，因之边埂丧失稳定时可能沿两种土的接触面滑动，采用有效应力原理，推导出了边埂稳定安全系数的公式，计算图见图 6-33。

取实际边埂作为分离体，沿任一折线面滑出，把分离体 $ABCE$ 正分成两部分，$ABCD$ 为滑动土体，DCE 是抗滑土体。假设 DC 面光滑，只传递水平力。抗滑土体 DCE 能够提供的极限抗滑力为 H_K，由此得出分离体 $ABCD$ 的抗滑安全

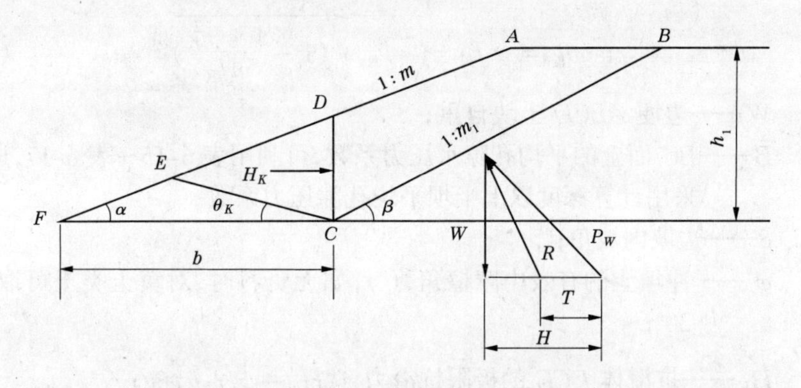

图 6-33　折线滑动面水平力法计算图

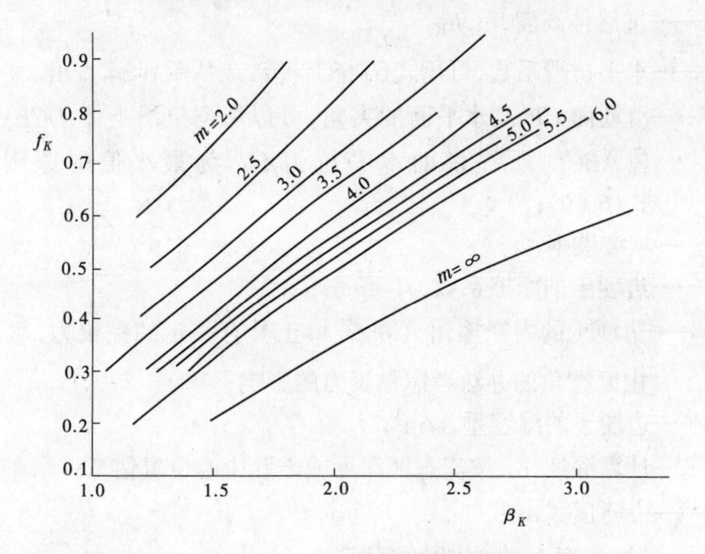

图 6-34　$\beta_K \sim f_K$ 关系曲线

系数 K 为：

$$K = \frac{W(1 - B)[\tan\beta - \tan(\beta - \varphi')] + H_K}{W\tan\beta} \tag{6-65}$$

$$W = \frac{1}{2}\gamma_2 h_1(b_0 + b) - \frac{\gamma_2 b^2}{2m} \tag{6-66}$$

或

$$W = \gamma_2 m h_K\left(h_1 - \frac{h_K}{2}\right) \tag{6-67}$$

$$\beta_K = \frac{m\tan(\varphi_k + \theta_K)}{1 + m\tan\theta_K} \tag{6-68}$$

$$\tan\theta_K = -f_K \pm \sqrt{f_K^2 + (1 - \frac{1+f_K^2}{mf_K})} \tag{6-69}$$

式中　W——边埂 $ABCD$ 土块自重；

$\overline{B}$——BC 面上的平均孔隙水压力系数，可利用表 6-15～表 6-17，近似地采用计算深度以上半坝平均孔隙压力系数；

β——边坡内坡角；

φ'——冲填土的有效内摩擦角，(°)，如无资料时，对黄土类土可取 $\varphi'=30°$；

H_K——抗滑体 DCE 的极限抗滑力，t，$H_K=\frac{1}{2}\gamma_2 h_K^2\beta_K$；

h_K——抗滑体高度，m，$h_K=\frac{b}{m}$；

β_K——水平抗滑系数，可用式(6-68)计算，或从图 6-34 查出。

θ_K——滑动面 CE 与水平面的夹角，可以根据抗滑土体 DCE 对滑动土体 $ABCD$ 所提供的水平抗力 H_K 为最小值的原则，推导出式(6-69)；

m——坝坡坡率；

f_K——边埂土的摩擦系数，$f_K=\tan\varphi_K$；

φ_K——边埂土的内摩擦角，(°)，若填土具有一定的黏聚力，可以用提高内摩擦角的办法考虑黏聚力的影响；

γ_2——边埂土的湿容重，t/m^3；

h_1——计算深度，m，按流态区深度或鼓肚中心位置估算；

b_0——边埂顶宽，m；

b——计算深度 h_1 处的边埂宽度，m。

折线滑动面水平力法认为边埂是斜墙，对于存在流态区的水坠坝，这与实际情况是有出入的；同时，确定埂、泥接触面 BC 面上的平均孔隙水压力系数 $\overline{B}$ 值时，近似采用半坝平均孔隙水压力系数，这对于中粉质壤土、重粉质壤土较为接近，但对轻粉质壤土则计算结果误差较大。因此，此法较适用于中粉质壤土和重粉质壤土的边埂抗滑稳定计算。

确定最危险滑动面倾角 θ_K 的公式(6-69)，当坝坡较陡、边埂强度较小(即 φ_K 小于 β 角)时是不适用的。在这种情况下，可改用试算法确定 θ_K 值。

【算例六】 某中粉质壤土水坠坝筑于透水地基上，坝高 30m，顶宽 3m，坝坡 1∶3，平均冲填速度 $v=0.15m/d$，冲填土的湿容重 $\gamma_1=1.9t/m^3$，有效剪强度 φ'

$=30°$，$c'=0$，固结系数 $C_v=0.55\text{m}^2/\text{d}$，边埂土的湿容重 $\gamma_2=1.78\text{t/m}^3$，总强度指标 $\varphi_K=27°$，$c_K=0$；选定等宽边埂宽度 $b=10\text{m}$，计算边埂抗滑安全系数。

解：计算调整次数：$n=\dfrac{4C_v}{\Delta Hv}=\dfrac{4\times0.55}{0.1\times30\times0.15}=4.69$ 次

选起始孔隙水压力系数　$B_0=1.0$

已知坝坡坡率 $m=3$，由表 6-17 查得平均孔隙水压力系数：

相应高程为：　　$0.8H=0.8\times30=24(\text{m})$

鼓肚中心位置：　　$h_1=30-24=6(\text{m})$

已知：埂宽 $b=10\text{m}$，故：

$$h_K=\frac{b}{m}=\frac{10}{3}=3.33(\text{m})$$

滑体自重：

$$W=\gamma_2 m h_K\left(h_1-\frac{h_K}{2}\right)=1.78\times3\times3.33\times\left(6-\frac{3.33}{2}\right)=77.5(\text{t})$$

按 $m=3$，$f_k=\tan\varphi_K=\tan27°=0.51$，由图 6-34 查得：$\beta_K=1.46$

水平抗力：$H_K=\dfrac{1}{2}\gamma_2 h_k^2\beta_K=\dfrac{1}{2}\times1.78\times3.33^2\times1.46=1.44(\text{t})$

则边埂抗滑安全系数为：

$$\begin{aligned}K&=\frac{W(1-\overline{B})[\tan\beta-\tan(\beta-\varphi')]+H_K}{W\tan\beta}\\&=\frac{W(1-\overline{B})[\tan18.4°-\tan(18.4°-30°)]+H_K}{W\tan18.4°}\\&=\frac{77.5\times(1-0.651)\times(0.33+0.20)+1.44}{77.5\times0.33}\\&=1.12\end{aligned}$$

第四节　有关水坠坝稳定问题的讨论

关于土体固结理论及坝体稳定分析方法，在前几节已经作了一些介绍。这些方法在目前工程实践中仍广泛采用，可以满足一般工程设计需要。但严格来讲，由于它忽视了土的应力应变关系的非线性，往往不能正确反映水坠坝坝体的实际孔隙水压力分布规律和坝坡鼓肚变形特点(在本章第一节中已经介绍了这方面的特点)。为了进一步提高水坠坝的设计水平，应对有关普遍固结理论、土的弹塑性及抗震稳定等方面的问题进一步进行探讨。由于这些问题正处在发展阶段，这里只做些简要介绍。

一、关于固结理论

黏性土的变形与稳定性往往取决于孔隙水压力的消散，因此实际工程中，要分析黏性土的变形和稳定，就应当研究土的固结。

1925 年，太沙基首先提出了一维线性固结理论。此后，在两方面有了重要发展：一是从一维推广到二维、三维；二是把线性扩展到非线性。对后者，目前还只限于一维问题的非线性。至于前者，发展又有两个趋向：一种是做一定的简化假设，推导出只包含一个未知量（孔隙水压力）的固结微分方程式，它与一维固结一样属于热传导方程，用差分法或有限元法求解。太沙基等人的三维固结理论、弗洛林的土体压密理论等，都是属于这一类。我国目前工程中广泛采用的也是这一类方法。另一种从较严密的固结概念出发，推导出普遍固结理论公式，即所谓真三维固结理论。比奥(M、A、Biot)的固结理论即属这一种，只是由于数学处理上比较复杂，除了某些特定情况而外，过去事实上是无法解的。近年来随着计算机技术的发展，开始出现了用有限单元法解比奥方程的方法，可是它们都仅仅适用于线性固结。实际上，土有明显的非线性特性，而且土坝、地基一般又多属二维、三维问题。目前国内外一些单位，正在开展这方面的研究。

太沙基固结理论中，有一个重要假定，即只要外荷载不变，总应力之和也不随时间而变。而比奥理论没有做此假设。事实上即使在固定荷重作用下，在固结过程中，不仅有效应力、孔隙水压力在变，而且总应力也在变，因此比奥理论较能反映实际。此外，太沙基固结理论是以单向固结试验成果为参数的，比奥理论则可用三向应力情况下做固结试验求参数，因此能更好地模拟土体实际受力条件。

固结理论的发展固然有重要意义，但边界条件的处理、计算参数的测定等方面，如何能更好地反映实际情况，值得进一步研究。

二、关于坝坡稳定分析

本书介绍的坝体整体稳定及边埂稳定计算方法，都是建立在纯粹塑性理论基础上的，也是目前工程界广泛采用的方法。即假定土体的破坏是沿着某一个面滑动，而且假定滑动土体沿滑动面在“瞬间”同时达到极限平衡状态。我们在坝坡整体稳定分析时，假设了圆弧滑动面，与实际发生滑坡的情况较为接近，所推荐的几种分析方法，只在力系的考虑和抗剪强度指标的表示方法上有所不同。方法虽有简有繁，本质上并无区别，重要的是正确地测定和选择各种计算指标。

水坠坝的脱水固结，应力应变、强度稳定是一个连续的变化过程，在进行渗透固结计算时，没有考虑剪应力的影响，而在坝体稳定分析时则只考虑极限剪应力(抗剪强度)的概念，把两者截然分开来处理，显然是不尽合理的。因此，近年来，有不少土力学工作者提出了考虑土的应力应变非线性特性的弹塑性模型，并用有限元法在计算机上求解。这些模型往往从具体土的特性出发，还不可能有普遍的关系式。水坠坝坝体含水率高，不仅具有弹塑性的特点，而且还有黏滞流体(流态区)的特点，坝体失稳往往是由于裂缝、鼓肚等大变形引起，表现为小区域的变形逐渐扩大成大区域的变形，最后引起坝体的流滑或坐滑破坏。因之，探讨适合水坠坝特点的应力应变模型也是很有实际价值的。

三、水坠坝的抗震稳定性分析

水坠坝的抗震稳定性分析与碾压坝一样，也是将地震荷载作为非常荷载附加于完工的坝体。因此，它只研究运用期的动力稳定问题。

水坠坝在地震作用下的动力反应，主要取决于地震波在坝内引起的惯性力大小以及随时间的变化。以往的计算中，往往将地震惯性力当作与时间无关的静力来处理或只考虑减小后的动强度指标，因此不能反映地震力作用下坝身的动力反应。

由于地震荷载只是一种附加荷载，要确定它对水坠坝安全度的影响，首先必须了解水坠坝在正常荷载(即静荷载)作用下的应力状态，然后再加上地震引起的动力反应。

(一)有限元法土坝动力稳定分析

作用于弹性体上的外力，除了静荷载以外，还必须考虑由于物体运动而产生的惯性力和阻尼力，因此可以仿照静力平衡的有限元法进行同样的处理。关于地震动力反应分析可以采用以下的试验和计算步骤。

(1)配制有代表性的土料，在动三轴仪上进行液化试验，确定土的动力特性指标。

(2)计算坝体的静应力和地震应力。把坝料视为非线性弹性体和具有黏滞阻尼的非线性弹性体，分别用有限单元法计算坝体最终静应力和地震应力。

(3)根据实验室液化试验成果，考虑坝体静应力和动应力状态的影响，确定在现场发生足以产生液化的地震应力，然后在坝体内确定出液化的区域。

(4)验算液化区域对坝坡整体稳定性的影响，可以按照坝坡静力稳定分析方法进行校核，设液化区的滑动面上静力抗剪强度为零，从而可以求出地震稳定安全系数。

(二)位移法土坝动力稳定分析

根据地震反应分析,可以确定坝的地震系数(或加速度)。据此,纽马克曾提出过以位移量代替安全系数的土坝动力稳定分析方法。它假设滑动体是刚体,沿滑动面产生的抵抗滑动的阻力,根据坝在地震作用下开始滑动时的阻力确定临界加速度,再结合地震在坝内产生的最大加速度和最大速度,给出滑动体相对于地面的最大位移。这一方法需要确定坝的临界加速度。由于临界加速度随坝的强度而变化,目前要确定地震作用下的坝体孔隙水压力变化是个很复杂的问题。因此,西特(Seed)等人为避开临界加速度,提出了如下的计算步骤。

(1)确定坝在地震前,最危险滑动面上的应力状态。

(2)根据设计地震计算坝的地震反应,求出地震应力、频率,并确定设计需要的震动次数。

(3)根据上述静应力及动应力条件,做动三轴剪切试验,测定土在不同应变(λ%)条件下的强度值($\tau_{f\lambda}$)。

(4)如在 $\tau_{f\lambda} \sim \sigma$ 关系线上取应变 $\lambda = 20\%$ 的强度 τ_{f20} 为动力强度,试算坝体最危险滑动面的安全系数 K_P,然后根据 $\frac{1}{K_P}\tau_{f20}$ 对应的应变判定坝体是否安全。

水坠坝的地震反应分析方法,目前还处于探索阶段,不少前提条件和基本规律尚缺乏足够的认识,如以什么动力效应来反映一定烈度的地震,应用弹性理论分析坝的地震反应,对强震作用下坝体产生较大的变形是否适应,计算中涉及坝料的一些动力特性指标怎样正确决定,以及采用位移量评价土坝破坏可能性的位移标准如何确定等等,都需要通过研究,结合工程实践继续探索。

第七章　施工组织设计

第一节　概　述

施工组织设计是设计文件的重要组成部分，是编制工程投资估算、总概算和招标文件的主要依据，是工程建设和施工管理的指导性文件。认真做好施工组织设计，对合理组织工程施工、保证工程质量、缩短工期、降低工程造价都有十分重要的作用。

一、施工组织设计的内容

水坠坝施工组织设计的内容包括工程概况、施工导流与度汛、施工场地布设、冲填机具的选择与布设和施工总进度等。

（一）简述工程概况和工程特点分析

包括所建工程的地理位置、流域面积、所属支流和工程规模、枢纽布置、工程结构、工程量等工程的主要技术特征，以及工程所在区域的社会经济、水文、气象、坝址工程地质、地形等小流域及坝址工程特征、施工条件等。

（二）制定施工导流与度汛方案

包括选择适当的施工导流方式、制定安全度汛方案以及采取的工程措施等，以保障水坠坝建设过程中的工程安全与人民生命财产安全。

（三）进行施工场地布置

包括土料场的选择与利用、不同坝高输泥渠的布置与调整、临时建筑及施工道路的布置等。力求使各工序相互配合，避免干扰，最大限度地提高工效，加快施工进度。

（四）冲填机具的选择与布置

根据土场位置、土料性质、施工方式等选择相应的施工机具，包括水泵的扬程、管道的长度、直径，以及是否采用水枪冲土、水枪型号的选择及其与水泵的匹配等，以求提高工效，降低造价，减少能耗。

（五）编制施工总进度

包括工程筹建期、准备期和主体工程施工期各阶段的工作内容及其衔接，力求做到工期短、施工均衡、资源需求平衡。

施工组织设计的内容既包括技术的,也包括经济的,是技术经济相结合的文件。在水坠坝工程的可行性研究阶段、初步设计阶段、技施设计阶段(或将初步设计阶段与技施设计阶段合并为扩大初步设计阶段)和招(投)标设计等阶段都要进行施工组织设计。

二、施工组织设计的编制原则

(1)严格执行国家有关政策、法令、规程、规范、标准和条例,妥善解决工程建设与环境保护、资源开发、农民致富、经济发展的关系。

(2)结合实际,因地制宜。水坠坝的施工方法各地不尽相同,要根据实际,选择当地群众或施工队伍熟练的施工方法,并注重引进先进的施工技术,推进施工技术的不断完善和提高。

(3)统筹安排,综合平衡,妥善协调各分部、分项工程的施工。注重总结水坠坝施工规律,按照客观规律和程序,组织和安排施工,保证各项施工活动相互促进、紧密衔接,避免工序冲突、断档、窝工和不必要的重复工作,加快施工进度,缩短建设工期。

(4)注重推广新技术、新材料、新工艺和新设备。凡经过实践证明技术经济效益显著的科研成果,应科学选择、择优采用。

(5)积极推广利用网络计划技术安排工程施工进度计划,并做好人力、物力的综合平衡,组织均衡施工。

三、施工组织设计的编制依据

(1)可行性研究报告及审批意见、设计任务书、上级单位对本工程建设的要求或批件。

(2)工程所在地区有关基本建设的法规或条例、地方政府和当地群众对工程建设的要求。应特别强调施工组织设计中对地方政府和当地群众意见的研究与落实,妥善解决地方政府和当地群众对工程建设提出的要求。

(3)国民经济各有关部门(铁路、公路、农业、林业、灌溉、旅游、环保、城镇供水等)对本工程建设期间的有关要求及协议。

(4)当地水利水土保持工程建设的施工装备、管理水平和技术特点。随着工程建设招(投)标制度的实施,今后在施工组织设计编制中不再专门收集和掌握某一特定行业或施工企业的情况,只对区域或国内施工队伍的施工装备、管理水平和技术特点有所了解,切合实际地做好施工组织设计的编制工作。

(5)工程所在地区的自然条件(地形、地质、水文、气象、土壤、植被等特征和当地建材情况等)、施工电源、水源及水质、交通、环保、旅游、防洪、灌溉、航运、供水等现状和近期发展规划。

(6)当地城镇现有修配、加工能力,生活、生产物资和劳动力供应条件,居民生活习惯等。

(7)各种原材料试验、混凝土配合比试验、岩土物理力学试验等成果。

(8)施工现场的具体情况、水准点,建设单位可提供的施工用地,临时房屋等。

(9)工程有关工艺试验或生产性试验成果。

(10)勘测设计各专业有关成果。

(11)类似工程的建设经验资料等。

需要说明的是,一方面,上述所列各项依据资料,并非每个工程进行施工组织设计时都需全部具备;另一方面,有的工程在施工组织设计时可能尚需增加某方面的资料,由于需要的资料内容繁多,且不同的工程需要的资料也不尽一致,因此本书不可能一一具体列出,在进行施工组织设计时,可根据工程具体情况确定。

四、施工组织设计文件的质量要求

设计文件的质量直接关系到工程建设效果,努力提高施工组织设计文件质量是编制工作必须达到的主要目标。因此,对施工组织设计文件的质量提出如下要求。

(1)施工组织设计所依据的基本资料、计算公式和各种指标正确合理,技术措施先进,方案比较全面,分析论证充分,选定的方案具有良好的技术经济效益。

(2)施工组织设计报告文字通顺流畅、简明扼要、逻辑性强、结论明确且说服有力,附图完整清晰。

设计文件的质量优劣主要根据两方面来评判:首先是设计文件可能取得的实质效果,其次是设计文件的外观情况。实质效果包括设计工作的内容和深度是否满足有关规范的要求,文字报告及附图是否符合质量要求,设计体现出来的工期长短、造价高低、技术措施是否先进,工程是否安全,效果是否显著,施工质量可否得到保证,等等。当然不是单纯以其中某一项作为评定标准,而是全面综合分析,将施工组织设计作为一个整体来权衡设计文件的优劣。设计文件的外观情况虽然属次要问题,但也不能忽略。特别是面对当前设计市场竞争激烈的情况,设计文件作为设计企业的一种产品,其外观形象在一定程度上反映了设计企业的技术水平各设计企业越来越重视和强调产品的外观与包装设计。

第二节　施工导流与度汛

施工导流是水坠坝总体设计的重要组成部分，是选定枢纽布置、永久建筑物型式、施工程序和施工总进度的重要因素。设计中应充分掌握基本资料，全面分析各种因素，优化导流方案，使工程尽早发挥效益，达到工期短、投资省、效益高的目的。

施工导流贯穿于工程施工的全过程，导流设计要妥善解决从初期导流到后期导流（包括围堰挡水、坝体临时挡水、封堵导流泄水建筑物和水库蓄水）施工全过程中的挡、泄水问题。各期导流特点和相互关系宜进行系统分析，全面规划，统筹安排，运用风险度分析的方法，处理洪水与施工的矛盾，务求导流方案经济合理，安全可靠。

一、施工导流标准

施工导流标准是根据导流建筑物的级别确定的。导流建筑物的级别越高，导流建筑物的洪水标准就越高。反之亦然。

（一）导流建筑物的级别划分

导流建筑物系指枢纽工程施工期所使用的临时性挡水和泄水建筑物。根据其保护对象、失事后果、使用年限和工程规模划分为Ⅲ～Ⅴ级，具体按表7-1确定。

当导流建筑物根据表7-1指标分属不同级别时，应以其最高级别为准。但列为Ⅲ级导流建筑物时，至少应有两项指标符合要求。

（二）导流建筑物的洪水标准

导流建筑物的设计洪水标准应根据建筑物的类型和级别在表7-2规定的幅度内选择，并结合风险度综合分析，使所选标准经济合理。对失事后果严重的工程，要考虑对超标准洪水的应急措施。

《水坠坝技术规范》（SL302—2004）对采用水坠坝设计施工的大型淤地坝工程、四等和五等水利水电工程的施工导流建筑物和施工期坝体的度汛标准分别作了明确的规定：即施工导流建筑物度汛洪水重现期宜选取5年；施工期坝体防洪度汛标准应达到20年一遇洪水重现期。

表 7-1　导流建筑物级别划分

级别	保护对象	失事后果	使用年限(a)	围堰工程规模	
				堰高(m)	库容(亿 m^3)
Ⅲ	有特殊要求的Ⅰ级永久建筑物	淹没重要城镇、工矿企业、交通干线或推迟工程总工期及第一台(批)机组发电,造成重大灾害和损失	＞3	＞50	＞1.0
Ⅳ	Ⅰ、Ⅱ级永久建筑物	淹没一般城镇、工矿企业,或影响工程总工期及第一台(批)机组发电而造成较大灾害和损失	1.5～3	15～50	0.1～1.0
Ⅴ	Ⅲ、Ⅳ级永久建筑物	淹没基坑,但对总工期及第一台(批)机组发电影响不大,经济损失较小	＜1.5	＜15	＜0.1

注:(1)导流建筑物包括挡水建筑物和泄水建筑物,两者级别相同;

(2)表列四项指标均按施工阶段划分;

(3)有、无特殊要求的永久建筑物均系针对施工而言,有特殊要求的Ⅰ级永久建筑物系指施工期不允许过水的土坝及其他有特殊要求的永久建筑物;

(4)使用年限系指导流建筑物每一施工阶段的工作年限,两个或两个以上施工阶段共用的导流建筑物,如分期导流一、二期共用的纵向围堰,其使用年限不能叠加计算;

(5)围堰工程规模一栏中,堰高指挡水围堰最大高度,库容指堰前设计水位所拦蓄的水量,两者必须同时满足。

表 7-2　导流建筑物设计洪水标准

导流建筑物类型	导流建筑物级别		
	Ⅲ	Ⅳ	Ⅴ
	洪水重现期(a)		
土　石	50～20	20～10	10～5
混凝土	20～10	10～5	5～3

二、施工导流方式

水坠坝常用的施工导流方式有以下几种形式。不同的导流方式适用于不同的工程条件，工程设计中，应根据工程的具体情况，合理选择施工导流方式。

（一）涵、卧管或隧洞导流

涵、卧管或隧洞导流方式适用于河谷狭窄、地质条件允许的坝址。隧洞断面尺寸和数量视河流的水文特性、岩石完整情况以及围堰运行条件等因素确定。采用涵洞导流，应尽量利用永久性放水涵洞或排沙底洞，提前修好坝库工程的放水涵、卧管，再做围堰截流，否则应做临时涵洞。临时涵洞宜布置在岩石基础上。当沟道常流水量较大，放水建筑物位置较高，施工期坝前又要求不蓄水时，可在坝基底部修筑导流洞。洞底基础最好是岩基，要切实保证涵洞的砌筑质量。停止导流时，应将进口用混凝土堵死，中间用泥浆堵填，出口段用石子、砂子采取导滤办法填堵。采用涵洞、导流洞、排沙洞导流时，要采取适当措施，防止漂浮物堵塞进水口，并有专人看管，及时拦截、打捞、清理漂浮物。

（二）枯水期围堰挡水导流

枯水期围堰挡水导流方式适用于集水面积不大，来水量小，在一个枯水期能将永久建筑物（或临时挡水断面）修筑至汛期洪水位以上的工程。在黄土高原地区修筑的水坠坝工程，一般可以利用一个枯水期完成防汛坝高的修筑任务，多采用此种导流方式。

（三）原河槽导流

原河槽导流，适宜于河床开阔，坝轴线较长，坝体土方量大，需要跨汛施工的工程。汛前可先冲填台地或滩地坝段，利用原河槽导流。汛期过后，再截流合龙。合龙段要快速施工，一气呵成，坝体上升速度要大于库水位上升速度。

（四）明渠导流

明渠导流适用于施工期流量不大，沟底比降较大的工程，可结合修筑冲填用的蓄水坝，抬高水位，盘山开渠，将水引送下游。

（五）分期导流

分期导流方式适用于河流流量大、河槽宽、覆盖层薄的坝址。一期围堰位置应在分析水工枢纽布置、纵向围堰所处地形、地质和水力学条件、施工场地及进入基坑的交通道路等因素后确定。一般情况下，发电、通航和后期导流的永久建筑物宜在一期施工；河床束窄系数可用40％～60％，但各期工程量应大体平衡。当采用河床分期导流时，应做好前后两期坝体接触面内各部位的连接，防止形成漏水通道，危及坝体安全。

（六）坝体拦洪小断面及临时溢洪道导流

在汛前坝体不能全面达到拦洪坝高，放水洞泄流规模又小时，经过核算，为了安全度汛，可抢修拦洪小断面，也可修临时溢洪道，泄洪保坝。南方省（区），暴雨量大，洪峰高，往往要求有较高的拦洪坝高。水坠法筑坝，冲填速度受一定条件限制，为使坝体在汛前达到拦洪高度，有条件的水库工程可先用水中倒土或碾压方法修筑拦洪断面，其余坝体用水坠法施工。

三、导流方式的选择原则

施工导流方式的选择是施工导流设计的重要内容，应全面比较拟定。

施工导流方法应遵循简单易行、工程量小、造价低、施工方便，并尽可能与永久建筑物结合的原则进行选择。应从因地制宜和经济节约的角度出发来研究和确定各类导流方式，使工程达到缩短工期、降低造价和提前受益的目的。

一般地，选择导流方式的原则是：

(1)适应河流的水文特性和地形地质条件。

(2)工程施工期短，发挥工程效益快。

(3)工程施工安全、灵活、方便。

(4)结合利用永久建筑物，减少导流工程量和投资。

(5)适应通航、供水、灌溉等需要。

(6)河道截流、坝体度汛、封堵、蓄水和供水等初、后期导流在施工期各个环节能合理衔接。

从坝型上讲，水坠均质坝可采用涵洞、围堰或明渠等各种方式导流。对水坠非均质坝，由于中心防渗体是在水坠坝坝面采用分选冲填的施工方法形成的，不像碾压坝心墙那样规整和易于控制，为了保证中心防渗体的有效衔接和工程运行的安全，水坠非均质坝不应采用围堰明渠分期导流方式，以保障中心防渗体的均匀连续。

跨汛施工的水坠坝，坝端和造泥沟要处理好排水系统，防止坡面雨水径流通过输泥渠进入坝面。

第三节　施工场地布设

水坠法筑坝是用水力运送土料，料场受地形条件限制较大。一般中小型水坠坝工程，坝址处河谷狭窄，施工场地较小，与碾压法筑坝相比，水坠法筑坝工种较多。因此，对施工场地和施工程序必须精心设计，合理布置，使各工序相互配合，创造有利的施工条件，避免相互干扰，最大限度地提高工效，加快工程进度，确保施工安全。

施工场地布设主要包括合理安排与布置土场、泵站与管道、造泥沟与输泥渠,以及施工道路等。

一、施工场地布置的原则

施工场地布置应充分掌握和综合分析枢纽布置、主体建筑物规模、型式、特点、施工条件和工程所在地区的社会经济、自然条件等因素;合理确定并统筹规划布置为工程服务的各种临时设施;妥善处理施工场地内外关系;为保证工程施工质量、加快施工进度、提高经济效益创造条件。

施工场地的布置应遵循以下原则:

(1)因地制宜,因时制宜。

(2)有利生产,方便生活,易于管理。

(3)安全可靠,经济合理。

施工场地的布置方案应在全面系统的比较论证后确定。

二、施工场地布置的方案比选

(一)方案比选的主要指标

(1)交通道路的主要技术指标,包括工程质量、造价、运输费及运输设备需用量等。

(2)各方案土石平衡计算结果,场地平整的土石方工程量和形成时间。

(3)风、水、电系统管线的主要工程量、材料和设备的类型与数量。

(4)生产生活设施的建筑物面积和占地面积。

(5)有关施工征地移民的各种指标。

(6)其他临时建筑物的工程量。

(二)定性分析的主要内容

施工场地布置方案除定量分析上述指标外,还要定性分析以下内容:

(1)施工场地布置方案能否充分发挥各自的生产能力。

(2)施工场地布置是否满足施工总进度和施工强度的要求。

(3)施工设施、场站、临时建筑物的协调和干扰情况。

(4)施工分区的合理性。

(5)当地现有企业为工程服务的可能性与合理性。

三、土场布置

土场布置应根据料场的土料分布和储量,结合施工要求,考虑冲填结束后岸坡整治和利用,统一进行合理规划。

水坠坝的土场分围埂土场和冲填土场两部分：

(一)围埂土场的布置

围埂土场宜离坝较近，运土路线要顺直，最好能一次上坝，避免多级倒运土。但不能在坝肩取土，以防绕坝渗漏和挖后又要回填。土料含水率要适于碾压，一般含水率以15%～18%为宜。土场在分布上要有高有低，以便随着坝体上升低土低用、高土高用。

(二)冲填土场的布置

冲填土场的位置，应高出坝顶20m以上。土场坡度应能满足输泥要求，但不应过陡。泥浆进入坝体部位的出泥口，要尽量避免有较大的陡崖跌坎，以防泥浆深层蠕动，增加泥浆对围埂的压力。料场要集中，土层宜厚，土质宜疏松易冲。

对于围埂和冲填土场，都应首先利用坑探、槽探或土钻、洛阳铲等工具，探明各种土料的分布范围、厚度及储量。然后根据坝体筑埂分畦施工方案，确定土场的主次和利用顺序。

四、泵站与管道布设

(一)泵站的布设

抽水泵站应布设在地基坚固、引水方便、距离土场近、输水管道短、山坡地形完整、安装和维修容易的地方。一般分上、下游布设两种：前者从坝址上游抽水，管路短、扬程低，但汛期冲填需采取防洪措施，以防坝前水位暴涨，淹没机泵。后者是在放水洞出口附近抽水，泵站不受洪水威胁，汛期冲填比较安全。但当库水位低于放水洞进口时，上游还需向放水洞抽水，增加了抽水费用。

(二)输水管道的布设

水坠坝的输水管道分为主管道和支管道。

(1)主管道。主管道一般都布设在取土场的外部，在施工过程中不移动。对土方量较大、土场范围很宽的工程，为了减少支管的长度，有时也将主管道布设在取土场范围以内。这时应根据土场开挖利用顺序，确定主管道移动方案。

(2)支管道。支管道由主管道分出，根据土场情况，在适当位置，设分水口布设支管，以适应土场高低变化。支管道要和造泥沟的布置统一考虑，合理安排。支管道多用胶管，以适应土场变化的要求。

五、造泥沟和输泥渠的布设

(一)概念

造泥沟和输泥渠是一个有机的整体，并没有明显的界限，可以说是一条泥沟的两段:在土场部分,主要用来造泥的一段称为造泥沟;造泥沟下面的一段,只输泥而不造泥,称为输泥渠。造泥沟、输泥渠的整体布设,就像一株大树一样,输泥渠好比树干贯穿土场,造泥沟如同树枝分布在全土场内,进泥口像是树根与冲填池紧密连接,如图 7-1 所示。一条输泥渠可连接几条造泥沟和几个进泥口。这样可以达到多沟造泥、集中输泥、活口进泥的目的。

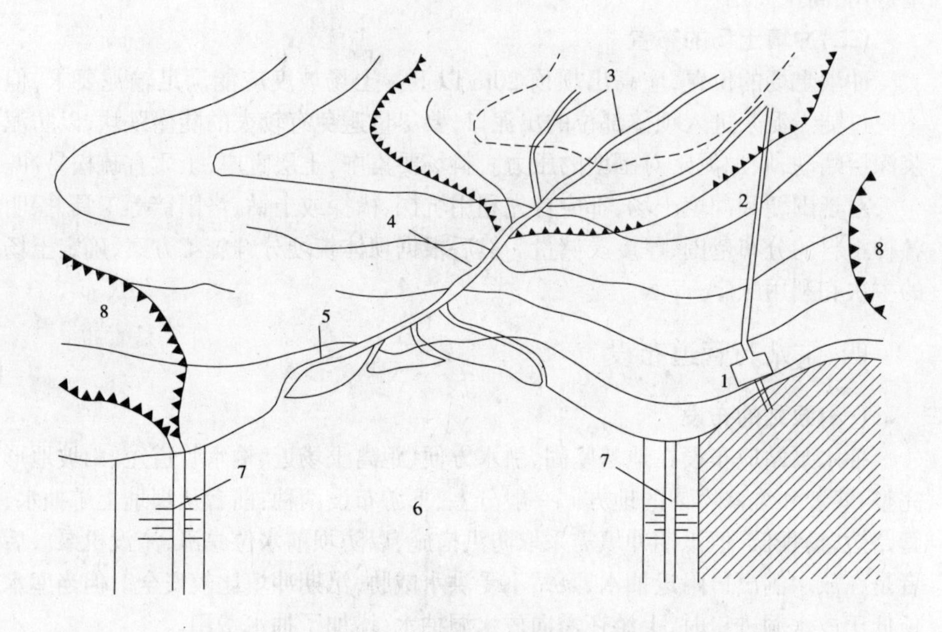

图 7-1　造泥沟输泥渠整体布置示意图

1—泵站;2—上水管道;3—造泥沟;4—输泥渠;
5—进泥口;6—冲填池;7—边埂;8—筑埂土场

(二)布设

造泥沟一般多用斜交等高线布置。如果冲填土场位置较高、土料丰富、造泥沟较长时,也可垂直等高线布置,从造泥沟两侧取土。造泥沟、输泥渠的整体布设如图 7-1 所示。若为坝两端双向冲填,其布设形式见图 7-2。桃儿嘴水库水坠坝工程总体布置如图 7-3 所示。

造泥沟、输泥渠的纵坡应该由缓变陡,并有足够的断面面积,以使泥浆流动畅通,沿途不发生沉淀、淤堵和漫溢现象。造泥沟的纵坡,应根据冲填水量大小进行调整。一般冲填水量为 30～50m^3/h 时,造泥沟纵坡为 10%～15%。因为坡度过陡,来不及充分供土,泥浆过稀,达不到浓度要求,需要增加造泥沟的长

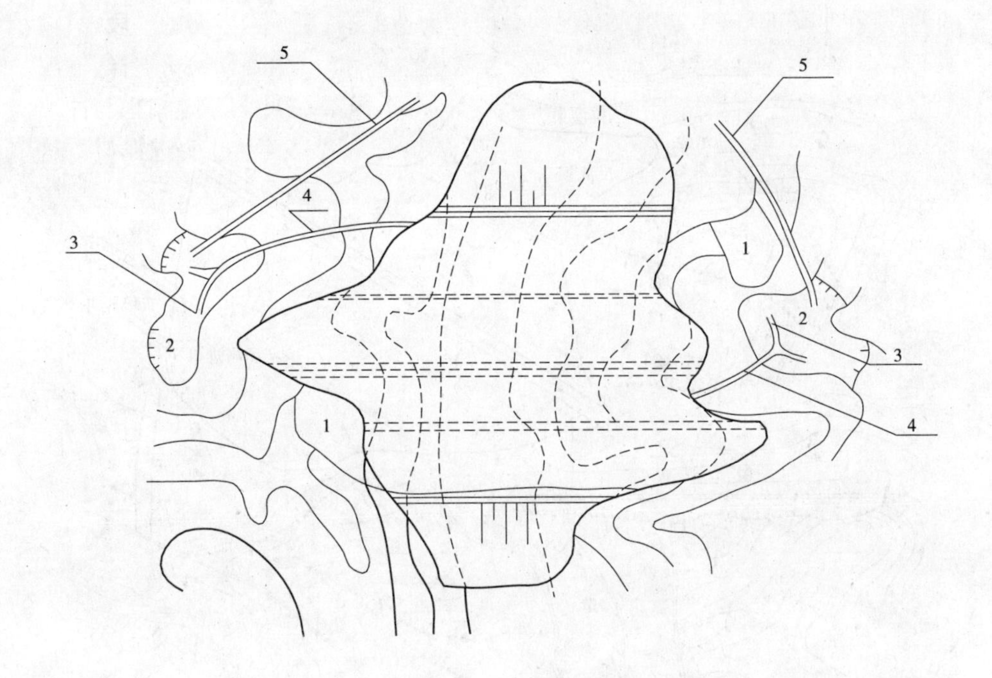

图7-2　两岸取土冲填布置示意图

1—围埂土场；2—冲填土场；3—造泥沟；4—输泥渠；5—施工道路

度，劳力也相应增加。若坡度过缓，流速小容易淤积，需要经常疏通，费时费力。

输泥渠的纵坡，如果地形条件许可时，可以陡一些，一般为15%～20%。造泥沟的间距，应根据计划取土深度和取土方式选定。人工冲填造泥的工程，造泥沟两边坡度不宜超过1∶1，一次取土深度宜为3～5m，要保持一定的挖土作业面，并使松土直接入沟，随水带走。如果计划开挖深度较大时，可分层取土，这时可以加大造泥沟之间的间距。施工时要充分提高土场的利用率，尽量减少施工结束后在山坡上留下参差不齐的土梁。采用水枪和推土机等机具冲填造泥时，造泥沟的布设要适于机械施工的要求。造泥沟的长度要根据土质情况、冲填水量及配备造泥劳力数来确定。土质疏松易崩解、水量小、劳力多时，造泥沟的长度可短些，反之应加长。一般造泥沟的长度宜控制在70～130m，以泥浆土水体积比达到2～3为宜，在整个造泥沟和输泥渠段内，都要避免留有明显的缓坡段，以使泥浆流动畅通。在造泥沟沿程可根据地形情况布设3～5个小跌坎，跌差0.5～1.0m，泥浆经过几次跌摔，有利拌和均匀，并增大拖曳力，提高泥浆浓度。

造泥沟、输泥渠的断面形式应始终保持窄深型式，使泥浆流动集中而畅通，后泥推前泥，一拥而下。输泥渠出口的流动方向最好与围埂平行，并与围埂保持

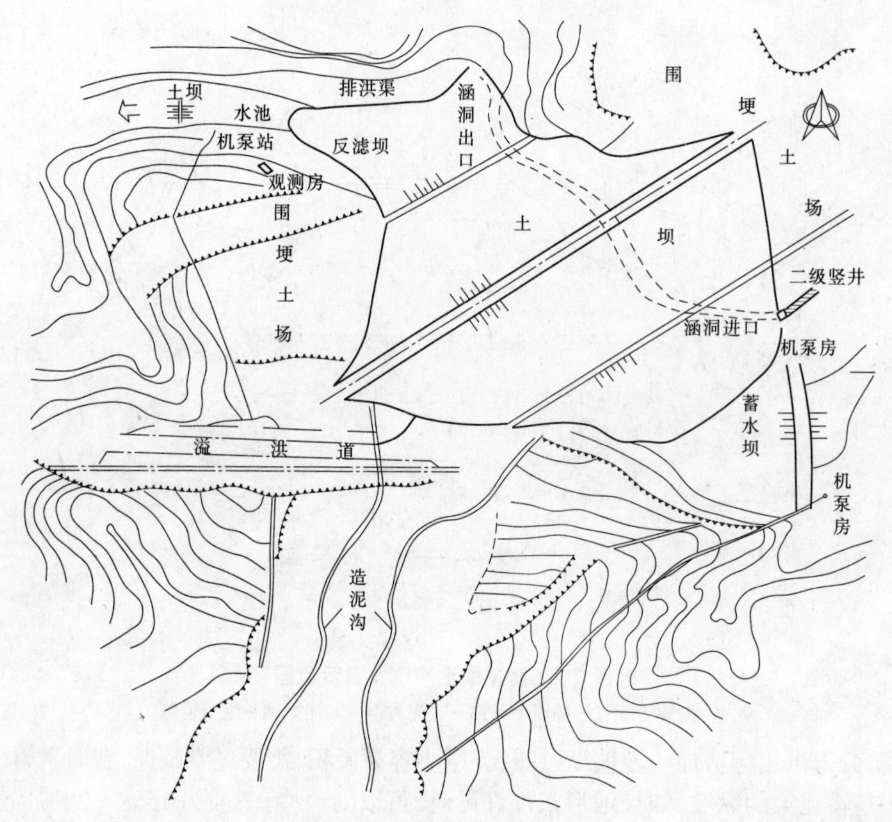

图 7-3　桃儿嘴水库工程总布置图

一定距离，以免冲坏或挤坏围埂。在汛期冲填施工时，输泥渠内要设置退水口，与排水渠连通，防止土场雨水进入坝面。

广东省和广西壮族自治区等南方省(区)，冲填土料大多是砾质黏土，土层较薄，颗粒较粗。一般采用多泥沟、陡坡度、大流量冲填造泥。造泥沟布置得较密，造泥沟和输泥渠的纵坡很陡，一般为 25%～40%，特别是输泥渠的出口段，坡度更陡。冲填水源流量较小时，多采用土场建池，蓄一段冲一段。广西壮族自治区藤县白石水坠坝土场布设如图 7-4 所示。

六、道路布设

土场中机械和人工运土道路要分开布设，与造泥沟、输泥渠及溢洪道等建筑物不宜交叉。人工运土要分上、下道，重车下行，轻车上行。用推土机筑埂时，宜顺泥流方向推土，这样重铲下坡，省力省油，又节省筑埂土方。随着边埂的升高，

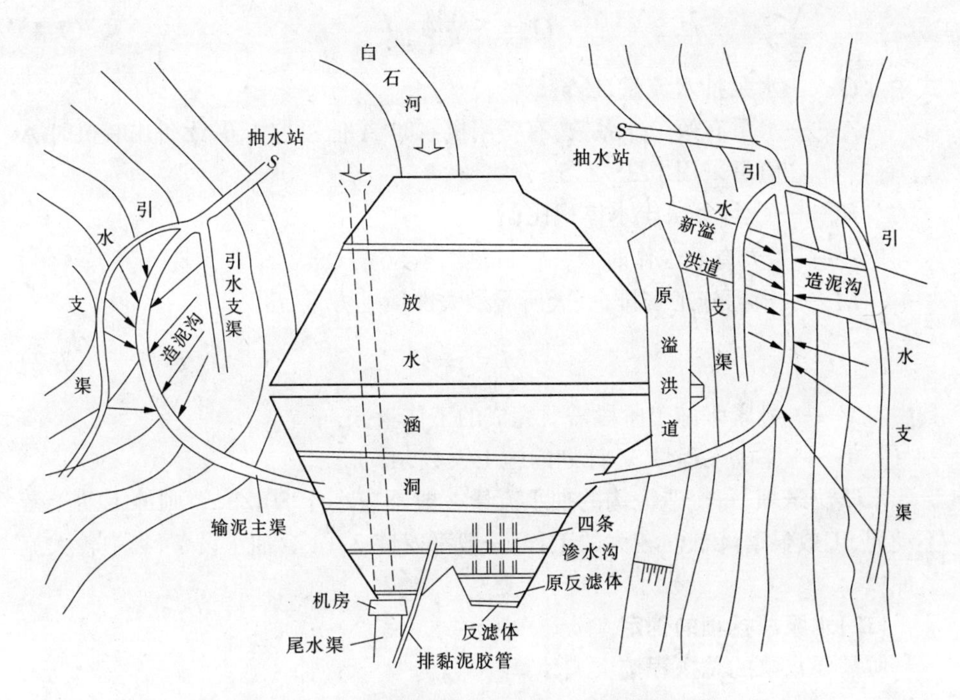

图 7-4　广西藤县白石水坠坝土场布置示意图

运土道路也要抬高。推土机的推土路线要顺直平缓，坡度一般不应超过 20°，不能有急弯、陡坡，以保证行车安全。

第四节　冲填机具的选择与安装

冲填机具的选择，主要是合理确定水泵的参数，以求最大限度地发挥设备的冲填效率。水泵扬程应根据土场位置高低和输水管道长度、直径、水头损失等确定。采用水枪施工的工程，水泵还应满足冲土水枪的压力要求。

一、机泵选型

(一)水泵流量的确定

抽水泵站虽属于水坠法筑坝的临时设备，但却直接影响工程的进度和造价，应慎重选择。泵站装机的大小由需要的抽水流量和扬程决定。而抽水流量应综合考虑工程量、工期、冲填速度、劳力配备和施工方案等因素后计算确定。水泵的抽水流量按下式计算：

$$Q = \frac{AM}{3.6K_n t} \tag{7-1}$$

式中 Q——水泵抽水流量,L/s;

A——水泵有效工作系数,有备用机泵时 A 值可取 1.0,无备用装机时 A 值可采用 1.2~1.5;

K_n——设计泥浆土水体积比;

t——一天有效工作时间,h;

M——根据施工安排,一天所需最大冲填土方量,m^3/d。

$$M = \frac{V}{T} \tag{7-2}$$

其中 V——最紧张施工阶段需要完成的工作量,m^3;

T——完成工程量 V 计划的施工天数,d。

水坠法筑坝,每个造泥沟的抽水流量一般不应小于 30t/h,否则冲不动土带不动泥,工效显著降低。较大的工程,一般都安装 2~4 套抽水设备,集中较大流量冲填。

(二)水泵总扬程的确定

所需要水泵的总扬程按下式计算:

$$H_{总} = H_{净} + H_{损} \tag{7-3}$$

式中 $H_{总}$——水泵的设计总扬程,m;

$H_{净}$——水泵的净扬程,m;

$H_{损}$——水泵的水头损失扬程,m。

(1)净扬程。净扬程是水泵实际抽水的高度。当抽出的水流为空中出流时,净扬程等于抽水时的水源水面到出水口中心线的垂直高度,可用仪器实地测出。

(2)损失扬程。损失扬程是水泵在抽水时水流通过滤网、底阀、弯头、水管及闸阀管路时,由于摩擦阻力而产生的水头损失。这部分损失可利用管道附件折合直管长度表(见表 7-3)和 100m 直管损失扬程表(见表 7-4)求出。粗略估算时,可把净扬程乘以 0.2 作为扬程损失。

根据已算得的水泵抽水量和水泵需要的总扬程,选配水泵型号和相应的动力设备及管道。水坠筑坝,一般宜采用一级抽水,如抽水扬程过高或受当地机泵型号限制时,也可两级或多级串联抽水。采用水枪冲土时,在水泵总扬程中,还需加水枪冲土所需压力,一个大气压力约相当于 10m 扬程。有条件的工地,都应有备用机组,保证冲填工作顺利进行。有电源的地方,宜选用电动机,管理简单,操作方便,运转稳定,故障少,成本低。无电源的地方,一般用柴油机,机械设备也比较简单,多缸柴油机运转也很稳定,只是冲填单位土方量的抽水油费要比电费高。目前常用的机泵性能及配套设备见表7-5。

表7-3 管道附件折合直管长度 (单位:m)

项目	管 径 (mm)							
	50	75	100	125	150	200	250	300
带滤网底阀	9	14	21	28	35	52	70	90
无底阀滤网	3	5	8	11	14	20	26	34
逆止阀	2	3	5	7	9	11	14	17
90°弯头	0.2	0.4	0.6	0.8	1	1.2	1.6	2
45°弯头	0.1	0.2	0.3	0.4	0.5	0.6	0.8	1
闸阀	0.1	0.2	0.3	0.4	0.5	0.6	0.8	1

表7-4 100m直管损失扬程 (单位:m)

流量 (L/s)	管 径 (mm)			
	75	100	125	150
7.0	7.08	1.56	0.48	
7.5	8.12	1.79	0.55	
8.0	9.25	2.04	0.62	
9.0	11.70	2.59	0.79	
10.0	14.50	3.19	0.97	
11.0	17.40	3.84	1.18	
12.0	20.80	4.60	1.40	
13.0	24.50	5.38	1.65	0.62
14.0	28.40	6.25	1.91	0.72
16.0	37.20	8.18	2.50	0.94
18.0	47.00	10.30	3.15	1.19
20.0		12.70	3.90	1.47
22.5		16.20	4.93	1.86
25.0		20.00	6.08	2.29

续表 7-4

流量 (L/s)	管径 (mm)			
	75	100	125	150
27.5		24.10	7.39	2.77
30.0		28.60	8.75	3.30
32.5		33.70	10.30	3.88
35.0		39.00	11.90	4.50
37.5			13.70	5.15
40.0			15.60	5.85
42.5			17.60	6.63
45.0			19.70	7.45
47.5			21.80	8.30
50.0			24.30	9.20
55.0			29.40	11.10
60.0				13.20
65.0				15.60
70.0				18.00

注:(1)此表根据简化的巴甫洛夫斯基公式计算而得;

(2)管子使用10年后,损失扬程增加20%。

二、机泵安装

机泵的安装是一项非常细致的工作,安装得好坏,关系到施工安全、机泵寿命和工作效率。机泵基础要平整坚实,安装位置要准确,基座连接要牢固,避免开机时发生强烈震动而损坏机件。小机小泵,多采用木框架基础;大机大泵,须采用混凝土基础。

表 7-5　水坠筑坝常用机泵性能及配套设备

水泵名称	水泵型号	流量(m^3/h)	扬程(m)	转数(r/min)	电动机功率(kW)	效率(%)	允许吸上真空高度(m)	叶轮直径(mm)	泵的重量(kg)	配套水管最小直径(mm)
分段式多级离心泵	3DA－8×8	25～39	100～76	1 450	20	61～60	7.5	204	430	75
	3DA－8×9	25～39	112～85	1 450	20	61～60	7.5	204	474	75
	4DA－8×3	36～72	51～42	1 450	20	52～68	7.0	232	325	100
	4DA－8×4	36～72	69～57	1 450	20	52～68	7.0	232	378	100
	4DA－8×5	36～72	86～71	1 450	28	52～68	7.0	437	378	100
	4DA－8×6	36～72	103～85	1 450	40	52～68	7.0	437	498	100
	4DA－8×7	36～72	120～99	1 450	40	52～68	7.0	437	556	100
	4DA－8×8	36～72	137～113	1 450	40	52～68	7.0	437	556	100
	4DA－8×9	36～72	155～128	1 450	55	52～68	7.0	672	556	100
	5DA－8×3	72～126	69～54	1 450	40	68～67	6.5	266	418	125
	5DA－8×4	72～126	92～72	1 450	40	68～67	6.5	266	489	125
	5DA－8×5	72～126	115～90	1 450	55	68～67	6.5	266	561	125
单级悬臂式离心泵	3BA－6	30～70	62～44	2 900	20	55～64	7.7～4.7	218	116	75
	3BA－6A	30～60	45～30	2 900	14	55～59	7.5～6.4	192	116	75
	3BA－9	30～55	35～29	2 900	7	62～68	7～3	168	50	75
	4BA－6	65～135	98～72	2 900	55	63～66	7.4～4	272	138	100
	4BA－6A	65～125	82～61	2 900	40	63～66	7.1～4.6	250	138	100
	4BA－8	70～120	59～43	2 900	28	64～66	5～3.5	218	116	100
	4BA－8A	70～109	48～36	2 900	20	67～65	5～3.8	200	116	100

续表 7-5

水泵名称	水泵型号	流量 (m^3/h)	扬程 (m)	转数 (r/min)	电动机功率(kW)	效率 (%)	允许吸上真空高度(m)	叶轮直径 (mm)	泵的重量 (kg)	配套水管最小直径(mm)
B 型离心泵	3B57	30	62	2 900	17	54.4	7.7	218	70	
	3B57	45	57	2 900	17	63.5	6.7	218	70	
	3B57	60	50	2 900	17	66.3	5.6	218	70	
	3B57	70	44.5	2 900	17	64	4.7	218	70	
立式多级离心泵	80DL12×7	34.6	79.8	2 950	13					
	80DL12×8	34.6	91.2	2 950	17					
	80DL12×9	34.6	102.6	2 950	17					
单级双吸式离心泵	6Sh－6	126～198	84～70	2 900	55	72	5	251	150	150
	6Sh－6A	111～180	67～55	2 900	40	68～70	5	223	150	150
	8Sh－6	180～288	100～82	2 900	100	60～86	4.5	282	309	200

注:1kW＝1.36 马力,1 马力＝0.736kW。

三、管道安装

吸水管路严禁漏气漏水，否则将使抽水机效率降低或停止工作。吸水管不宜太长，其断面应大于或等于抽水机进口断面，以减少管路水头损失。不同口径的水管，可采用锥形渐变管连接。渐变管的长度应为大小管径之差的7倍，即$L=7(D-d)$。

抽水机的进水口避免直接与弯管连接，以防止水流进入叶轮时分布不均匀而影响效率，应采用不小于进水口直径2倍长度的短管接于抽水机进水口与弯管之间。

靠近抽水机的输水管应有支撑，不能让抽水机承担水管重量。

在输水管和水泵连接处，必须安装逆止阀门，防止停机时管道回水使水泵叶轮倒转而损坏水泵。

输水管道的布设应力求顺直，避免急弯和曲折。管道一般就地形坡度铺设，如坡度过陡时，可挖沟槽放管，以求稳固。管道跨越冲沟、陡崖时，应加支撑和拉绳。管子的接口，应加垫圈，防止漏气漏水。

在紧法兰时，应慢慢地上下左右交替旋紧，否则也会漏气或使法兰裂缝。

输水管材，目前多用钢丝胶管、维尼龙管、塑料管、铸铁管或钢管等。抽水扬程低于50m时，可用胶管和铸铁管。扬程高于50m时，下部用钢管以承受较大压力，上部用胶管或维尼龙管，移动方便，适应土场变化的要求。如果冲填土场高低变化很大时，可先使用低土场，随土场上移而增接管子。也可将管道一次铺到最高土场处，在低土场安设阀门、三通和支管，做到低土低冲，高土高冲，以减少扬程，增大流量，节省抽水费用。

第五节　施工总进度

编制施工总进度时，应根据当地国民经济发展需要，采取积极有效措施满足主管部门或业主对施工总工期提出的要求。如果确认工期要求过短或过长、施工难以实现或代价过大，应以合理工期报批。

一、工程建设的阶段划分

(一)工程筹建期

工程筹建期是指工程正式开工前由业主单位负责筹建对外交通、施工用电、通讯、征地、移民以及招标、评标、签约等工作，为承包单位进场开工创造条件所需的时间。

(二)工程准备期

工程准备期是指准备工程开工起至河床基坑开挖或主体工程开工前的工期。所作的必要准备工程一般包括:场地平整、场内交通、导流工程、临时建房及施工工厂等。

(三)主体工程施工期

一般从基础处理开始,至工程竣工为止的期限。

(四)工程施工总工期

工程施工总工期为工程准备期与主体工程施工期之和。

需要说明的是,并非所有工程的三个阶段均能截然分开,某些工程的相邻两个阶段的工作也可交错进行。

必须尽快完成主体工程开工前的必要准备工作,才能保证主体工程高速度、高质量施工。

主体工程施工期是控制施工总工期和工程效益的决定性环节。必须综观全局、统筹兼顾,处理好各施工阶段的衔接,妥善协调前一工序和后一工序、内部与外部、现场与后方之间的关系,力求做到工期短、施工均衡、资源需求平衡。工程尽快竣工扫尾是提高建设效益、减少工程投资的重要环节,应紧凑安排。

二、施工总进度的编制原则

(1)严格执行基本建设程序,遵照国家政策、法令和有关规程规范。

(2)力求缩短工程建设工期,对控制工程建设总工期或受洪水威胁的工程和关键项目应重点研究,采取有效的技术和安全措施。

(3)施工进度应与施工总体布置相协调,确保整个工程施工前后兼顾,互相衔接,避免或减少干扰。

(4)施工总进度应考虑雨季施工等因素的影响,适当留有余地。

(5)尽量避免跨汛施工,不可避免时应将防汛坝高作为施工进度的控制性因素,确保汛前坝体填筑达到防汛坝高。

(6)采取平均先进指标,对复杂地基或受洪水制约的工程,宜适当留有余地。

(7)在保证工程质量和施工总工期的前提下,充分发挥投资效益。

(8)单项工程施工进度应服从施工总进度的安排。单项工程施工进度既是施工总进度的构成部分,又是编制施工总进度的基础;既应服从总进度的整体安排,又能通过各单项工程施工方法研究,为合理调整施工总工期提供依据。

施工总进度的表示形式可根据工程的不同情况,分别采用横道图、网络图和斜线图来表示。横道图具有简单、直观的优点;网络图可从大量工程项目中表示控制总工期的关键路线,便于反馈和优化;斜线图易于体现流水作业。

三、合理安排水坠坝工期

(一)提前做好进度计划的编制

水坠法筑坝的工期安排,在很大程度上决定着坝体质量和工程的成败,某些方面比碾压坝要求更为严格。碾压坝只要能保证施工质量,坝体填筑速度一般不受限制。水坠坝则不然,如果冲填速度过快,有可能产生较大位移、鼓肚或滑坡等事故,因此坝体上升速度受到一定限制。水坠坝施工应该早计划、早安排、早动工,以掌握修建工程的主动权。

(二)严格执行进度计划

应避免前松后紧,临汛突击。计划在下一年汛前拦洪的工程,宜在前一年汛后就开工。应尽量拉长冲填时间,降低冲填速度。北方地区修筑水坠坝,宜在汛期结束前就修好导流涵洞,汛后马上动工,拦蓄水源、修筑围埂,力争在大冻以前完成一部分坝体冲填方量。大冻后停冲而不停工,此期间要集中力量开石备料、修筑反滤坝等石方工程或开挖溢洪道、修筑较大围埂,为春季早日冲填创造有利条件。根据建设工程经验,只要工期安排得当,各方面工作配合及时,两个汛期之间冲填 30m 左右的高坝是有把握的。

(三)合理确定冲填速度和冲填方式

应根据冲填方量和工期来确定冲填速度和冲填方式,要因地因时制宜地安排各项工作,制定出切实可行的施工进度计划,保障如期完工。在工程安排上要坚持为冲填创造有利条件的原则,其他建筑物施工切勿干扰冲填工作。由于围埂修筑工效远比冲填工效为低,往往筑埂赶不上冲填,要首先满足筑埂所需的劳力和机械,以加快筑埂进度。筑坝是与洪水争取时间的工程,时间性很强,要赶在汛期洪水来临之前完成预定的工程任务,否则工程施工将有可能受洪水威胁并导致工程建设遭受损失。

(四)积极推广和应用先进施工技术和机械

水坠坝工程应尽可能采用先进的施工技术和先进的施工机械,最大限度地提高劳动生产率。围埂施工方法和碾压坝相同,分挖、装、运、卸、铺、压六道工序,要十分注意各工序间的衔接,协调配置好劳力和施工机具。有条件的工地,尽量用推土机直接推土上坝,用机械碾压。松土造泥,宜采用爆破松土,水枪冲土,人工加土,以保证浓度,提高工效,节省劳力,缩短工期。

四、水坠坝施工的劳力组合

水坠法筑坝工程需用劳动力较少，但仍要合理组织，避免窝工。土料为轻、中粉质壤土，计划一年左右时间完成的较大型水坠坝工程，除配备适当施工机械外，修筑坝体所需的劳力，可按1 200～1 500m^{3}土方配备一个劳力，其他建筑物所需劳力另行配置。小型水坠坝工程，可按800～1 000m^{3}土方配备一个劳力。对于拦洪任务紧迫的工程，汛前应适当增加劳力。造泥冲填的劳力可按水泵出水量、土料性质、冲填速度和松土措施等条件具体计算确定。冲填土料为沙壤土或轻、中粉质壤土时，水泵每小时出水量30～50t，需配备造泥劳力15～25个；水泵每小时出水量50～80t时，需配备造泥劳力20～30个。

采用爆破松土、水枪冲土或用推土机等向造泥沟供土时，造泥劳力可适当减少。用黏性较大的土料冲填筑坝，造泥劳力需要适当增加。一般水坠坝工程，围埂土方只占坝体土方的15%～25%，而占用劳力却为冲填劳力的3～4倍。所以要妥善安排筑埂和造泥的劳力比例，使二者相互适应。

中小型水坠坝工程，一般度汛问题不大，多采用冲填专业队和临时突击相结合的形式施工。有的把冲填筑坝和冲填造地结合起来，做到坝成地起，当年受益；有的把冲填筑坝和农业生产穿插进行，专业队修筑围埂，冲填时组织较多的劳力造泥，冲冲停停，有利坝体脱水固结；还有的一沟两坝或一梁两沟双坝同时开工，坝与坝轮流冲填，这样既不误工，坝体脱水固结又好、质量也高。

第八章　工程施工

水坠坝的质量,不仅关系到工程的安危,还影响着下游人民生命财产的安全。因此,必须十分重视施工质量和施工安全,精心施工以达到设计要求。工地要建立健全施工技术岗位责任制度,设立质量检查组织,配备必要的质量检查人员与仪器设备,保质保量地完成工程建设任务。

第一节　施工筹建与准备

一、主要工作

(一)业主单位的主要工作

工程筹建期,业主单位应完成对外交通、施工用电、通信、征地、移民、淹没补偿以及招标、评标、签约等工作,做好淹没损失的补偿工作,与地方政府和群众达成一致意见,为施工单位进驻施工现场创造条件,避免施工受阻,贻误工期。

(二)施工单位的主要工作

(1)施工单位应尽快完成场地平整、场内道路修筑、临时工棚建设等准备工作。

(2)施工单位应做好施工用水拦蓄和冲填机具安装等工作。

(3)应按进度计划如期完成导流工程施工,及时进行验收;施工期间应保证导流建筑物和泄水建筑物的正常运用,加强水文、气象的预报工作,并考虑非常情况下的临时处理措施。

(4)应对勘测设计单位提交的平面控制点、高程控制点、主要建筑物方向桩和起点、坝址附近地形图等有关测量资料进行复查和校测,并补充不足或丢失部分;应按照设计图进行施工放线,坝体断面放线应考虑预加沉降量。

二、积蓄冲填用水

水是水坠法筑坝的基本施工条件之一,必须提前做好蓄水工程,保证冲填用水。在坝体冲填施工期间,需要的总水量约等于冲填坝体的总土方量。水可以一次蓄足,也可视水源情况边蓄边用。根据各地经验,蓄水的方式有以下几种:

(一)蓄积常流水

沟内常流水是冲填筑坝的基本水源,要设法蓄积备用。水量小时,要提前拦蓄,积少成多,小蓄大用。

(二)拦蓄汛末洪水

坝址附近的清水流量不能满足冲填需水要求时,应不失时机地拦蓄汛末洪水。在北方干旱缺水地区,一般 9 月中、下旬即可修筑临时蓄水坝拦洪蓄水。在修筑临时蓄水坝时,应注意以下几点:

1. 蓄水坝可作为水坠坝坝体的一部分

临时蓄水坝可作为水坠坝的上游边埂,成为水坠坝坝体的一部分。这就要求临时蓄水坝的迎水坡率和水坠坝的设计迎水坡率相一致,蓄水坝的顶宽应等于设计上游边埂的宽度。坝前直接蓄水,可节省土方量和投工,缩短抽水站上水管道的长度。但坝体底部经常浸于水中,对冲填泥浆脱水固结不利,边埂洇湿后抗剪强度降低。因此,对于比较重要的以水库方式应用或筑坝土料黏性较大的水坠坝工程,临时蓄水坝和水坠坝宜分开修筑。

2. 临时蓄水坝的库容

由临时蓄水坝形成的蓄水库容,应能满足一个阶段冲填用水的要求。临时蓄水坝应和导流工程结合使用。如果临时蓄水坝的库容较小,而汛末洪水较大时,应设临时溢洪道。

3. 临时蓄水坝的质量要求

临时蓄水坝要碾压密实,要求干容重达到 $1.5t/m^3$ 以上。特别是临时蓄水坝作为上游边埂时,更应特别注意压实质量。在水坠坝施工期间,临时蓄水坝应保证不漏水、不滑塌、不漫顶、不垮坝。

(三)拦蓄消冰水

北方寒冷地区,经过冬季冰冻和降雪,春季消冰水较大,拦蓄后可用于冲填筑坝。计划拦蓄消冰水时,宜在秋末修建蓄水坝。在冬季和初春破冰修筑蓄水坝时,要特别注意坝基防渗处理和坝体与岸坡的结合,防止漏水、穿洞而垮坝。

(四)从上游自流引水

如果冲填土场附近有灌溉渠道,沟壑上游有蓄水工程或较大泉水时,只要高差许可,可自流引水冲填,以节省抽水设备和投资。也可先引后抽,减低抽水扬程。

(五)多蓄备用水

上游或支沟蓄水工程应提前加高加固,尽可能多蓄水备用。如果蓄水工程离坝址较远,河床渗漏严重,小流量放水送不到抽水地点时,可采用大流量、短历时集中放水,以供冲填用水。

(六)向邻沟调水

建坝沟内无水或水源不足而邻沟有水时,如果沟梁相对高差不大,抽水设备扬程许可的话,可以隔沟抽水冲填。山梁较薄时,可打洞引水。

亦可利用坝址附近水井、蓄水池、截潜流工程等作为备用水源。

第二节　基础处理

坝基和岸坡是土坝的隐蔽部分,与坝体结合得好坏,将直接影响坝体的安全。因此,在土坝填筑之前必须及时妥善地进行坝基和岸坡处理,以免造成难以补救的隐患。

坝基透水虽对冲填坝体脱水固结有利,但在蓄水运用时对防渗不利。施工时要根据水坠坝的重要程度和运用条件全面考虑,统筹兼顾。

坝体与坝基、岸坡的接触面是一个薄弱环节,处理不好,水流最容易从此渗透而造成坝体破坏。另外,在岸坡处由于填土厚度不一或变坡部位,容易产生不均匀沉陷而引起裂缝。水坠坝在施工期间,虽具有泥浆无处不到、无孔不入能灌注缝隙的作用和坝体含水率高、塑性大、对变形适应性较强的特点,但在泥浆脱水固结过程中沉陷量较大,岸坡和冲填体之间容易形成间隙,特别是黏性土料更是这样。如对坝基、岸坡处理不当,坝体将可能发生裂缝、渗流,以致管涌破坏。山西省离石县以水库方式应用的吴城水坠坝,坝高30m,总库容1 700万m^3,坝基为8~18m沙卵石冲积层。施工时上游未修铺盖,坝基也未采取防渗措施,结果蓄水18m时,坝下渗流量达80L/s,渗流水的含沙量达1/10 000,形成管涌。经坝脚铺砂厚5m、宽15m、长150m处理后,仍只能低水位运用。

以水库方式应用和以拦泥淤地为主的水坠坝的用途、运用条件不同,因而坝基和岸坡的处理方法与要求也不完全一样。根据水坠坝的特点归纳为以下几个方面。

一、清基

对以拦泥淤地为主和一般小型以水库方式应用的水坠坝,只需将坝基、岸坡的杂草、树根、乱石、淤泥、腐殖质和风化坡积土清除干净。如有陷穴、裂隙、破碎带、坟墓、古阱、试坑等隐患时,要探明情况,开挖后用黏土夯实回填。以拦泥淤地为主的水坠坝工程,也可用水土体积比为4:6的胶泥土分次灌浆处理。

二、岸坡处理

(一)削坡

在任何情况下,坝体与岸坡结合应采用斜面连接,不得将岸坡清理成台阶式,更不允许有陡崖和倒坡。否则,在坝体沉降过程中泥浆很容易沿陡崖产生剪切裂缝,在倒坡处泥浆脱水固结产生脱空现象,这对坝体安全都非常不利。

以水库方式应用的水坠坝工程,一般要求石岸不陡于1:0.5~1:0.75,土岸不陡于1:1~1:1.5。中小型以拦泥淤地为主的水坠坝工程可稍陡一些。如果陡坡段太长,全部削坡土方量太大时,也可间隔或局部处理,在陡坡段下游开挖截流墙,切断渗流通道。

(二)边埂虚土的处理

水坠坝施工时围埂上土路线不固定,两级或多级倒土时,易在岸坡大面积堆积很多虚土,冲填时应及时清除,使泥浆直接和已清理的岸坡接触,否则将造成隐患。

(三)岸坡结合槽

为了防止岸坡不均匀沉陷产生裂缝和绕坝渗流,可在岸坡上挖1~3道深1.0~1.5m、宽1.5~2.0m的结合槽。也可把岸坡小冲沟和输泥渠当结合槽使用,用冲填泥浆回填。岸坡若为风化严重的破碎岩层,应予清除。若为滑坡土体时,应结合筑埂或冲填进行清理。较大的以水库方式应用的水坠坝工程,岩石岸坡削坡后、冲填前,应将岩面冲洗干净,然后刷3~5mm厚的黏土泥浆,以利结合。有条件的工地,宜在紧靠岩石岸坡处,用人工填土夯实1.0m左右,干容重不小于1.5t/m^{3}的结合带。特别在岩石结合面处,大型机械难以碾压的部位,应采用人工或蛙式打夯机仔细夯实。

三、坝基处理

(一)黄土台地的处理

对于坐落在黄土台地上的坝基或岸坡,修建水坠坝时,一般不做预浸处理,靠冲填泥浆渗水使其湿陷压密。但据陕西省、山西省建设水坠坝的钻探资料证明,由泥浆渗水湿陷压密黄土台地的范围和深度是有限的。因此,较重要的以水库方式应用的水坠坝工程,仍应根据设计要求进行预浸处理,其方法有表层浸水法和配合钻孔注水的深层浸水法。浸水后土层饱和度不应低于0.8。黄土地基浸水处理的范围,应包括上下游坝脚以外坝高1/2的宽度范围。浸水处理后应立即冲填坝体，避免由于水分转移而影响压实效果。由于湿陷而产生的裂缝，用稀泥浆灌浆回填。

(二)砂砾石透水坝基处理

在砂砾石透水基础上修建以拦泥淤地为主的水坠坝时可不做坝基处理，以利冲填坝体排水。坝前淤积后，形成天然铺盖，不会造成坝基渗流和管涌。图8-1为采用水坠法修筑的青海省民和县沙坝沟骨干坝，坝基为1m厚的砂砾石透水层，修筑时对地基未作处理，建成后2年内，由坝前淤积形成的天然铺盖，防止了坝基渗漏及其可能造成的坝基渗透破坏。

图8-1　青海省民和县沙坝沟骨干坝

在砂砾石透水基础上修建以水库方式应用的水坠坝时，可采用前堵后排的方法，如果砂砾石层厚度不大时，在坝轴线上游按设计要求开挖一道或数道截水槽、槽深应挖至不透水层(黏土或基岩)以下0.5m左右，槽底宽2.0～3.0m，用黏土夯实回填；小型以水库方式应用的水坠坝也可用冲填泥浆回填，如图8-2所示。石料开采方便时，也有用浆砌料石或现浇混凝土的办法修筑截水齿墙，以防坝基渗流。对防渗要求较高的水库，如砂砾石层太厚挖至基岩有很大困难时，也可在上游加修黏土铺盖，铺盖长度为库区水深的5～8倍。铺盖前端(上游)厚度0.5～1.0m，铺盖后端与坝体连接处的厚度为库区水深的1/10，但不应小于2m。铺盖厚度应根据铺盖土料性质、坝高、淤积情况而定。黏性土、低坝、淤积快者，可薄一些，反之适当加厚。铺盖和坝身连接处，容易产生不均匀沉陷，应碾压密实。

(三)岩石坝基处理

坝基为不透水岩基时，可在坝轴线上游做浆砌料石或混凝土截水齿墙，防止

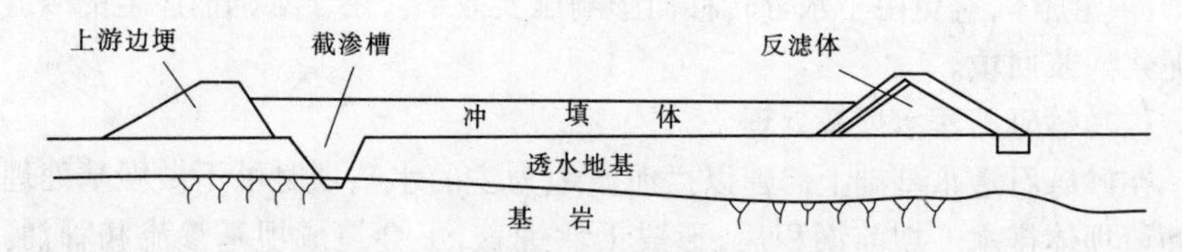

图 8-2　坝基前截后排处理施工布置图

沿岩面渗流。在坝轴线下游铺设排水褥垫，与坝体反滤体连在一起，以利坝体排水。

四、裂隙渗水和泉眼的处理

当坝基或岸坡有裂隙渗水或泉眼时，应详细查明岩石节理、裂缝发育程度、渗水量、渗水压力和泉眼大小等情况；采取针对性措施加以处理。其方法有以下几种。

（一）引流处理

按反滤要求铺设砂沟和反滤坝连接起来，将裂隙水或泉水引出坝外。

（二）堵塞处理

1. 直接堵塞法

小的泉水和无压裂隙水，可用黏土快速夯实压盖，也可用水玻璃（硅酸钠）掺水泥围堵，渗水范围从外向里逐渐缩小，直至最后封堵。水玻璃凝结速度快慢与配合比有关，一般采用水、水玻璃、水泥的重量比为 1∶2∶3，可根据具体情况配制。如果缺乏水玻璃，也可用 1∶1 或 1∶2 水泥砂浆，在其中掺入水泥重量 5%的苏打粉，以加速凝固。此种水泥砂浆也能在几分钟内凝固。堵塞的原则是先堵小后堵大，先堵高后堵低，先堵坝轴线上游后堵坝轴线下游。

2. 箱填堵塞法

如遇到承压水头较高或水量较大的泉水，可先在泉眼四周开挖 2m× 2m 的方坑，中间放一直径及高各约为 0.75m 的混凝土管，然后在管内设一直径 10～15cm 的铁管，混凝土管和铁管间填小石子，高为混凝土管的 3/4，在铁管末端连以水泵软管，抽吸泉水，混凝土管四周方坑填黏土，分层夯实，混凝土管顶段的 1/4 填水泥砂浆，待其硬化后，停止抽水，再将铁管口堵死，填平方坑，如图 8-3。如果水头很高，泉水可能从铁管中涌出来，这时可把铁管接高，直至管中水位稳定时，再将管口堵塞。

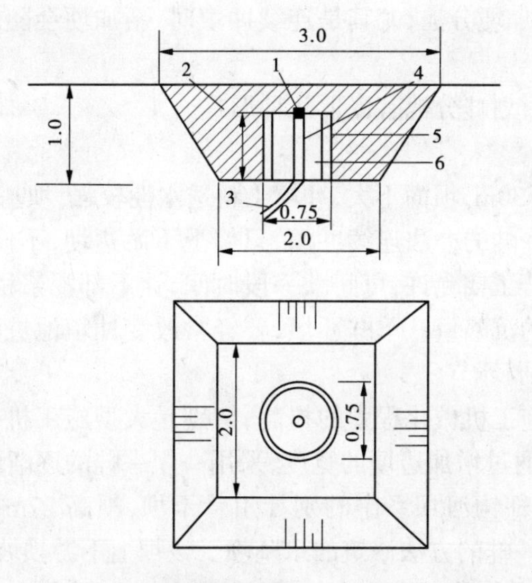

图 8-3　泉眼箱填堵塞法示意图　(单位:m)

1—管塞;2—水泥砂浆;3—泉眼;

4—ф0.1～0.15m 铁管;5—混凝土管;6—小砾石

第三节　均质坝施工

一、划畦与筑埂

为了达到设计坝坡的要求,应按设计断面和施工要求修筑围埂,将泥浆包围起来。由围埂和岸坡形成的池子叫冲填池。围埂分边埂和中间埂两种。修在上下游坝坡处的为边埂,边埂的外坡就是设计坝坡。边埂不仅起着控制坝形的作用,还起着挡泥阻滑和稳定坝体的作用,要保证有一定的宽度和施工质量。中间埂只起分畦挡泥作用,一般都用虚土修筑。冲填池划分的数目和围埂的宽窄、质量,直接影响水坠坝稳定、工效和造价,应慎重选定。

(一)划畦

划畦分池的目的是为了便于进行轮流冲填,使前后两层冲填泥浆有一定间歇时间,有利于泥浆水分的蒸发和排渗。

冲填池划分的多少,应根据坝高、冲填土料性质、冲填方式和其他施工条件而定。一般来说,坝高、坝面大、土性黏,划分的冲填池应多些。但也不宜过多,否则筑埂土方量增大,综合工效降低。分池的中间围埂应从坝基开始填筑。如在冲填泥面上临时加埂分池，尤其是连续冲填时，新加埂会随泥浆漂浮，一般很难稳定。

根据施工经验，划畦分池有以下几种形式。

1. 单畦

水坠坝高小于30m，坝面不大，冲填土料透水性较强，坝基、岸坡排水条件较好时，可采用一坝一畦的办法连续冲填，只修上下游边埂，不修中间围埂。冲填达到一定高度后，若工期允许，可间歇一段时间，让下部泥浆稍加脱水固结后再冲，以减少成坝后的沉陷量。单畦冲填，要经常改变冲填池进泥口的位置，防止产生稀泥带造成薄弱环节。

近年来，随着施工机械化程度的提高，特别是大型施工机械的普及，一些坝高30m左右的坝，通过增加边埂的宽度，采用一坝一畦的逐渐增多。图1-6为甘肃省定西市安定区秤钩河坝系中的别杜川骨干坝，坝高27m，总库容90.68万m^3，即是采用一坝一畦的方法修筑的水坠坝。该坝上下游坝坡均为1∶3.0，上游边埂兼作施工期拦洪坝体，底部的上下游边埂宽度分别为50m和30m，坝体上部边埂宽度为18～22m。

2. 双畦

当水坠坝高为30～40m，坝面较大时，多采用双畦冲填，修一道中间埂。上下两畦泥面高差不宜大于5m，或加大中间埂的宽度，以防中间埂坍塌后泥浆串畦或流出坝外。有时，只在坝高的中部段分两畦，上部和下部为一畦。因为下部坝面虽宽，但顺坝轴方向较短，岸坡阻滑作用比较大，下部又有反滤坝，排水条件较好，故可不分畦，冲填速度也可快些。上部坝面比较窄小，一般都不需再分畦。但在中间开始分畦时，要停冲一段时间，待表层泥浆基本固结后再加修中间围埂。

3. 多畦

当坝高超过40m，坝面很大或冲填土料黏性较大，坝体排水条件差时，多采用一坝多畦轮流冲填。加多中间围埂增大了填土数量，但中间虚土围埂可吸去泥浆部分水分，对加快冲填坝体脱水有利。为了增大边埂阻滑能力，充分利用侧向蒸发脱水，可采用一坝三畦，两小一大，两高一低的办法布置畦块，如图8-4。先将两边小畦分层冲填筑高，使其提前脱水固结，形成强度较大的阻滑坝壳。中间大畦冲填速度稍大一些，也不会发生滑坡事故。也有将三畦布置成两低一高，两小一大(见图8-5)，即在上下游坝坡处划出两个小畦，中间留一个大畦。两个小畦低，冲填速度慢、脱水好、质量高。中间大畦高，利用围埂吸水和侧向蒸发，可以加快脱水。

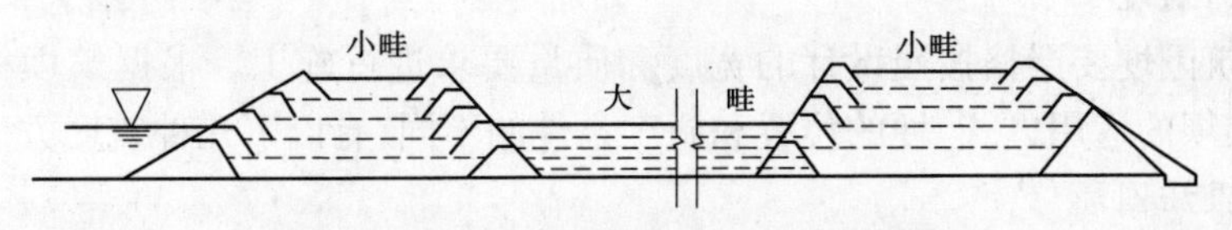

图 8-4　两小一大、两高一低冲填示意图

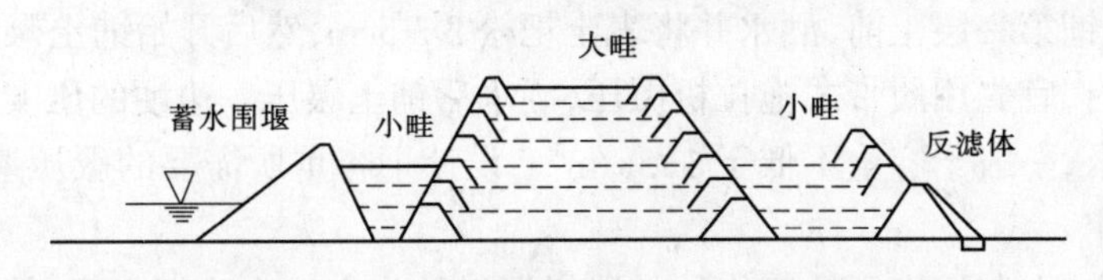

图 8-5　两小一大、两低一高冲填示意图

4.冲前留后法

为了拦蓄冲填用水,并为抢修拦洪断面创造条件,在前一年封冻之前,先冲填上游坝体到一定高度。如工期紧张,全坝汛前达不到拦洪高度时,可先集中完成上游拦洪断面,然后再冲填其他部分如图 8-6。在抢修拦洪断面时,因冲填速度较快,围埂应适当加宽,。在抢修拦洪断面时,也可优先冲填上游一畦,使其先达到拦洪坝高,下游各畦作为调节冲填池,坝面呈台阶形状,如图 8-7。这样畦与畦之间的泥面高差不大,中间围埂比较好修。拦洪断面下游的冲填池,因冲填速度较慢,脱水固结得较好,对整个坝体防渗有利。

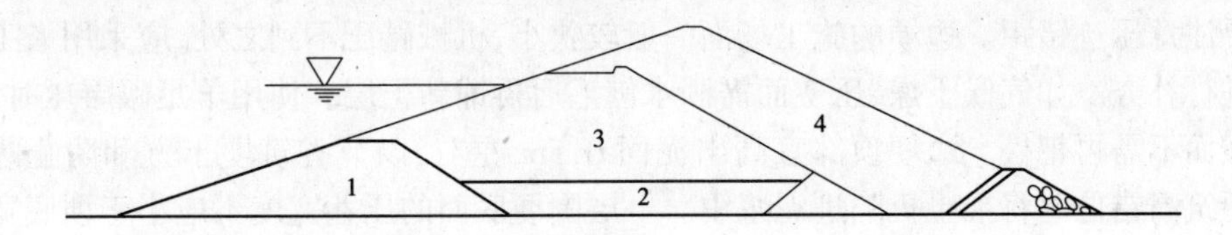

图 8-6　冲前留后法冲填示意图

1—头年秋冬冲填;2—来春消冻后冲填;3—汛前冲填(拦洪坝高);4—汛后冲填

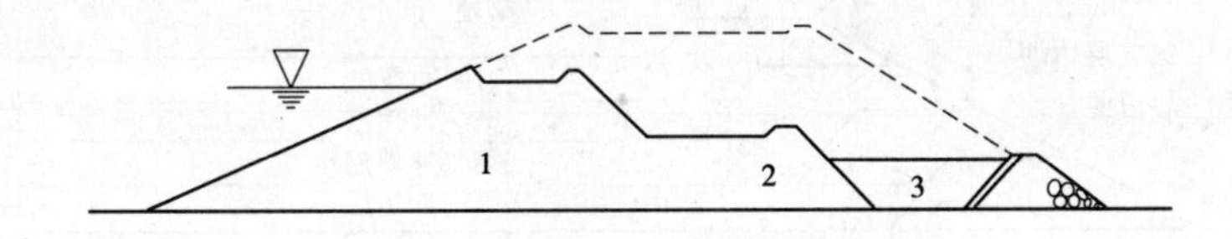

图 8-7　集中冲填上游池示意图

1—优先冲填池;2、3—调节冲填池

(二)筑埂

修筑围埂要严格按照设计的宽度和质量要求进行施工。根据筑坝材料、坝的高低、坝的运用方式、埂的位置和施工条件的不同,有以下几种筑埂方法。

1.碾压围埂

当水坠坝高超过15m或用黏性土料冲填筑坝时,应采用碾压边埂。坝基为土基时,在铺第一层土前,洒水并将表土耙松3～5cm,然后开始铺土碾压。坝基为砂砾石时,宜先用履带式拖拉机碾压,洒水后铺土碾压。边埂的压实质量应符合设计要求,一般干容重不低于$1.5t/m^3$。设计干容重所需要的碾压遍数,由实地试验确定。

近年来,在黄土高原地区修筑的以拦泥淤地为主的水坠坝工程,其边埂多采用机械上土和碾压。利用坝端岸坡土场筑埂时,多用推土机直接将土料推运至筑埂坝面。用推土机推土的运距一般不宜超过50m,否则会显著降低推土机的施工工效。坝面过长时,宜从两岸上土。应设法利用和改造地形条件,减少运土距离和高差。不宜采用高坡溜土,再倒运至筑埂坝面的施工方法,以防在坝肩岸坡结合部位形成虚土带,影响边埂与岸坡的结合;也不宜大落差溜土,以免造成土料水分损耗而影响边埂的碾压质量。用黏性较大的土料筑埂,宜使用羊足碾和气胎碾碾压。砂性较大的土料可采用履带拖拉机碾压。

采用机械碾压边埂时,埂顶宽度不应小于6.0m,每层铺土的厚度不应超过0.3m,碾压遍数要根据设计质量要求由试验确定。碾压路线宜平行坝轴方向,要注意压迹错距。边埂的施工场面一般较狭小,机械碾压不到之处,应采用人工进行补夯。如气候干燥,压实面需洒水刨毛后再铺新土层。使用羊足碾碾压时,坝面不需再耙松。边埂顶部宜高出泥面0.5m左右,以节省筑埂土方和防止边埂筑高错位时将推土机陷进泥浆中。上层围埂底面的压茬宽度不应小于埂底宽度的1/2～2/3(宽边埂要求2/3,窄边埂要求1/2),如图8-8。

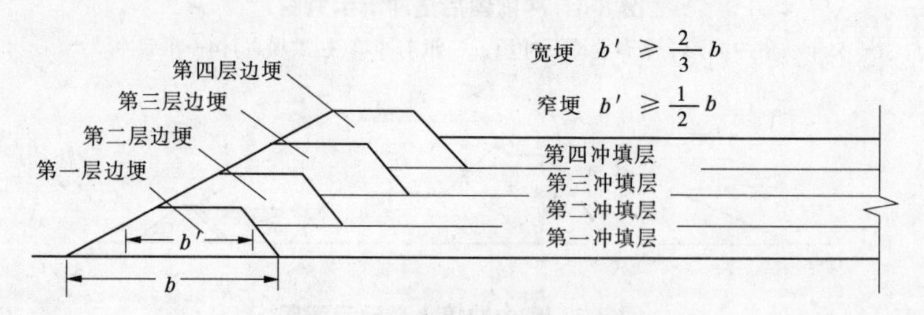

图8-8 边埂压茬错位示意图

2. 淤泥拍埂

利用砂性大、脱水固结快的土料冲填筑坝时，或在间歇冲填的情况下，可采用淤泥拍埂。即用铁锨将冲填池中已初步固结的淤泥挖出，一锨扣一锨地拍成围埂。由于无需运土和夯实，同时泥拍埂的断面较小，土方量少，工效较高。挖泥时应离开围埂 0.5～1.0m。拍埂时要注意泥块之间压茬错缝，使泥块联成整体不留孔隙。拍一次埂冲一层泥，间歇一段时间，分畦交叉进行。一次筑埂高度随一次冲填厚度而定，一般为 0.5～1.0m，埂顶宽度 0.4～0.6m，如图 8-9。近年来在内蒙古自治区和陕西省榆林市修筑的水坠坝多采用泥拍埂的方法。如图 1-1 是陕西省横山县赵石畔小流域正在施工的艾好峁骨干坝，该坝即是采用泥拍埂的方法修筑边埂。待坝体脱水固结后，适当整修即可达到设计坝坡要求。

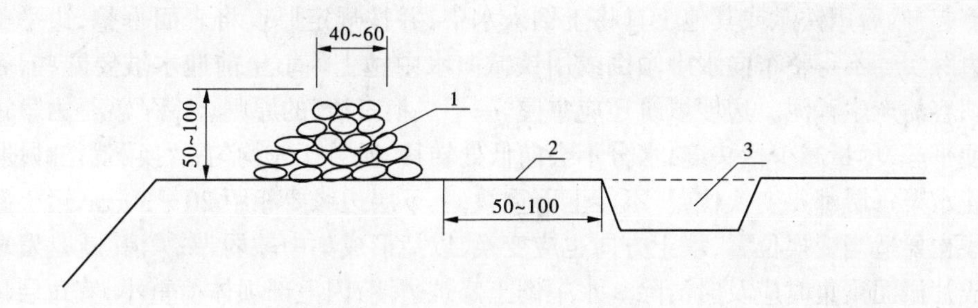

图 8-9　淤泥拍埂断面图　(单位：cm)

1—泥块；2—冲填池面；3—取泥坑

3. 虚土围埂

利用中、轻粉质壤土水坠法筑坝时，小型水坠坝的边埂和以水库方式应用的水坠坝的中间埂，多修筑虚土围埂。这种埂靠车压人踩将虚土稍加压实，虚土吸水后，发生湿陷，在上部荷重作用下得到压密。筑埂时，每层倒土厚度不应超过 0.5m。围埂的顶宽应能错开两辆架子车，一般不应小于 3.0m。有条件时，应从两岸上土，埂内不要埋进大的干土块和冻土块。层与层要搭接一定宽度，以减少边埂内侧裂缝。

4. 水中倒土筑边埂

如果边埂较宽，冲填速度要求不高，在施工期又不要求很快蓄水时，在缺乏碾压机具的情况下，边埂也可用水中倒土方法修筑。水中倒土法的土体压密原理和水坠法基本相同。其做法是：先分层修筑围埂，形成一定大小的畦块，向畦内灌一定的水量形成水池,再从水池一端逐步推进,向水池中倒土,使土在水中崩解,并在人和运土工具的踩压下重新组合,最后在上部坝体重量的压力下,通过排水固结,将土料压密形成边埂。

水中倒土法修筑边埂时,畦块大小一般为40~100m^{2}为宜,在1~2h内应将一个畦块填完。畦块的形状为正方形或长方形,其长宽比不宜大于2:1。围埂系用虚土修成,以不漏水为宜。埂顶宽度20~30cm,侧坡1:1,高度要高出灌水深度5~10cm,部分围埂高度可与填土厚度相等,作为控制填土层厚度的标准。灌水可用渠道或胶管引灌。灌水、倒土厚度和浸水的时间应由试验确定,以将下层土既能湿透而又不使含水率过大为宜。一般每层填土厚度30~60cm(指虚土厚度),运土工具重量大,压实能力强者填土厚度可厚些,反之则薄些。灌水和倒土厚度的比一般为1:2.5~1:4.0。浸水时间:轻、中粉质壤土0.5~1.0h,重粉质壤土1.0~2.0h,砾质黏土2.0~5.0h。向水池中倒土时,应从填土边缘倒起,然后用铁锨或其他工具将土倒入水中,并按规定厚度将表面平整,边平整边踩实。不得整车向水中倾倒或用铁锨向水中抛土。填土前迎水坡要陡些,否则容易产生稀泥。边埂填筑还应掌握"一平二换三清"的原则。"平"就是力争边埂平起,尽量减少接头缝,水分不会向低处转移,质量比较均匀;"换"就是畦埂、灌水渠每层都要变换位置,不能上下重叠,上下层边缘要相距20~30cm,运土路线也要适当变换位置,填土方向也应变换,以免形成集中软弱带;"清"就是发现成片淤泥聚集时应及时清除。水中倒土修筑边埂,因上部坝体荷重小,宜每层填土结束后,用履带拖拉机轻碾2~4遍,这对减少初期含水率,提高初期干容重,保证边埂填筑质量,具有明显的作用。

5.其他形式的围埂

当沟道狭窄,岸坡很陡,且系石质沟床时,可用定向爆破的办法,修筑下游底部堆石围埂。

砂砾料较多的沟道,也可用砂砾料修筑下游边埂。采用这种办法筑埂时,要做好堆石体和冲填体之间的反滤层。在气候寒冷的冬季不能冲填时,如有条件,可利用冬季农闲季节集中力量修筑上下游重力式大边埂,这样做虽然土方大、工效低、用工多,但为开春冲填打好基础,为整个工程赢得了工期。这种围埂坚固,冲填速度较快。

二、造泥与冲填

造泥与冲填是水坠筑坝的关键工序,应严格把关,确保施工质量和安全。

(一)松土造泥

松土是造泥的前提。要获得合乎要求的泥浆,首先必须搞好松土造泥工作。松土的办法有人工掏土、水枪冲土、爆破松土、推土机推土等多种形式。目前,骨干坝多采用推土机推土的方法施工,中小型水坠坝工程多采用人工掏土的方法供土。

1.造泥沟的布设

造泥沟宜采用窄深式断面,人工掏土时,造泥沟岸坡的坡度应在45°左右,掏出松动的土块能自动滚进沟内,避免两级倒土进沟。岸坡过缓时,可采取下切造泥沟底的办法造泥。

2.劳力组织

掏土造泥人员应均匀分散在造泥沟沿线,选择有利地形,各自为战,互相配合,互不干扰。掏土多采用自下而上的形式。低坎搜根自塌的办法掏土,崖坎高度不应超过1.0m,应使用长把柄掏土工具,以保证施工安全。

松土造泥需要连续进行,不能干干停停。造泥人员宜轮换休息,工作时精力集中,保证泥浆浓度均匀。

工程较大、劳力较多的工地,都有多个造泥沟,备土和冲填可以倒换使用。因机泵临时故障停水时,可向造泥沟跌坎以下备虚土,水流到时土能被冲走;但要避免在顺直段堆积虚土,因泥浆会像浆糊一样从虚土表层滑过,冲不走土却抬高了造泥沟沟底,对造泥冲填不利。

3.水量的调整

如果水泵出水量较小,可在土场适当部位修蓄水池,小蓄大冲,有控制地放水。在造泥沟内一般不要打小坝蓄水,因为这样容易形成泥浆稀稠不均。

4.防止稀泥进入坝面

在造泥沟末端,划定把关段,备足虚土,创造有利地形条件,发现泥浆过稀时,快速向沟里加土,确保进坝泥浆浓度。

5.做好土料储备

每天收工之前,造泥沟要备足虚土,次日一上工就能开始冲填。

(二)坝体冲填

坝体冲填应掌握早、稠、排、匀四个要点。即及早安排工程,力争早日开工,避免临汛突击;稠泥浆进坝,减轻坝体脱水负担;加强排水,促进坝体固结;泥浆质量均匀,避免出现薄弱环节。

泥浆进入冲填池后,形成扇形淤积面,逐步向前扩散。扇形淤积面前低后高具有一定坡度。泥浆稠、坡度大;泥浆稀、坡度小。一般黄土泥浆的坡度为

2%～3%，砾质黏土可达10%～15%。冲填泥面有一定坡度，便于稀泥浆向低处集中。若坝面很长，稀泥浆往往集中在冲填端的对岸，形成薄弱环节。若土场和冲填设备等条件许可时，宜两岸双向冲填。泥浆对流，两个扇形冲填面互相交错，这样坝面较平，质量较好，围埂也容易修筑。

若土场有几种含黏量不同的土料，应将含黏量小的土料冲填在坝体的下部，以利坝体脱水固结。即使黏性小的土料场位置较高，也要争取利用。或将含黏量不同的土料混合冲填，调整土料颗粒级配比例，使冲填坝体较易脱水固结。不得把黏性大的土料都集中冲填在坝体的中下部位，以免造成整个坝体脱水固结困难，后期施工被动。

有些水坠坝工程，两岸土场条件差异很大，如果河道主流靠近土场条件较好的一岸，大坝又采用分期施工暂不合龙时，可架设高空输泥槽跨河冲填。山西省方山县圪洞水坠坝，右岸土场土厚坡陡，适于冲填，但因主河槽阻隔，大坝合龙前不能在右岸冲填，而左岸土场山坡平缓，坡度多在10°左右，不便造泥冲填。为此，他们采用高空输泥槽跨河冲填，平均冲填工效达16m^3/工日，比在左岸冲填工效提高3倍多。输泥槽全长112m，纵坡13.8°，在泥槽进口处，设置泥浆调节池，通过控制漏斗，调节进槽流量，防止泥浆漫溢。槽内泥浆流速可达8.5m/s。高空输泥槽的形式如图8-10所示。

不论采用何种冲填方式，当即将到达设计坝高时，都应停冲一段时间，使泥浆充分脱水固结和沉陷后，再用碾压法封顶。封顶厚度一般为2～3m，干容重要达到1.5t/m^{3}以上，封顶时坝顶要求修平。用黏性大的土料冲填筑坝时，要特别注意不能急于碾压封顶，防止因封顶土体压力和碾压机械震动，增大泥浆侧向压力，造成滑坡事故。泥浆沉陷基本稳定后再封顶，还能避免坝顶发生沉陷裂缝。以水库方式应用的水坠坝的防浪墙，最好在运用一段时间后再修，以免因坝体不均匀沉陷而产生断裂现象。

三、爆破松土与水枪冲土

（一）爆破松土

水坠法筑坝，常采用爆破松土，以节省劳力。爆破松土只要求使土料松动坍塌，不必将土体抛掷很远，这很适应黄土易爆难抛的特点，远比定向爆破用药量少。根据山西省和广东省一些工地测定，每公斤黄色炸药可以松动黄土10～20m^3，红黏土5～15m^3，砾质黏土5～7m^3，石料1～3m^3。

爆破松土是在造泥沟上部选择崖高坡陡、岸坡完整，临空条件好的陡崖下面打眼放炮，下炸上塌，获得虚土。打眼放炮的方法：对装药量10kg以下的小炮，

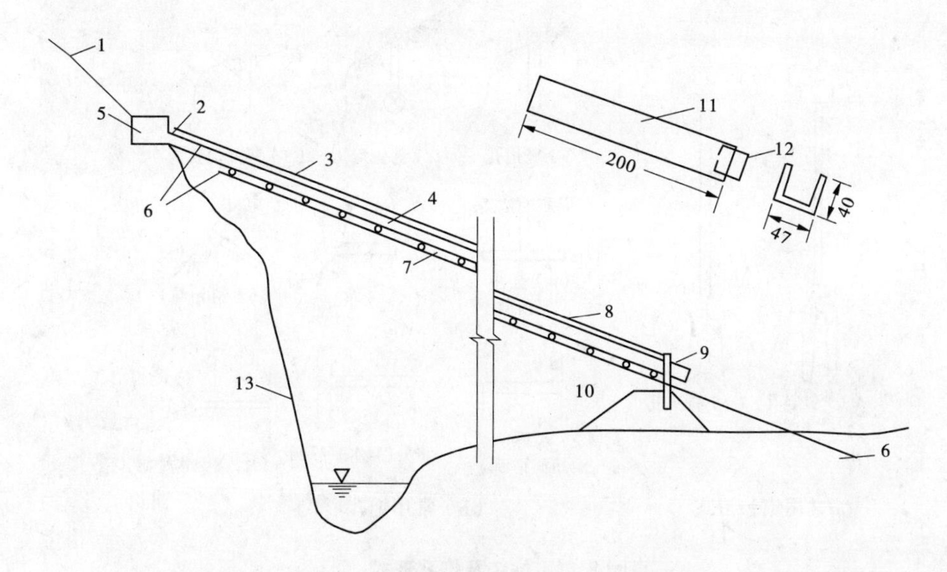

图 8-10　跨沟输泥槽示意图　(单位:cm)

1—输泥渠;2—泥浆控制漏斗;3—悬挂钢丝绳;4—输泥槽;5—调节池;
6—钢丝绳地锚;7—承重钢丝绳;8—木椽横撑(沿输泥槽每 1～2m 布设一根);
9—龙门架;10—围堤;11—分段槽身;12—搭接舌头;13—岸坡

多用炮铲掏孔装药,用导火线和火雷管起爆;装药量较多的炮,用人工打导洞,电力起爆。炮眼和导洞的形式有竖孔(井)和平孔(洞)两种。竖井炮孔是从爆破崖头的顶部从上往下打,装药回填方便,但打眼时出土困难。平洞炮孔是从爆破崖头下部与崖面垂直从外往里打,这种炮孔打洞出土方便,而装药回填困难。大爆破的炮孔,无论是竖井或平洞,到达设计深度以后,要向一侧或两侧挖一定长度的拐洞,将炸药装在拐洞内,这样可以一洞装两炮,节省打洞用工,提高爆破效果。一般孔径 10～20cm 的小炮孔,炸药不够集中,炮孔又浅,容易成"冲天炮",爆破效果不好。为了集中装药,可在炮眼打成后,先装入 0.1～0.2kg 炸药,不堵口爆破,以扩大炮眼底部药室,然后再装药爆破。打炮眼常用的炮铲及炮孔形式如图 8-11。

松动爆破的装药量,可按下式计算:

(1)斜坡地面或阶梯地形:

$$Q = 0.36KW^3 \tag{8-1}$$

(2)平坦地面或拉槽地形:

$$Q = 0.44KW^3 \tag{8-2}$$

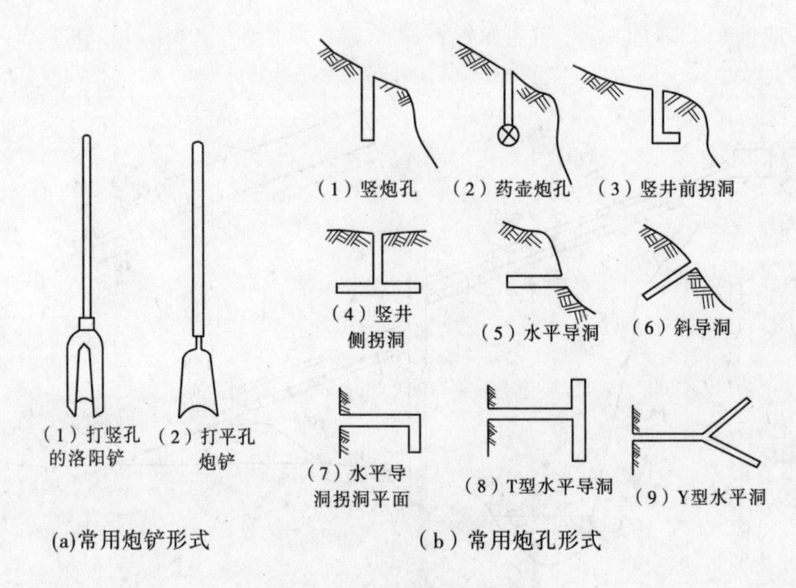

图 8-11 炮铲及炮孔形式

式中 Q——装药量,kg;

W——最小抵抗线,即药包中心到地面的最短距离,m;

K——爆破 $1m^3$ 土体的耗药量,与土壤类别、土壤物理性质有关,根据各地经验选用。

$$K = 0.4 + \left(\frac{\gamma}{2\,450}\right)^2 \tag{8-3}$$

式中 γ——土料的湿容重,一般黄土为 1 600~1 800kg/m^3,黏土为 1 700~2 000kg/m^3。

对于 K 值的确定,影响因素较多,根据一些工地试验资料,可参考表 8-1 选用。

表 8-1 单位爆破土体的耗药量 K 值

土壤或岩石名称	自然湿容重(kg/m^3)	K 值
砂质黄土	1 500~1 700	0.85~0.95
密实黄土	1 600~1 800	0.90~1.10
坚实黄土	1 700~1 900	1.00~1.20
软岩	1 800~2 200	1.10~1.40
次坚石	2 200~2 700	1.30~1.80
坚石	2 500~3 000	1.50~2.00

按上式计算的装药量,都是以爆力为 300ml 的一号露天铵梯炸药为标准。

如用其他种类的炸药,装药量需乘以换算系数。常用炸药的换算系数如表 8-2。

表 8-2　常用炸药换算系数

炸药种类	主要成分	容重(g/cm³)	爆力(ml)	换算系数
1 号露天铵梯	硝酸铵 82%,梯恩梯 10%,木粉 8%	0.8～1.0	300	1.01
1 号岩石铵梯	硝酸铵 83%,梯恩梯 14%,木粉 3%	0.95～1.05	350	0.85
2 号岩石铵梯	硝酸铵 85%,梯恩梯 11%,木粉 4%	0.95～1.05	320	0.95
4 号露天铵梯	硝酸铵 85%,木粉 15%	0.8～1.0	260	1.15
硝酸铵		0.86～0.97	220	1.35
黑炸药	硝酸钾 75%,硫磺 10%,木炭 15%	0.9～1.0		1.0～1.25
铵油炸药	硝酸铵加木粉加柴油,比例不等			1.0～1.2

水坠法筑坝,在刚开始冲填造泥时,为了能够迅速打开土场工作面,放炮规模可不受限制。当坝冲填到一定高度后,一般不应再放大炮。每炮装药量不宜超过 20kg,并尽可能离坝远些,以防因强烈震动,造成坝体裂缝或滑坡。多采用深孔小炮或小排炮松土,以提高爆破效果。装药放炮前,应对爆破器材进行认真检查。检查项目如火雷管外壳有无破损,导火线外包皮有无折裂,电雷管导电性能是否良好等。小炮装药,最好用防潮纸或塑料袋将炸药包好,将导火线头剪平,顺直地插入火雷管内。雷管放入药包中间,并将导火线固定在炮孔内。导火线不要拉得太紧,以防回填时脱落。大药包若用电力起爆,要在装药时制作专门起爆体,起爆体重量一般不小于 10kg。为了加大起爆效能,可在起爆电雷管周围加 3～5 个火雷管,用胶布扎紧,做成雷管束,放在起爆体中间。装药一半时,将起爆体放在药包中间,把电线拉出来,然后再把剩余的炸药装入,待炸药装完后,将起爆体的电线与炮洞里的电线接好,用胶布扎紧,固定在炮孔的适当位置上。回填炮孔时,靠近药包处要用干土,不宜猛捣重压。待回填一段距离后,再用湿土回填捣实。为了提高爆破效果,有些工地采用空室爆破方法,就是药室的体积大于药包体积的 3～5 倍,在回填时药包周围不填土,形成空室。由于药包周围有空气层存在,炸药燃烧充分,延长了爆破气体对药室周围的压力作用时间,增大了抛射方向的功率,增大了爆破坑的容积。据山西省隰县水土保持试验站的研究,采用空室爆破可提高爆破效果 30%～50%。

(二)水枪冲土

冲土水枪是水坠坝施工中用来开采、运送土料的一种机具。它配备有压力较大的水泵,使高压水流通过水枪圆锥形喷嘴射出,流速高达30～50m/s,对土体具有一定冲击和切割能力,能剥离土体或搜根坍塌。在冲土过程中,水土拌和成泥浆,自流到填土场地,用以筑坝、建库或造地。还可用在改河开渠、水库清淤、修建公路以及打炮眼等许多方面。

1.水枪冲土的优点

水枪冲土可把挖、装、运、卸、铺、夯碾等多道工序一次完成,具有很多优点:

(1)工效高。一台东风-4A型水枪与40kW电机和4 DA 8 × 8水泵配套,水枪出口压力达到8.0kg/cm^2,两人操作,每小时可冲土90～110m^3,相当于150人用架子车推土或4台推土机推土的工效。陕西省延安市向阳水坠坝,曾采用过三种办法施工,工效显著不同。开始采用人工上土、机械碾压筑坝,平均每工日完成土方2.0m^3;后改用一般水坠法施工,平均每工日完成土方10m^3;最后采用爆破松土、水枪冲土方法施工,平均每工日完成土方160m^3,提前四个月完成了水库修建任务。延安市郊方塔水坠坝,坝高50m,坝体土方63万m^3,仅由15人组成的水枪机械组担负了75%的冲填土方量,平均每小时冲土121m^3,其余25%的围埂土方量由150人运土机械碾压完成,工效相差30倍。

(2)成本低。用水枪冲填坝体,每立方米冲填土的造价仅相当于一般水坠坝的1/3～1/2,如果进一步提高水枪出口压力,增大出水量和切割能力,成本还可以降低。

(3)施工安全。利用水枪冲土或打炮眼时,人离崖坎较远,可以避免塌方伤人,施工比较安全。

(4)构造简单,操作灵便。冲土水枪的构造、安装、拆卸、移动都比较简单,重量较轻,操作也很灵便。施工人员经过短期培训即能使用,易于普及推广。

2.冲土水枪的种类及配套

冲土水枪的种类比较多,但工作原理和构造形式大同小异。都是由进水管、水平转盘、垂直转盘、出水干管、稳流器、操纵杆和底座等部件组成。常用的几种水枪性能、形状及配套机泵如表8-3和图8-12、图8-13。

广西壮族自治区钟山县花山水坠坝,采用水枪与高压砂泵相结合,进行砂壳坝的冲填,抽水机配200kW动力,水枪喷嘴直径达46mm,砂泵配300kW动力,9～10人操作,每小时可泵砂20～23m^3。

表 8-3　几种冲土水枪性能及配套机泵情况

性能	机型			
	东风－4A	兴农－1 型	75－1 型	IS－14 型
	山西兴县	山西兴县	陕西清涧	陕西清涧
试验压力（kg/cm^2）	16～20	30～35		20
工作压力（kg/cm^2）	8～12	20～25	8～12	6～14
有效射程(m)	8～10	10～15	6	7
最大射程(m)	50～60	55～75	60	55
水平转角(°)	360	360	360	360
垂直转角(°)	115	115	105	85
喷嘴直径(mm)	19、22	37、40	16、17、18	16、18、20
外形尺寸(mm)	1 434×630×805	1 470×525×870 1 570×525×870	1 200×600×600	1 350×670×790
重量(kg)	45	70～80	35	45
配套电机(kW)	40～55	80～100	17～22	17～30
配套柴油机(马力)	55～80	120	24～40	
配套水泵型号	4DA8×8	5DA8×8 1254D	3DA8×9 80D30×3	3B57、80D30×3 80D30×5
说明		此系高压水枪		

3. 冲土水枪所需压力

不同的冲填土料需要不同的水枪出口压力，根据试验成果列于表 8-4。

一台水泵如扬程和压力不够时，可以两台水泵串联使用，一台供水，一台加压。加压泵要尽量离水枪近些，以使水泵的大部压力传递在水枪上。水枪喷嘴对水泵供应的压力和流量有一定的调节作用。在水泵性能曲线规定的范围内，缩小水枪喷嘴直径，能显著提高压力，同时削减流量。反之，增大喷嘴直径，会使压力降低而流量增加。水泵在额定转速下，最大压力只能稍许超过与水泵扬程

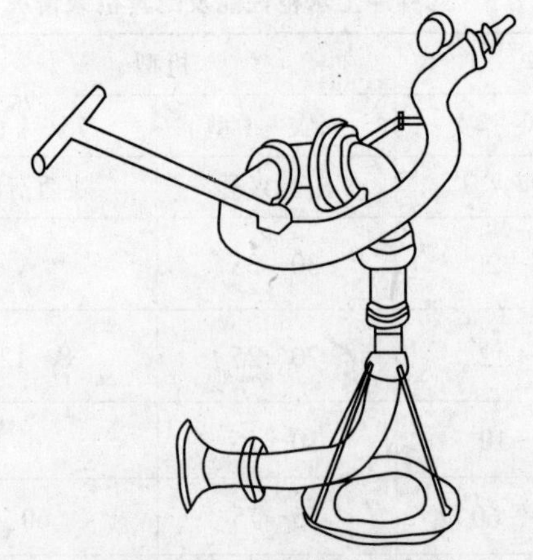

图 8-12　山西省兴县水枪

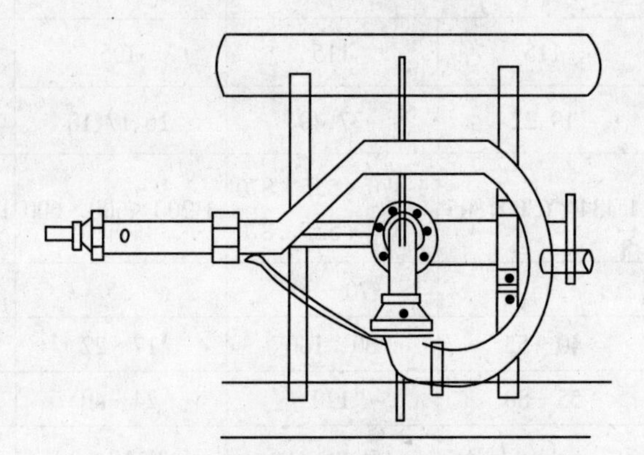

图 8-13　陕西省清涧县 IS－14 型水枪

表 8-4　不同冲填土料所需水枪出口压力

土质	爆破松动土所需最小压力（kg/km^2）	原状土所需最小压力（kg/km^2）
沙土及沙壤土	4	7
轻粉质壤土	5	10
中粉质壤土	6	15
重粉质壤土	15	20

相应的压力，当达到这个压力时，喷嘴直径再变小，只能削减流量而不能增大压力。一台水枪一般都配几种不同的喷嘴，可根据冲填土料性质、土场高低和泥浆浓度要求来调换使用。

水枪用的管道所能承受的压力要大于水枪出口压力，以防管道破裂。根据试验，新埋线胶管可承受6～7kg/cm^2的压力。用8～10号铁丝缠扎加固，扎紧拴牢接头后，可承受压力8～9kg/cm^2。锦纶塑料管可承受8kg/cm^2的压力，如将两个管子套起来使用，可承受12kg/cm^2的压力。水枪供水压力超过10kg/cm^2时，需用钢管或铸铁管，在末端与水枪之间可接一节外部缠扎的埋线胶管，以便水枪移动。

4. 水枪冲土的距离

高速水流从喷嘴射出后，开始呈柱状，水流笔直密集，冲土能力强。随着距离增加，水柱逐渐扩散，冲土能力减弱。一般冲土水枪水柱的有效长度为7m左右，水枪离采土面的距离以4～5m为宜。太近了施工不安全，太远了冲土效果差。在冲填过程中，随着采土面的后退，需要不断地把水枪和管子向前移动，使水枪始终和采土面保持适宜距离。

5. 水枪冲土的操作技术

操作水枪跟使用其他机械一样，熟能生巧。水枪手要经过短期训练。水枪冲土方法分顺采土面和逆采土面两种。顺采土面是将水枪放在土场顶部，从高处向下冲土。逆采土面冲土是将水枪放在采土面底部的前面，斜向冲击土坎，这种方法的有效水头高，冲击力大，采用较多。

水枪冲土主要是利用崖头搜根使其自塌，崖头高度不应大于水枪至采土面的距离。冲土时要选好缺口，寻找缝隙，因势利导，掌握自塌土的土方量及方向。冲虚土要使射出的水流搅动土体，冲硬土要慢移，土体在跌落中要及时加水拌和成泥，使之慢慢蠕动下滑。土质过硬或崖头过高时，宜采用爆破松土。使用水枪冲虚土时，要分行搅冲，行宽1.0～1.5m，冲完一行再冲一行，把水枪的冲、扫、掀、推作用很好地结合起来。这样水流集中，带土能力强。

用水枪打炮眼时，水柱要接近水平，微微颤动，使炮眼里高口低，不存积水，便于装药回填。

水枪单机每小时出水量小于30t时，宜两台水枪在一处冲土，一台切崖坍塌，一台扫射送土，增大流量，利于泥浆输送。

第四节　非均质坝施工

一、坝体分选冲填

(一)坝体冲填土料的开采

非均质坝土料的开采方式基本与均质坝相同。

当料场土料的黏粒含量分布不均匀时,应根据用料情况搭配开采使用,满足坝壳区、过渡区、中心防渗区对土料分选的要求。

从广西壮族自治区玉林市已建成的20座非均质坝施工资料来看(见表8-5、表8-6),料场土料的颗粒组成较杂,土料沿深度方向变化较大,有的料场表土黏粒含量较大,下层黏粒含量较小,甚至都是一些风化石。若一开始就过多使用表层黏粒含量多的土进行冲填,使坝体下部黏粒含量过多,那么到后期冲填坝的上部就易缺乏细粒土,导致中心防渗区的黏粒含量不能满足设计的防渗要求。所以,在非均质坝的施工中,应对土场的选用及开采顺序作出详细规划,合理组织施工,以满足坝体各部位对土料级配的要求。

表8-5　坳背水坠坝土场不同深度的颗粒组成

项　目		深度(m)			
		1	3	5	10
左岸土场	粉、黏粒(<0.05mm)%	22	34	23	18
	d_{50}(mm)	0.41	0.16	0.25	0.30
右岸土场	粉、黏粒(<0.05mm)%	29	32	16	15
	d_{50}(mm)	0.24	0.22	0.66	0.63

(二)坝体分选冲填的施工布置

非均质坝的坝面分选冲填可采用一岸或两岸冲填。如条件允许,应尽量选择两岸冲填。非均质坝两岸冲填施工时应采用上、下游四角或对角冲填的方式,以利形成坝壳。一岸冲填施工时应注意控制泥浆流向和分选措施。非均质坝分选冲填施工平面布置如图8-14所示。

为了保证坝壳区、过渡区和中心防渗区的整体性和连续性,非均质坝施工应采用全河床的全断面冲填,不应采用先填一岸的分段冲填方式。

表 8-6 广西玉林市非均质坝基本情况

坝名	坝高(m)	坝顶长(m)	坝址宽/高	总库容(万 m^3)	总土方(万 m^3)	冲填土方(万 m^3)	冲填水源	土料储量情况	土料颗粒情况	施工效果
坳背	30	114	<4	110	9.8	9.7	库内蓄水	两岸土场可冲土方大于2倍坝体土方	砂砾含量大于70%，黏粒含量10%～15%	连续施工、速度较快
茂化	54	212	<4	1 106	106.2	105.7	库内蓄水	两岸土场可冲土方大于2倍坝体土方	砂砾含量大于70%，黏粒含量10%～15%	连续施工、速度较快、质量较好
田朋	28	81	<3	14	9.6	6.9	天然雨水	左岸含砾红黏土深3～5m,右岸无土	表层含砾红黏土，黏粒含量10%～20%	下雨才冲填,施工期长,较经济
三合水	39	120	<4	320	32	23.5	库内蓄水	表土0.5～1.0m,下为风化土,储量充足	砂砾含量大于70%,黏粒含量小于15%	大量风化石填成坝壳,较稳定,连续施工,工效高
陆黄	18	67	<4	140	7	6.5	库内蓄水	两岸土场可冲土方大于2倍坝体土方	砂砾含量大于70%，黏粒含量10%～15%	连续施工,工效高,较经济
陆务坑	29.5	125	<5	105	19	18	库内蓄水	右岸土料充足,左岸有土难利用	砂砾含量大于50%，黏粒含量10%～20%	施工不连续,砾少,坝壳形成不够好

续表 8-6

坝名	坝高(m)	坝顶长(m)	坝址宽/高	总库容(万 m^3)	总土方(万 m^3)	冲填土方(万 m^3)	冲填水源	土料储量情况	土料颗粒情况	施工效果
佳塘	26	118	<5	232	16	11.2	库内蓄水	右岸土料充足,左岸主要为风化石	右岸土黏粒含量20%,左岸小于10%,砂砾多	土场条件差,上部10m形不成中心防渗体
大坪	25	60	<3	63	6.5	6.2	库内蓄水	表土不足,底层风化石上坝	表土粘黏含量大于20%,厚度小于1m	山陡,冲风化石上坝壳
短冲	20	62	<4	11	4.6	4.2	库内蓄水	两岸土场可冲土方大于2倍坝体土方	表土薄,黏粒含量多,底为风化石	土料搭配不好,13m处发生鼓肚
大水沥	37	110	<3	176	16	12	库内蓄水	表土少,仅够中心防渗区,有大量风化石	表土仅0.3m,黏粒含量大于20%,底为风化石	坝壳为石、砾,稳定性好
龙电	33	90	<3	35	10	7.9	库内蓄水	土料充足	沙壤土,左岸风化石较右岸多	土料及土场较好,但施工不连续

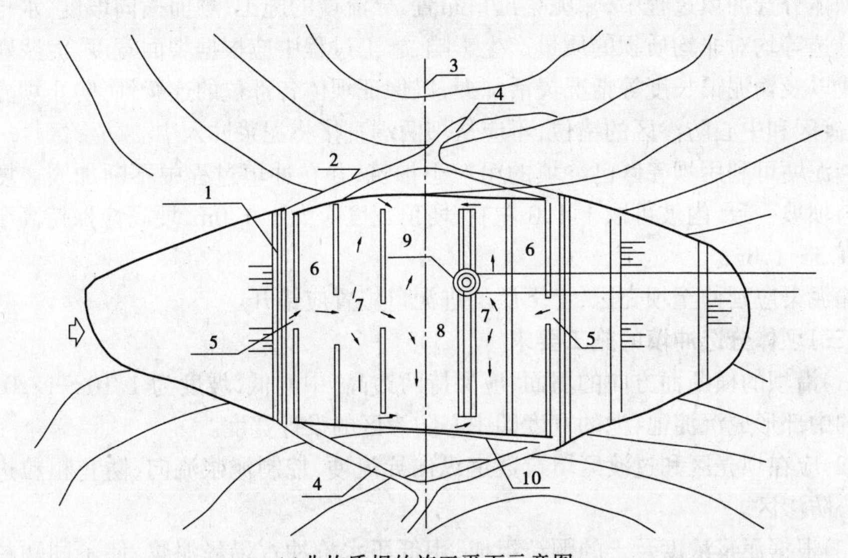

(a)非均质坝的施工平面示意图

1—挡泥埂;2—导流埂;3—坝轴线;4—输泥渠;5—进泥口;
6—坝壳区;7—过渡区;8—中心防渗区;9—竖井;10—垂直透水墙

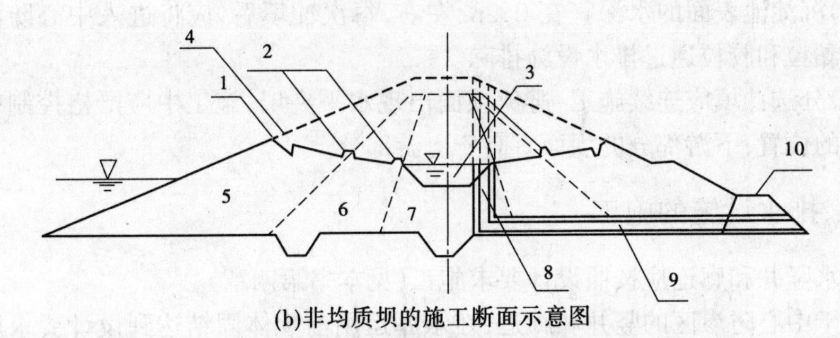

(b)非均质坝的施工断面示意图

1—挡泥埂;2—导流埂;3—沉淀池;4—坝面输泥渠;5—坝壳区;
6—过渡区;7—中心防渗区;8—竖井;9—廊道;10—排水棱体

图 8-14　坝的分选冲填示意图

由于土料的粗粒含量较多,粒径也较大,土的持水能力较差,所以冲填用水较多。输泥渠中泥浆的流量较黄土水坠坝为大。所以,施工要求输泥渠中冲填泥浆的流量应大于 $0.1m^3/s$。当输泥渠较长,土的粒径较大时,宜加大冲填泥浆流量。若不能满足,则应在料场的适当位置设贮水池,采用“小贮大放”的方法解决。

坝体分选冲填过程中,输泥渠出口布置、导流埂的施工、坝面横向坡度、水枪稀释分选等均对非均质坝的质量产生影响,施工过程中应根据坝面宽度、泥浆颗粒组成以及输泥渠长度等情况灵活掌握,以保证坝体各部位的连续性,防止坝壳区、过渡区和中心防渗区的错位,不应从坝两端直接将泥浆冲入中心防渗区。

挡泥埂可利用坝壳区已冲填的粗粒土拍筑,并在冲填过程中不断加固。埂外坡与坝坡一致,内坡可取1:1.0左右,埂顶宽度应大于1.0m,埂高应保持高于泥面0.5~1.0m。

输泥渠应延伸至坝壳区,上下层的进泥口位置应错开。

(三)坝体分选冲填的施工要求

(1)沿坝的横断面方向的坝面,应保持两边高、中间低,坡度为1/10~1/20,在坝的中部形成沉淀池,池的宽度即中心防渗区的设计宽度。

(2)应在坝壳区和过渡区填筑数道纵向导流埂,控制泥浆流向,防止粗粒进入中心防渗区。

(3)根据泥浆浓度及土的颗粒组成,用低压水枪冲水稀释泥浆,使不同颗粒在水的冲力和自重的作用下进入坝壳区、过渡区和中心防渗区。水枪工作面应设在坝壳区,其宽度不小于10m。

(4)沉淀池表面的水深宜在0.2m左右,每次冲填后,应将进入中心防渗区的多余黏粒和胶粒通过排水设施排除。

(5)分选冲填应连续施工,避免坝面出现水平夹层;施工中应严格控制中心防渗体的位置;下游部分的坝面宜高于上游部分。

二、排水设施的施工

排水竖井和廊道应按照设计要求施工(见本书第四章)。

位于中心防渗区的竖井和廊道,在水库运用前坝体固结达到设计要求后应进行封堵,其在中心防渗区下游部分的封堵,应视实际情况而定。竖井可采用泥浆灌注等方法封堵;廊道可采用土石、浆砌石等封堵,并进行灌浆处理。

三、坝顶施工

非均质坝在正常蓄水位以上(中心防渗体顶高程以上),因坝面较窄难以进行分选冲填,宜使用均质坝的方法施工或者改用分层碾压的方法封顶。

第五节　定向爆破－水坠筑坝

定向爆破－水坠筑坝是将定向爆破和水坠两种施工技术组合而成的一种土坝施工方法。它前期采用定向爆破修筑坝体或拦洪坝体；后期整修坝面，采用水坠法对坝面以及坝体与岸坡结合部位进行注水湿陷或灌浆处理，加速土体固结，提高坝体强度；之后采用水坠法加高坝体，直至坝顶。

定向爆破筑坝技术，具有快速、经济，不需大型施工机械的特点；不足之处是爆破形成的堆积体疏松、透水性大，往往难以满足工程蓄水运用要求。水坠筑坝进入坝面的冲填泥浆，经过湿化、崩解、拌和作用，使原状土的结构被彻底破坏，冲填土料在上部荷重的作用下，逐渐脱水固结并得到压密；坝体施工质量好，造价低。不足之处是必须有充分的水源保证，且施工进度易受制约。

定向爆破－水坠筑坝吸收了定向爆破和冲填施工的优点，先用定向爆破方法填筑部分坝体，再用先稀后稠的冲填泥浆对爆破坝体进行灌浆湿陷，充分发挥了两种坝型的优势，避免或弥补了缺陷，起到了优势互补的效果。

一、定向爆破－水坠坝的特性

定向爆破－水坠筑坝技术的研究与应用起始于20世纪70年代。早在1977年，云南省江川县就采用定向爆破－水坠筑坝法修建了白龙水库；该坝坝体采用砾质土料，设计坝高34m，坝高22m以下部分为爆破堆积体，堆体以上部分是利用含少量砾石的砂质黏土冲填加高的。在此期间修建的定向爆破－水坠坝还有山西省中阳县的高家沟流域张子山淤地坝，宁夏回族自治区固原县的斜崖沟水库等。1992年，内蒙古自治区清水河县采用定向爆破－水坠法兴建了麻地壕骨干坝；该坝坝体为轻粉质壤土，工程总库容175.9万m^3，设计坝高38.2m，防汛坝高22.5m，定向爆破筑坝采用了单岸、条形药包布置，加强抛掷爆破设计方案，设计最小抵抗线27m，装药量30t，爆破上坝土方3.8万m^3，爆堆体马鞍点高15m，平均高17m；后期经过对爆堆体整平、湿陷处理后，采用水坠法加高坝体21.2m。部分定向爆破－水坠坝的特性指标见表8-7。1995年，在已竣工的麻地壕水坠坝坝体下游坡爆破一侧的马道部位，开挖了三个6m深的探坑，对坝体取样进行了土力学试验。试验结果显示，坝体干容重最大达到了1.63 t/m^3，平均达到了1.50t/m^3，满足了设计要求。麻地壕坝和张子山坝的纵断面分别见图8-15和图8-16。

表 8-7　部分定向爆破－水坠坝工程的基本情况

坝名	所在省区	坝高 (m)	库容 (万 m^3)	坝体土方 (万 m^3)	装药量 (t)	坝体土方比例(%)			边埂施工方法	筑坝土料
						爆破	水坠	边埂		
麻地壕	内蒙古	38.2	175.9	12.80	30.0	29.7	62.5	7.8*	泥拍	沙壤土
沙麻沟	山西	12.0	10.0	0.51	1.1	54.0	46.0	0.0	泥拍	沙壤土
北坡	山西	15.0	7.2	1.38	5.6	41.3	26.0	32.7	机械碾	中粉质壤土
张子山	山西	20.0	26.0	4.05	4.5	44.5	33.7	21.8	人工夯	中粉质壤土
白龙	云南	34.0	100.0	20.90		—	—	—	—	砂岩风化土

注:标* 处是指坝体封顶和坝面平整土方所占比例。

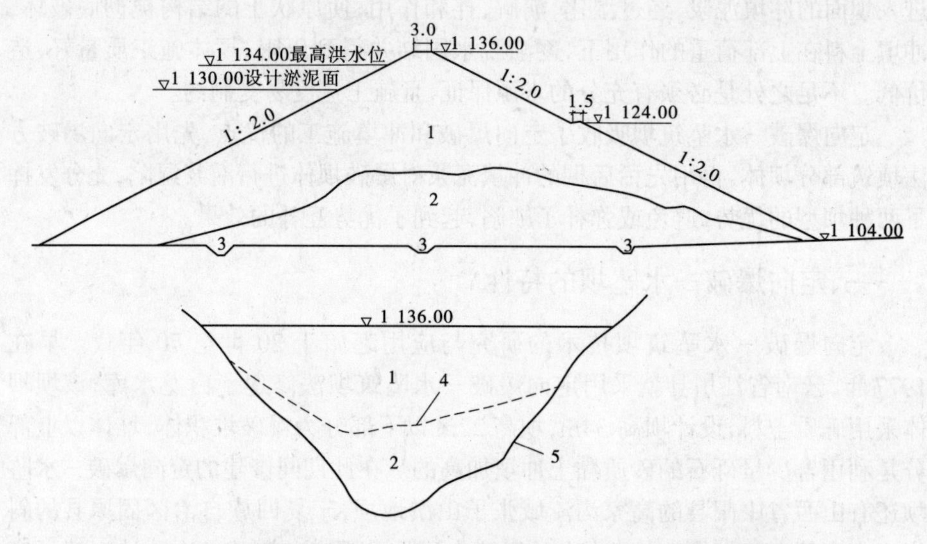

图 8-15　内蒙古清水河县麻地壕定向爆破－水坠坝实测断面图

1—水坠填筑体;2—爆破堆积物;3—结合槽;4—爆后地面线;5—爆前地面线

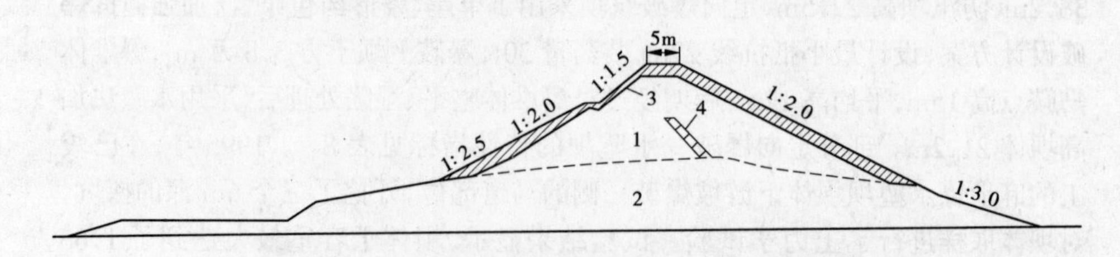

图 8-16　山西省中阳县张子山定向爆破－水坠坝实测断面图

1—水坠填筑体;2—爆破堆积物;3—围埂;4—中埂

试验表明,定向爆破－水坠坝具有以下特性。

(一)符合淤地坝的运用模式

淤地坝是以拦泥、防洪为主要目的而兴建的水土保持工程,修建在严重水土流失区的支毛沟内,沟壑纵横、干旱少雨、土壤侵蚀严重是该地区普遍存在的问题。淤地坝的运用方式与水库存在着较大的差异,汛期采用拦洪排清的运行方式,库容淤积迅速,可在短期内形成坝前淤积铺盖层,能够有效防止坝基和坝体的渗漏问题,一般不会因渗漏造成坝体破坏。

(二)利用了淤地坝的特性

水坠坝具有经济、易于施工和保证坝体质量的优势条件,上坝单方造价均低于碾压和爆破筑坝,是淤地坝首选的施工方法。但要求具备与坝体方量相当的水源条件,同时对坝址地形条件、筑坝土料性质等也有一定的要求,土料的黏粒含量必须小于30%,土场高度高于坝面8m以上。根据现已兴建的1 500余座骨干坝的统计,只有约26%采用了水坠坝,水源条件往往是关键制约因素。

定向爆破筑坝具有高效、快速的特点,适用于山体较高、地形陡峭、土料适宜的坝址。根据试验,定向爆破上坝土方单方造价较水坠略高,较碾压低,也是一种较为理想的筑坝方式。以往水库采用定向爆破筑坝,往往因震动问题造成地质构造破坏,导致库区渗漏,影响了水库效益的发挥;产生绕坝渗漏,危及坝体安全。而淤地坝主要修建在地质构造简单的黄土覆盖地区,黄土颗粒结构在爆破高温的作用下,在一定范围内会产生类似"强夯"的作用,一般不会造成坝肩的破坏而出现绕坝渗漏现象。根据对黄土爆破工程的运行观测,也充分证明了这一点。

(三)发挥了定向爆破和水坠筑坝的优势

定向爆破－水坠坝,既发挥了定向爆破快速、高效、经济的优势,又发挥了水坠坝坝体质量好、结合紧密的特性,缓解了单一爆破筑坝所带来的坝体质量及坝体与岸坡结合等问题。同时,先期爆破坝体形成的拦洪坝拦蓄了沟道洪水,解决了后期水坠加坝的施工水源等问题。两种施工技术的有机结合,充分发挥了各自的优势,达到了降低工程造价、保证工程质量、提高施工效率的目的,实现了质量与经济的和谐统一。

二、定向爆破－水坠筑坝的条件

当坝址具备下列地形、地质条件时,可以将定向爆破－水坠筑坝作为施工方案之一。

(一)地形条件

1.爆破体积

山高和山厚要能够取到足够的筑坝土方量,按体积表示为

$$V = \frac{V_1 \varepsilon_1}{(1-\varepsilon_2)E\eta} \tag{8-4}$$

式中 V——爆破实方体积,m^3;

E——抛掷率;

η——岩石松散系数;

ε_2——抛散方量百分比,即堆积于坝体轮廓空间以外的无效方量所占的百分数;

V_1——设计坝体体积,m^3;

ε_1——一次堆积程度系数,即爆后堆积有效方量和设计方量之比。

在选址阶段,亦可按下式考虑:

$$V\eta \geqslant V_1 \tag{8-5}$$

或按剖面考虑:

$$A\eta' \geqslant A_1$$

式中 η'——面积松散系数,可取 $\eta' = \eta^{2/3}$;

A、A_1——对应剖面的爆破面积和设计坝体断面面积,m^2。

2.山坡平整度

山坡平整或带有天然凹面地形,山体高度和厚度应在满足取方要求的条件下不会发生侧向、后向和上向的逸出现象,山体的高度和厚度应达到设计坝高的两倍以上;坝址地形和地质能满足布置药包和开挖导洞与药室的条件;或者具有改善微地形的条件,例如通过布置前排小药包改造地形,以削弱与缓解不利地形对控制爆破定向与取方的影响。

3.山坡坡度

水坠坝工程多为均质土坝,与堆石坝比较其爆破抛掷距离较小。因此,可以选作定向爆破筑坝的坝址,山坡应陡峻,山谷应狭窄,应有利于加大取土方量、降低单耗,一般情况下山坡坡度应不小于40°。

4.对岸地形条件

在选择定向爆破筑坝工程的坝址时,除了要考虑主要取土岸的地形条件外,还要考虑对岸的地形条件。最好是两岸山坡基本对称,具备两岸爆破取土的条件;如果对岸不能取土,也最好选择山脊部位,不应使主爆区正对彼岸的山沟。

(二)地质条件

1.岩土性质

首先要了解爆区岩土性质能否作为坝体材料,并根据岩土物理力学性质和风化程度、爆破方式,确定爆破后的坝型是土坝还是土石混合坝。对于不宜作坝体材料的岩土,不应用于筑坝。

2.坝址地质构造

应摸清地质构造对定向爆破的影响,和爆破对地质现状可能发生的影响。应查清是否存在影响爆破抛掷方向及爆破上坝方量的断层或节理裂隙组,有没有通过爆区的软弱带,分析爆破震动能否引起大规模塌方,以及一旦发生塌方将对工程的危害程度,提出相应的防范措施与应急方案。

3.洞室及岸坡

坝址洞室开挖高度层面的土(石)质,必须具备爆破药室和导洞的开挖条件。

4.工程防渗

应考虑工程防渗对地质方面的要求,这与一般筑坝防渗工作一样,在此不作详细介绍。

(三)枢纽建筑物布置条件

(1)枢纽平面布置应同时考虑坝体、溢洪道、泄水涵洞等建筑物的设置,尽量避免或削弱因爆破而给各建筑物的施工与运用所造成的不利影响。

(2)坝址应具备定向爆破筑坝对布置泄水涵洞的地形和地质条件要求。定向爆破设计时,为了防止泄水涵洞因爆破震动或冲击而破坏,经常把泄水涵洞布置在非爆破岸或副爆破岸;有一些小型工程,在坝下布置涵管,施工期替代导流隧洞,运用期作为泄水涵洞,在爆破时必须采取一定的保护措施。

(3)较大型的工程还要考虑交通道路、施工场地、通风照明设备、后期修筑反滤体等的材料来源、平面布局以及施工工序等问题。

(四)水源条件

定向爆破－水坠筑坝应具有足够的水源保证。在北方干旱地区筑坝,也可利用爆破堆积体拦蓄径流作为施工水源,用于爆破堆积体的湿陷处理和水坠法加高坝体。

三、定向爆破设计

(一)爆破类型

1.崩塌爆破与抛掷爆破

崩塌爆破具有省药量、少抛散、对坝肩和周围环境破坏作用小等有利条件。

所以在条件允许的情况下,应尽可能采用崩塌爆破筑坝(包括滑坍筑坝)。

在实际工程中,可采用崩塌爆破的地形较少,一般多采用抛掷爆破才能达到定向和筑坝的要求。抛掷爆破虽然有效单耗高,对基础和边坡的破坏作用较大,但是在一定的范围内可以克服和改善不利的地形条件;如果药包布置合理,参数选择适当,就可以将土体准确地抛掷到指定的位置,满足筑坝的技术要求。

2.单岸爆破和双岸爆破

目前我国已建成的定向爆破筑坝工程,采用单岸爆破和双岸爆破的各占到一半左右。20 世纪 70 年代爆破堆筑的坝,大多采用的是双岸爆破,其中一岸为主爆区,另一岸为副爆区。

1)双岸爆破具有明显的优势

(1)经济效果好。双岸爆破时,两岸爆破土体都向河谷抛掷,互相碰撞、叠加,堆成坝体;而单岸爆破却需要将爆破土体抛到对岸,才能堆成坝体的雏形。所以单岸爆破较双岸爆破所要求的抛距要远,在抵抗线一定(或不能增大)的条件下,就只能通过加大爆破作用指数 n 来满足要求,这是需要以增加炸药量的消耗为代价的。n 值越大,经济效果就越差。

(2)坝形好。单岸爆破由于选用的 n 值大,抛掷距离远,就必然造成抛散,所堆筑的坝体,往往有一个十分明显的马鞍形,马鞍高度一般比平均堆积高度低 20%～30%。双岸爆破可以选择较小的 n 值,抛散程度就小一些,由于两岸爆破体的相互碰撞、搭接,马鞍一般出现在河谷中间,而且马鞍高度不会太低;如果药包布置较好,就可避免马鞍形成,理想的还能出现河谷中间堆积高程高出两侧的效果,大大减小了爆后填补加高的工程量。

(3)级配得到改善。单岸爆破的爆堆体往往是靠近爆破岸的大块多、碎块少,另一岸的小块多,爆堆体的密实度不均匀。双岸爆破则可以使这一情况得到改善。

2)采用单岸爆破的条件

(1)当一岸无土可取(如突出的小山脊或低矮的孤山包)。

(2)两岸岸坡不对称,有一岸岸坡的外法线方向偏离爆轴线较大,如果布置药包,抛掷方向难以控制。

(3)有一岸山坡很缓或呈台阶状,如果取方则上坝率很低,不经济。

(4)有一岸山体不易于开挖药室和导洞,或者土体不适于作为筑坝土料。

(5)单岸布置药包就足以满足筑坝方量的要求,而且河谷窄、抛距近,单岸爆破可以减少工作量,这种情况也没有必要采用双岸爆破。

3. 集中药包与条形药包

定向爆破的药包形式有集中药包(群药包)和条形药包两种。

1)群药包

除个别小型工程外,采用集中药包爆破筑坝都是采用的群药包方案。群药包包括主药包和辅助药包,主药包的作用是取方上坝,辅助药包的作用是修整改善微地形,为主药包制造良好的临空面。

2)条形药包

条形药包较集中药包(群药包)有以下优点:

(1)在地形条件一般时,通过条形药包布药可以部分地减少与改善其不良影响。

(2)爆堆集中,形状良好。

(3)抛距较远,可提高能量利用率;药室开挖量小,有利降低成本,保证安全。

3)其他药包布置方式

在实际应用中,通过群药包和条形药包的组合,还衍生出了多种药包布置方式,如:分层药包、分排药包、延迟爆破等,详细内容可参考有关资料。

(二)参数选择

1. 爆破作用指数 n

选取可满足抛距要求的爆破作用指数 n。

2. 药包最小抵抗线 W

选择药包的最小抵抗线,是布药的核心问题。W 的选择范围取决于爆区的地形条件,在选取时应考虑以下几个方面:

(1)W/H(H 为设计爆破坝高)值应控制在合理的范围内,W/H 越小,属于"崩塌"的部分越大。

(2)最大药包的最小抵抗线,大多数在 25~40m 之间。大药包可以节省洞室开挖量,但需增加炸药量以克服因重力作用而增加的负担,而且药包大了,破碎均匀性必然下降一些。

(3)条形药包的最小抵抗线实际上是一个平均值。不同部位的最小抵抗线差异应控制在 ±7% 之内,这样才不至于影响爆破效果。

(4)采用双岸爆破,两侧的药包作用指数 n 值不同时,两侧的最小抵抗线之比 W_1/W_2 可按下式计算:

$$W_1/W_2 = 3\sqrt{f(n_1)/f(n_2)} \tag{8-6}$$

$f(n)$为爆破作用系数的函数,$f(n)=0.4+0.6n^3$。

一侧松动爆破、一侧抛掷爆破时，W_1/W_2 宜控制在1.2～1.4之间。

(5)考虑到山体高度、厚度、爆区岸坡两端平面宽度情况，选择能够满足爆破取方和抛距要求，且防止侧向、上向、后向逸出的最小抵抗线长度。

3.标准爆破炸药消耗量 K

即形成标准爆破漏斗(漏斗深度等于漏斗半径)所需消耗的单位2号岩石硝铵炸药量。在黄土爆破时，可以较为普遍应用的黄土为标准，参照其他工程经验，并通过工程爆破有关经验公式计算，设计选用炸药单耗 K 值。

4.炸药换算系数 e

所使用的炸药与2号岩石硝铵炸药进行药量换算所得系数。

(三)爆破设计

1.药包间距

1)同一布药高程的药包间距

同一布药高程的药包，其间距按下式计算：

$$a = m_1 W_{cp} \tag{8-7}$$

$$W_{cp} = (W_1 + W_2)/2 \tag{8-8}$$

式中 a——药包间距，m；

m_1——层距系数，$m_1 = 1.2 \sim 2.0$；

W_{cp}——抵抗线平均长度，m；

W_1、W_2——两个药包的最小抵抗线长，m。

2)分层药包的间距

分层药包间距可采用下式计算：

$$b = m_2 W_{cp} \tag{8-9}$$

式中 b——分层药包间距，m；

m_2——层距系数，$m_2 = 1.2 \sim 2.0$；

W_{cp}——抵抗线平均长度，m。

3)条形药包间距

(1)当两个药包同时起爆，端头相邻的条形药包，其端头间距为$(W_1 + W_2)/6$。

(2)当两个药包不同时起爆，端头相邻的条形药包，其端头间距的选取方法是：微差间隔起爆时，间距为 $0.2(W_1 + W_2)$；秒差间隔起爆时，间隔为 $0.4(W_1 + W_2)$。

(3)条形药包端头与集中药包的间距，若条形药包先爆，药包间距 $a = W_2$，W_2 为集中药包最小抵抗线；若条形药包后爆，药包间距 $a = 0.7W_2$；若同时起爆,药包间距 $a=0.5W_2$。

(4)互相垂直的条形药包,可以把第二药包当成集中药包,然后按上述方法计算。

(5)条形药包应避免多端头交会的布药形式,如确实无法回避时,交会点应适当增加布药量。

(6)长条形药包可以采用间隔堵塞、同条内微差间隔起爆的方式来控制爆破所产生的地震效应。

2.装药量计算

1)松动爆破

集中药包:

$$Q = eK'W^3 \tag{8-10}$$

条形药包:

$$Q = eK'W^2L \tag{8-11}$$

式中　Q——计算炸药用量,kg;

e——炸药换算系数,对2号岩石硝铵炸药 $e=1.0$,对铵油炸药 $e=1.0\sim1.15$,其他炸药可参考表8-2;

K'——松动爆破药量系数,kg/m^3。对于平坦地形的松动爆破 $K'=0.44K$,对多临空面或崩塌爆破 $K'=(0.125\sim0.400)K$;

K——标准爆破炸药消耗量,kg/m^3;

W——最小抵抗线,m;

L——条形药室长度,m。

2)加强松动爆破与抛掷爆破

集中药包:

$$Q = eKW^3(0.4+0.6n^3) \tag{8-12}$$

条形药包:

$$Q = qL \tag{8-13}$$

$$q = eKW^2(0.4+0.6n^3)/m \tag{8-14}$$

式中　m——如果采用集中药包所取的间距系数;

n——爆破作用指数;

其他符号意义同前。

3.爆破漏斗计算

爆破漏斗采用下列公式计算:

集中药包:

$$R_c = 0.0623\sqrt{\eta Q/\Delta} \tag{8-15}$$

条形药包：

$$R_c = 0.56\sqrt{\eta q/\Delta} \tag{8-16}$$

$$R = W\sqrt{1 + n^2} \tag{8-17}$$

$$R' = W\sqrt{1 + \beta n^2} \tag{8-18}$$

$$R_k = (1.1 - 0.33\tan\theta)R \tag{8-19}$$

$$P = (0.27n + 0.39)W \tag{8-20}$$

以上式中 R_c——压缩圈半径，即药包向下作用的深度，m；

R——下破裂半径，m；

R'——上破裂半径，m；

R_k——可见漏斗半径，m；

P——可见漏斗深度，m；

Δ——炸药密度，一般取 $\Delta = 0.80 \sim 0.85$；

β——爆破漏斗上向崩塌系数，可按表 8-8 选取；

η——土体压缩系数，参照表 8-9 选取；

θ——岸坡坡度；

其余符号意义同前。

爆破漏斗计算图见图 8-17。

表 8-8 崩塌系数 β 值

地面坡度	β 值	
	土质、软石、次软石	坚硬岩石
20°～30°	2.0～3.0	1.5～2.0
30°～50°	4.0～6.0	2.0～3.0
50°～65°	6.0～7.0	3.0～4.0

表 8-9 土岩压缩系数

土岩类别	岩石硬度系数 f	压缩系数 η
土	0.5	250
坚硬土	0.6	150
松软岩石	2.0～4.0	50
中等坚硬岩石	4.0～8.0	10～20
坚硬岩石	8.0 以上	10

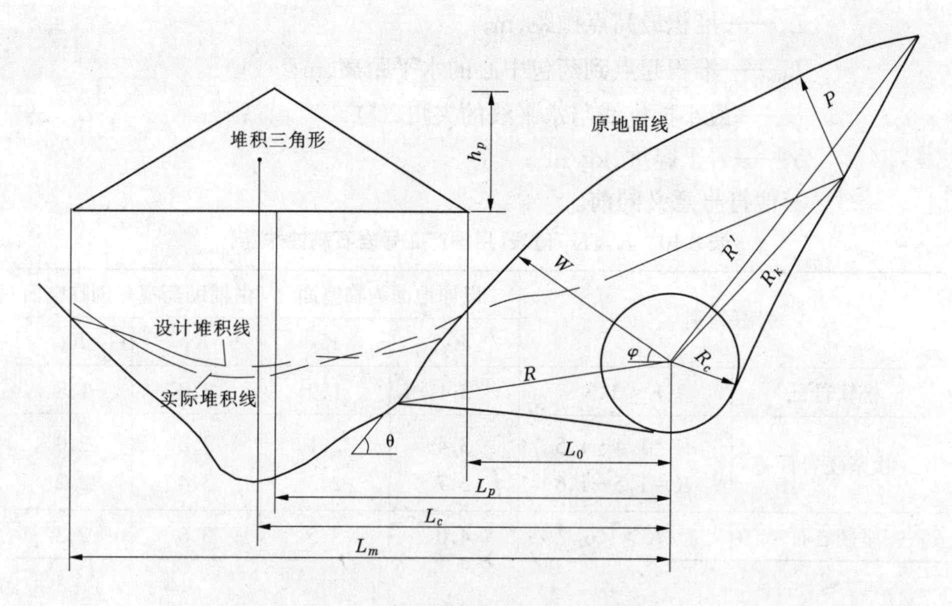

图 8-17　定向爆破抛掷堆积计算图

R_c—压缩圈半径；R'—上破裂半径；R—下破裂半径；R_k—可见漏斗半径；W—最小抵抗线；P—可见漏斗深度；φ—抛角；θ—坡角；h_p—堆积三角形高；L_0—起始抛距；L_p—最高点抛距；L_c—质心抛距；L_m—最远抛距

4.爆破堆积计算

爆破堆积采用下列公式计算，爆破堆积计算图见图 8-17。

$$L_m = K_1 Q^{1/3}(1 + \sin 2\varphi) \tag{8-21}$$

$$L_c = K_2 Q^{1/3}(1 + \sin 2\varphi) \tag{8-22}$$

$$S = \eta' S_{抛} \tag{8-23}$$

$$h_p = S/(L_m - L_0) \tag{8-24}$$

$$L_p = \frac{\gamma}{2\,100} Q^{1/3}(1 + \sin 2\varphi) \tag{8-25}$$

以上式中　L_m——最远抛距，m；

L_c——质心抛距，m；

K_1、K_2——抛掷系数，可参考表 8-10 取值；

$S_{抛}$——抛掷三角形面积，m^2；

S——堆积三角形面积，m^2；

h_p——堆积三角形高，m；

L_p——堆积最高点抛距,m;

L_0——堆积起点到药包中心的水平距离,m;

φ——最小抵抗线与水平线的夹角,(°)

γ——岩土容重,kg/m³;

其他符号意义同前。

表 8-10　K_1、K_2 值表(用国产 2 号岩石硝铵炸药)

岩石类别		以原地面为临空面		由辅助药室开创临空面	
		K_1	K_2	K_1	K_2
松软岩石	$K<1.3$	3.1	1.9	3.0	1.8
次坚硬岩石	$K=1.4\sim1.5$	3.4	2.1	3.2	2.0
	$K=1.5\sim1.6$	3.7	2.3	3.4	2.2
坚硬岩石	$K>1.6$	4.0	2.5	3.6	2.3

5.爆破安全距离

爆破安全距离,是指药包布置点至因爆破飞石所可能的危及点之间的距离,可采用以下公式计算:

$$R_f = 20K_f n^2 W \tag{8-26}$$

式中　R_f——爆破碎石飞散对人的安全距离,m;

K_f——安全系数,一般选用 $K_f=1.0\sim1.5$;

其他符号意义同前。

一般以药包布置点为圆心,以爆破安全距离为半径,所圈定的范围之外区域为爆破安全区。

四、水坠加坝施工

(一)爆堆体的湿陷处理

1.爆堆体的整平成畦

由于爆堆体表面并不平整,在进行水坠加高坝体前,应将爆破堆积体顶部整平,两侧修成水平沟。在进行湿陷处理前,应先将爆堆体表面整平成若干小畦,畦埂应高出畦底 0.2～0.3m,以便灌注水湿陷。

水坠边埂和中埂的修筑,应与坝面的整平划畦工作同步进行,并尽可能利用整平过程中所产生的弃土。

2.注水湿陷

爆堆体整平成畦后,可利用水泵抽水,由中间向两岸对坝面小畦注水,注水深度约0.25m。通过土中注水的方法对爆破形成的爆堆体进行湿陷处理,加速土体固结,加大坝体强度。

一般注水1～2次后,方可进行水坠加高坝体的泥浆冲填。

3.坝肩结合部位的处理

在进行注水湿陷时,应重点对爆破堆积体与岸坡结合部位进行湿陷处理,必要时可采取钻孔的方法对坝肩结合部位的深层土体进行湿陷。也可采用灌注稀泥浆的方法进行处理,稀泥浆的含水率应大于40%。

(二)水坠加高坝体

(1)爆破堆积体湿陷处理完成后,即可进行水坠加高坝体施工。施工的要求与水坠均质坝相同。

(2)定向爆破筑坝坝体的预留沉陷量,一般按爆破堆积体高度的10%～15%计算。

第九章 工程质量控制与施工安全

第一节 工程质量检查与控制

为了准确了解和严格控制水坠坝填筑质量，确保施工质量满足设计要求；同时根据实际施工质量情况，结合施工期观测资料进行施工验算，进一步完善设计参数；工地应设立专门的质量检查机构和人员，按照设计要求，在施工过程中经常地、持续地进行质量检查与控制。水坠坝的质量检查与控制的项目主要有以下几种。

一、泥浆浓度的检查与控制

泥浆浓度是水坠坝施工中的关键因素。泥浆过稀，坝体脱水固结时间长，工效低，成本高，坝体稳定性差。泥浆过稠，流动不畅，容易造成输泥渠堵塞。一般来说，在保证水、土均匀成泥，基本成为两相体，能够流动而不堵塞输泥渠，冲填池泥面比降不大于3%的前提下（指黄土），泥浆越稠越好。轻、中粉质壤土泥浆适宜的浓度，按土水体积比为2.2:1～2.6:1，含水率为36%～41%；重粉质壤土土水体积比应小些，砾质黏土土水体积比更应小些，一般为1:1左右。工地要配备专人测定泥浆浓度，具体测定方法见第十章。

一般多用泥浆流动的声音、表面状态、颜色、浮载能力来判定泥浆的稀稠。例如："听着哗哗响，坝面水汪汪，流动一条线，就是稀泥浆"；"听着咕嘟嘟，坝面有皱纹，蠕动向前进，就是稠泥糊"。黄土冲填现场鉴别泥浆浓度的办法见表9-1。

表9-1 黄土冲填泥浆浓度现场鉴别

泥浆评价	泥浆颜色	泥浆状态	流动声音	浮载能力	含水率（%）	土水体积比
稀	淡黄色	流速大，有波纹	哗啦哗啦	不能浮土	42以上	2.2以下
合格	暗黄色	蠕动向前，表面有皱纹	咕嘟咕嘟	能浮细土	37～41	2.2～2.6
稠	暗褐色	表面呈麻面，有时拥疙瘩	时而咕嘟时而无声	能浮土块	35～37	2.6以上

注：土水比（每立方米水冲土量）按土场自然含水率10%、干容重1.4g/cm³计算得。

二、冲填速度的控制

冲填速度是指单位时间内坝体泥面上升的高度。一般以坝面日上升的米数来计,单位:m/d。冲填速度是影响施工期坝体稳定的重要因素。冲填速度太快,“流态区”深度就大,容易发生鼓肚、裂缝甚至滑坡。冲填速度过慢,虽对坝体脱水固结和坝坡稳定有利,但拖长了工期且往往汛前达不到拦洪坝高而造成被动局面。允许冲填速度与土料含黏量有密切关系,冲填土料黏性大时,冲填速度应慢些,反之,可快些。在水坠坝施工过程中,冲填速度要力求均匀,切不可长时段高速度连续冲填,以免形成软弱层,使以后冲填受到限制。根据目前修筑30～40m坝高的实践经验,不同冲填土料在整个施工期间和冲填速度最快的一旬允许的日平均冲填速度如表9-2。

表 9-2　不同土料允许冲填速度

土料名称	习惯叫法	沙壤土	一般黄土	硬黄土	红黏土
	学名	沙壤土	轻粉质壤土	中粉质壤土	重粉质壤土
允许冲填速度(m/d)	施工期(日平均)	0.25～0.30	0.20～0.25	0.15～0.20	0.10～0.15
	最大旬(日平均)	0.35	0.30	0.25	0.20

广东省水利电力局根据砾质黏土的特点,提出冲填土料黏粒含量少、渗透系数大于 1×10^{-5}cm/s 时,冲填速度可快些,反之应慢些;1/3 坝高以下冲填速度可快些,1/3 坝高以上应慢些;反滤坝以下冲填速度可快些,反滤坝以上应慢些。允许冲填速度如表9-3。

表 9-3　砾质黏土建议允许冲填速度

冲填土料	允许冲填速度(m/d)		
	坝高 1/3 以下	坝高 1/3～2/3	坝高 2/3 以上
花岗岩风化土	0.20～0.30	0.15～0.20	0.10～0.15
砂岩风化土	0.15～0.25	0.10～0.15	不大于 0.10

如果按照表9-2和表9-3允许的冲填速度不能如期达到拦洪坝高时,则应在从“流态区”底部就开始加大围埂宽度的基础上,方可适当提高坝体的冲填速度。

三、位移控制

水坠坝在施工期间，坝坡水平位移的急剧发展，往往是发生滑坡事故的主要征兆。位移的观测比较简单、直观，有条件的水坠坝工地，都应开展此项观测，其观测方法见第十章。

对于坝坡水平位移量的控制标准，目前还难以提出一个确切的数值。根据陕西省和山西省多座水坠坝的观测资料和施工经验，轻、中粉质壤土水坠坝日位移量不应大于10～15mm。重粉质壤土水坠坝，当冲填坝体下部时，日位移量不应大于15mm；当冲填坝体上部时，日位移量不应大于10mm。

坝坡水平位移量超过上述数值时，应立即采取暂时停冲措施。如果工期和劳力安排不允许长时间停冲时，也可采用贴坡补强办法处理，即从坝体底部贴坡加大边埂宽度，以确保施工安全。对于一般淤地坝工程，亦应经常观察坝面变形情况，保证施工安全。

四、坝体质量检查

水坠坝边埂的干容重，应达到设计规定的要求，一般不应小于$1.5t/m^3$。中小型淤地坝可稍低一些。在整个施工过程中，对边埂修筑质量应经常进行检查。每碾压或人工夯填一层，都要及时取土样，测定含水率和干容重。每隔20～30m取一个土样，边埂宽度小于7m时，可沿边埂中线取样；边埂宽度7～10m时，应沿边埂方向取两排点；边埂宽度大于10m时，应沿边埂方向取三排点。测点按梅花形排列。对于坝端、坝体与刚性建筑物接头处和可疑薄弱段，应适当增加测点，详细掌握各坝段、各层次质量变化情况。对不符合质量要求的，要及时予以返工。

有条件的工地，要用取样器或土钻，对冲填坝体进行取样，测定含水率和干容重分布变化情况，确定“流态区”的深度和范围，为施工期坝体稳定验算提供科学依据。含水率和干容重的测算方法见第十章。

五、施工收方

为了随时掌握工程进度，合理调配使用劳力，适当安排工期，实行定额管理，必须定期进行收方。

（一）用泥浆浓度方法收方

水坠坝施工现场，应做好泥浆浓度的测定和逐日水泵开、停机时间的记录，并根据施工日志记载开泵抽水时间和水泵出水量。按下式计算坝体冲填方量：

$$V = QtK_n \tag{9-1}$$

式中 V——冲填土方量,m^3;

Q——水泵出水量,m^3/h;

t——水泵抽水时间,h;

K_n——泥浆浓度,即冲填泥浆的土水体积比。

根据计算时段的累计抽水时间和平均泥浆浓度及平均水泵出水量,按上式可算出一日的冲填方量,也可算出一段时间的冲填方量。

水泵出水量的测定,可用直角量水尺在现场进行。

用直角量水尺现场测定水泵出水量时,出水管应成水平状态,将直角尺长边放在出水管上,沿管的轴线平行移动,使短尺末端与水流抛物线相切,测出短尺至出水管口的距离 D,如图 9-1,水泵出水量可按下式计算:

$$Q = 14\,000AD \tag{9-2}$$

式中 Q——水泵出水流量,m^3/h;

A——出水管口的截面面积,m^2;

D——短尺至出水管口的距离,m。

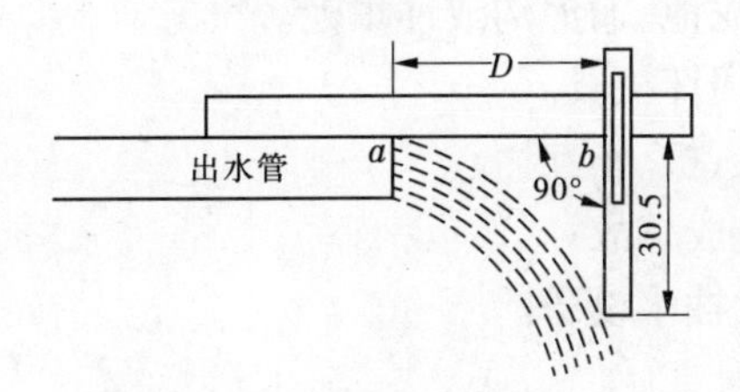

图 9-1 直角尺量水示意图 (单位:cm)

(二)用测量方法进行收方

为了满足施工收方、施工放样和观测坝体位移、沉陷等方面的需要,工地应设立固定的平面控制点和高程控制点。平面控制点设在坝轴线附近和上下游两岸的适当位置,用经纬仪测设,数量应满足施工要求。高程控制点应选在不受坝体沉陷影响、不妨碍施工、引测方便和易于保存的地点。平面控制点和高程控制点均应分别编号,绘制出平面布置图。施工期间要严加保护,定期校核,如有遗失,立即补设。

坝址清基、削坡后,应实测坝基的纵横断面。横断面的多少视坝的长度和坝址地形而定,一般沿坝轴方向,每隔 20～30m 测一个横断面,地形变化大的地方应加测。测出的纵横断面图按一定比例尺点绘在方格纸上,求出坝高与工程量的关系曲线。施工收方时,再把各断面的施工现状测绘在原断面图上,分出边埂和泥浆的分界线，根据各断面的面积和距离，可以分别算出已完成的边埂方量、冲填方量和总土方量。由总土方量查坝高与工程量关系曲线，可得已完成的平均坝高。并进行相互印证与修正。

第二节　施工安全

水坠法筑坝，由于造泥沟沟深坡陡、泥浆流速较大、土方爆破、运土道路相互交叉等易于发生人身事故；加之坝体含水率高，易于产生坝体滑坡等工程事故。因此，在严格控制工程质量的同时，应加强对施工人员的安全教育，制定和完善施工安全制度，建立健全安全检查机构，配备安全监督人员，严格遵守安全操作规程，坚决杜绝各种冒险施工行为，做到安全生产。

一、水坠坝施工中常见的安全事故

(1)大坝滑坡，造成工程损失或人员伤亡。

(2)岸坡塌方，造成人员伤亡或施工工器具埋没。

(3)施工人员掉入造泥池、输泥沟或冲填池。

(4)土方爆破伤人或损坏机具。

(5)施工布局不当，人、机、车互撞。

(6)违章开机开泵，造成事故。

(7)库水位暴涨，淹没抽水设备。

二、水坠坝施工中应注意的几个问题

(一)加强施工质量控制与坝体位移监测

严格控制施工质量，加强坝体位移观测，发现滑坡征兆，立即发出警报，人机工具迅速撤离危险区，并暂停放炮，指派专人继续观测。

(二)加强人工造泥的安全防范

造泥沟应设专人负责安全工作，随时监视岸坡、崖头坍塌的预兆，遇有险情，人和工具立即撤出危险区。松土造泥时，要各自选择有利地形，站稳脚根，注意力集中，随时注意脚下塌方，以防掉进泥沟内。造泥人数要配备适当，不要过于拥挤，防止被工具碰伤。严禁在高崖下采用人工搜根自塌取土。有条件的工地，应积极推广使用水枪冲土，既能保障施工安全，又能显著提高工效。

(三)做好输泥渠与冲填池的防护

在输泥渠比较平缓的地段，应采用绳索和木椽等设置拦网，以防施工人员掉

进输泥渠时,可以在绳子、木椽设置的拦网前得到拦护和抢救,防止被冲进泥池给打捞救护造成不便。输泥渠过宽,跨越不便时,应修临时栈桥,保证施工人员和车辆安全通行。

(四)加强土方爆破的现场管理

工地爆破手应经过严格培训,装药、点炮、警戒和爆破器材的保管等,都应实行专人负责,装药量和炮口方向应由工地施工技术人员严格审定。放炮前应发出警报,根据炮的大小划定危险区,并在四周派出警戒人员。在未解除危险信号之前,任何人不得进入危险区。放炮工作应在上工前或收工后进行,以减少窝工或加大施工安全管理难度。放群炮时,装炮数和发炮数要认真清点核实清楚。如遇哑炮,则必须在预定爆破时间15分钟以后,才能指派专人接近爆破地点,查明原因,进行处理。处理方法一般是在哑炮附近重新打眼装药,进行引爆,不宜直接挖哑炮,以防工具触撞雷管引起事故。爆破完毕,施工人员进入现场后,要首先检查崖头有无裂缝、倒崖、悬石等险情,并及时处理,以防崩塌伤人。如果泵站距离爆破地点太近时,应有泵站防护措施。炮口尽量避开泵站和工作区。坝高达到一定高度后,坝端不宜放大炮,以免因强烈震动危及坝体的安全。

(五)强化机泵站的管理

机械操作人员应严格按操作规程办事,禁止非指定人员操作。推土机向围埂上土或碾压时,应防止陷进泥池。泵站人员在工作时间不能随意离开岗位。采用柴油机组的泵站,皮带两旁不准站闲人,严禁从转动的皮带上直接跨越。采用电动机时,要遵守安全用电规程,施工现场的动力线不准使用裸露线。

(六)强化施工安全防范意识

当坝体出现滑坡征兆时,上下游坝坡和坝坡以下空地禁止存放物资器材,施工人员不可长时间在此停留或开会。工地停工、休息、吃饭时间,施工人员不准在悬崖峭壁下和危险窑洞内乘凉和停留。

(七)做好施工防汛抢险工作

汛期施工时,要做好防汛抢险的准备工作。在坝端两岸应修截流沟,拦截和排除山坡和造泥沟集流的雨水。上下游坝坡均应设置排水沟排泄雨水,防止形成大的冲沟。汛期在坝的上游抽水冲填时,要组织好抢险人员,修好移动机泵的道路和转移平台。如有大雨征兆时,要及时将机、泵移至安全地点,防止被洪水淹没。汛期禁止把推土机、架子车等施工机具器材停放在陡崖下方,以防崖头浸水坍塌造成损失。暴雨时不得在悬崖、破窑内避雨。汛期筑坝工地应准备好夜间照明设备和草袋等防汛抢险物资,加强暴雨洪水的预报和防范。

三、水坠坝坝体滑坡的预兆与防范

(一)滑坡的一般征兆

(1)坝坡出现顺坝轴方向水平错位裂缝,这种裂缝的特点是上茬压下茬。

(2)坝面或坝坡出现向坝外辐射状的弧形裂缝,裂缝由窄变宽、由短变长;裂缝发展速度由慢变快;坡面有小土块向下滚动。

(3)边埂洇湿,且洇湿的面积逐渐扩大,甚至有水渗出。

(4)坝面或坝坡产生异常变形,如坝顶局部下陷,坝坡鼓肚,坝脚外伸,坝面电杆倾倒,位移桩移动量较大。

(5)冲填池积水突然消失,泥浆表面突然下降。围埂继续加土而不升高,冲填泥浆稀而无积水。

(6)坝体孔隙水压力急骤上升。

(7)坝内发出"丝丝"的响声。

(二)出现滑坡征兆后应采取的措施

(1)立即停止冲填作业。

(2)施工人员、设备立即撤离危险区。

(3)加强对滑坡征兆的监测。

(4)仔细寻找原因,查清问题。

(5)采取相应措施,防止滑坡险情的进一步恶化。

(6)确认滑坡预兆消失后,再有控制地逐渐恢复施工。

(三)出现滑坡后应采取的措施

(1)积极稳妥地组织施工人员、设备撤离至安全区。

(2)仔细研究分析滑坡原因,找出问题所在。

(3)有针对性地采取有效措施,认真进行滑坡处理。

(4)在确认安全的前提下,才可恢复坝体冲填施工,切不可急于求成,草率从事。在恢复坝体冲填后,应继续加强施工位移观测和施工安全监测,防止再次发生滑坡事故。

第十章　水坠坝监测

水坠坝应根据需要埋设必要的监测设备,以满足施工期及运行期各种监测项目的需要。

水坠坝的监测试验要求,是按照水坠坝的施工特点在实践中逐步总结出来的。水坠坝施工期和运用初期,坝体含水率及孔隙水压力较高、坝坡变形亦较大,在监测试验、施工质量控制等方面,与碾压坝有所不同,某些项目甚至有较大的差别。本章就水坠坝的监测试验内容和方法,作一些介绍。

第一节　监测目的和任务

一、监视并复核大坝安全

(一)施工期

施工期监测,可以了解坝体在冲填过程中的力学特性,如冲填坝体孔隙水压力、坝体沉降和变形等,并核算施工期坝坡稳定性。尤其是施工期坝体孔隙水压力和变形是影响大坝稳定的最主要数据。通过监测取得这些数据,可以复核坝坡稳定,判断大坝是否安全,以及是否需要减缓坝体上升速度,采取诸如暂停施工、加宽边埂等措施,以保证施工期大坝安全。

(二)运行期

运行期对坝体进行监测,以便了解:

(1)坝体的竖向和水平位移是否在正常范围内,不均匀沉降有没有超过允许值,会不会产生裂缝和引起集中渗漏,影响大坝安全。

(2)施工期产生的孔隙水压力,在完工后的消散情况、坝体固结程度。

(3)坝体浸润线位置以及会否影响坝坡稳定、坝肩绕流等水位线分布,坝基渗流等势线分布,据此估算渗透比降并复核坝肩和坝基的渗流稳定性。

(4)坝体和坝基的渗流量是否在允许范围内,根据渗水透明度及水质分析,判断坝体坝基有无发生机械或化学管涌。

(5)坝体的应力分布情况,据以判断有无土拱效应,有无导致坝体裂缝的拉应力区,有无剪切破坏区等。

综上所述,进行施工期和运行期监测的主要目的就是密切监视大坝运行状况,复核大坝安全,一旦出现异常,可及时采取补救措施,阻止险象发展,以确保大坝安全。

二、验证并修改设计

水坠坝设计中,涉及坝体沉降,坝体孔隙水压力,坝体浸润线,坝肩及坝基渗流场、渗流量、渗流控制措施以及坝体应力应变等计算,都需要通过相关监测资料进行验证、修改,以进一步提高设计水平。

三、为科学研究提供资料

水坠坝设计的边界条件、物理力学参数等往往建立在一定的假定基础上,而坝体监测是最好的科学试验场所,所提供的水坠坝监测资料,可以直接检验有关理论和计算方法的正确性,为相应的科学研究提供第一手资料,促进科研工作发展。

第二节　监测项目及监测设备

一、泥浆浓度监测

泥浆浓度的监测是水坠坝施工质量控制的重要指标之一。泥浆浓度一般是用泥浆土水体积比或泥浆含水率表示,前者能反映施工的经济性,后者则表示冲填的质量。同时根据泥浆浓度可以近似地估算上坝土方量,也是水坠坝施工中一项重要的基本工作。

监测设备主要有采样勺、调土刀、盛泥容器、天平等。

二、坝体干容重与含水率监测

水坠坝是由碾压边埂与冲填泥浆组成的。施工过程中,随着泥浆的脱水固结,边埂也会因吸水而浸湿,整个坝体在发展变化。为了严格控制质量,保证坝体稳定安全,除需要按施工质量控制要求测定泥浆浓度和边埂的分层碾压质量外,还要定期钻探取样,监测坝体干容重与含水率的变化,了解坝体脱水固结进行情况,为工程的运用管理,特别是竣工初期的运用提供依据。

监测设备主要有环刀、天平、烘干箱等。

三、坝体变形监测

水坠坝的坝体变形监测包括水平位移监测和垂直位移监测。

水平位移一般采用经纬仪和埋在坝面上的混凝土位移标点,采用视准线法监测,坝坡面上位移桩的水平位移量直观地反映坝坡的稳定情况。水坠坝施工期滑坡的发生是由蠕变到溃决,要经历一个由渐变到突变的过程。如能在渐变阶段及早发现并采取相应措施,滑坡事故是可以防止的。所以坝体变形监测是水坠坝工程必不可少的监测项目。

垂直位移反映坝体的沉陷情况。用水准仪量测标点的高程变化,采用的监测方法与碾压坝相同。但标点的埋没与水平位移桩的结构有所不同,比较适用的是深标点法和简易水管式沉陷仪。

四、裂缝监测

水坠坝坝体裂缝的种类、形式较多,有时裂缝的出现,往往是事故的前兆。所以应加强对坝面、坝坡、坝肩和建筑物结合部位的裂缝监测工作,掌握施工动态情况,合理安排和调整工程施工进度。

五、应力监测

应力监测包括坝体应力、坝体孔隙水压力、土与混凝土接触面的压力等。常用设备为各种型式的土压力计:钢弦式、差动电阻式及电阻片式;各种型式的孔隙压力计:水压式、测压管式、电阻应变式及钢弦式等。

坝体应力及土与混凝土接触面压力的监测,可了解水坠坝在施工过程中坝体各部分的受力情况,探求经济合理的边埂断面,给设计、施工和科学研究提供资料。

孔隙水压力监测的目的是了解水坠坝坝体或坝基土壤孔隙水压力的分布与消散情况,掌握坝体脱水固结及应力增长变化过程,并为确定设计计算和施工验算常用的孔隙水压力指标提供依据,它是水坠坝体内部监测的重要项目。

六、其他监测

(一)渗流监测

包括坝体浸润线、渗流量、渗水透明度及水质、岸边绕渗、坝基渗水压力等。常用设备为水管式测压管、渗压计、量水堰等。

(二)坝基渗流控制效果分析

包括防渗措施效果与排渗措施效果两方面的监测。

常用设备为水管式测压管、渗压计等。

渗流监测的内容和方法与碾压坝一样,本书不再赘述。

第三节　监测点的布置

一、布置原则

按坝的等级重要性以及试验目的确定监测项目和数量。等级高的重要水坠坝监测项目和数量都要多些。布置监测项目和数量应强调少而精,应该突出重点,能充分反映大坝工作情况即可。

二、不同监测项目的布置

(一)监测控制断面

可选择如下断面作为布置监测设备的控制断面:

(1)河床一般3个,其中一个为最大坝高断面,靠近两岸各一个。

(2)两岸岸坡。

(3)坝基有地质构造处,如基岩断层带、裂缝密集带及高承压水层等。

(4)覆盖层最深或压缩性土层最厚处。

(5)有坝下埋管或与混凝土建筑物接触处。

(6)坝的合龙段,可根据坝的长短,增减河床布置监测断面的数量。

(二)坝面变形监测

沿上下游坝面不同高程布设若干条(视坝高而定,愈高愈多)平行于坝轴的视准线,其中在坝顶处有两条,分别穿过下游坝肩和上游坝肩。视准线与施测断面纵横相交,在交点处设置表面标点,监测坝面垂直及水平位移。施测断面间距视坝长而定,一般30~50m,其中包括控制断面。施工期坝体位移施测断面可增加到每5~10m一个。

(三)坝内及坝基变形监测

从控制断面中挑选不少于两个断面,在施工期即开始进行坝内及坝基分层变形监测。每个横断面上布设的沉降监测垂线,不宜少于3根。为了解坝体的不均匀沉降,常将竖向位移测点布设在相互靠近又位于压缩性不同的填料区内,为了与设计值比较,常使监测断面与设计断面一致。

坝内横向水平位移测点，布置在可能产生最大横向位移的断面，并位于坝的上部。纵向水平位移点多布置在靠近坝顶且位于纵向地形变化急骤处（如两岸岸坡与河床交界处）。

对于软土坝基，应在上下游坝脚以外，在坝基表面各布置两排变形标点，以监测坝基水平及竖向变形。

（四）应力监测

1.土压力计

可在坝体设定若干不同高程的水平面，等距离分布土压力计，以了解水平面上的坝体压力。土压力计还可布设在靠近两岸或坝顶可能出现的拉应力区、沿坝体与混凝土建筑物接触面。

2.孔隙水压力计

在控制断面中布置若干水平线（相互高差5～10m），在水平线上，以相隔10～15m等距布设孔隙水压力计。坝体内埋设的孔隙水压力计总数，应满足绘制孔隙水压力等值线的要求。

（五）渗流监测

1.坝体浸润线

在控制断面中选择不少于3个断面，进行坝体浸润线监测。每个断面的测压管数量一般为3～5根，布置在横断面的中部和下游部位，具体部位以能控制并顺利勾画坝体浸润线为准。测压管的进水管段应等于或略高于预估的浸润线，这样测得的测压管水位才代表浸润线高程。应指出，在坝体设置渗压计，其测值只代表测点 A 的孔隙水压力，其折算水位等于通过该点的等势线与浸润线交点的高程，而不等于 A 点上方的浸润线高程，两者相差 Δh（见图10-1），只有当等势线为垂直情况下才相等。

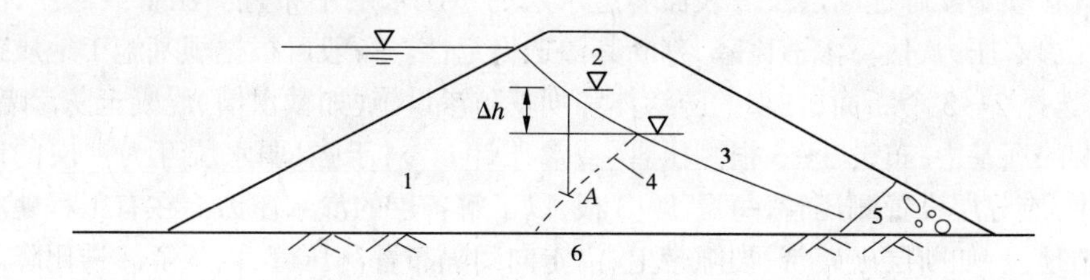

图10-1　渗压计监测示意图

1—坝体；2—测点 A 上方浸润线高程；3—浸润线；
4—等势线；5—滤水坝趾；6—不透水基；A—渗压计测点

2.渗流量、渗水透明度和水质

在坝址下游低洼处设置集水沟,以汇集坝身、坝基和绕坝的渗透流量,在集水沟出口处设置量水堰,量测渗流量。

如渗流量可以分区拦截,分区监测,可在坝址下游分区设集水沟,分别量测。对于设排水井或反滤排水沟的,可选择有代表性或排水沟区段分别测量其渗流量。

集水沟和量水堰应同排泄坝面及两岸岸坡雨水严格分区,不得混淆。应指出,对坝下一定厚度的砂砾覆盖层中的渗流量,难以截住直接测量。有一种替代办法,在覆盖层中布设若干测压管,量测其渗流水位,以水位差除以测压管间距的渗透比降,将各管的渗透比降进行平均,得平均渗透比降 I_a,再按式(10-1)估算砂砾覆盖层渗流量 $Q_{覆}$:

$$Q_{覆} = BkI_aT \tag{10-1}$$

式中 B——河床宽,m;

T——覆盖层平均厚,m;

k——砂砾覆盖层平均渗透系数,m/d;

$Q_{覆}$——砂砾层渗流量,m^3/d。

应该定期从水沟取渗水水样,进行透明度及水质分析,以了解有无发生机械管涌或化学管涌。

3.岸边绕流

绕流测压管布置和数量,可根据两岸地形地质条件及土石坝与地面相交的轮廓线而定,以能绘出绕流的等水位线为原则。通常根据设计绘制的绕流流线布置测压管,在左右岸各选 2~3 条流线,在每一流线上间隔布置 3~5 根测压管。

4.坝基渗水压力

在坝基砂砾透水层及有表面弱透水层的承压水层中布置测压管或渗压计,监测渗水压力,估算渗透比降,判断其渗透稳定性。一般可根据坝基施工地质条件,选择 2~3 个断面,在坝的防渗体和坝基防渗设施(如截水槽、混凝土防渗墙)下游的坝基中,布设 3~5 根测压管(或渗压计)。对于强、弱水层互为夹层的地基中,应分层设置测压管,每层 1~3 根,以了解各层的渗水压力。在有工程地质构造地段,如断层破碎带、裂隙带上,沿走向间隔布置测压管,以了解渗透比降。

(六)坝基渗流控制效果

主要监测坝基防渗排水设施的渗流控制效果。

1.防渗监测设施的布设

通常选 2~3 个断面,在防渗设施如混凝土防渗墙、截水槽、灌浆帷幕等的上下游至少各布置 1~2 根测压管或渗压计，监测渗压水位及水位差，以了解防渗效果。

2. 排渗效果监测设施的布设

(1)如坝后采用排水沟，可垂直于排水沟布置 1~3 个断面，每个断面至少分别在沟上下游各布置一根测压管，测其渗压水位，以了解排渗效果。

(2)如采用减压井排渗，应在平行于坝轴方向的井上游、井间及井下游各布置 1 个断面，一共 3 个断面，每个断面间隔布置若干测压管或渗压计，以监测其排水效果，并了解减压井周围渗压水位的变化情况。

(3)如采用水平褥垫排渗，则选 2~3 个断面，在褥垫上游、下游及褥垫下面坝基各设一根测压管，监测渗压水位，以了解防渗效果。

以上的防渗效果监测，还应结合坝体、坝基及绕流的渗流监测断面进行布置。

第四节　水坠坝的施工现场监测

水坠坝的施工现场监测试验项目主要有：泥浆浓度、坝体干容重与含水率、坝体变形、坝体裂缝、孔隙水压力、土压力以及十字板抗剪强度等。前四项是一般工程都应开展的，后三项可根据工程的重要性和实际条件决定是否进行。

一、泥浆浓度的监测

泥浆浓度的监测目的是通过监测，合理调整土场人力和机械设备的组合方案，加快施工进度，提高施工质量；估算上坝土方量。下面简要介绍泥浆浓度的测定方法及经验公式，泥浆浓度的监测设备和监测要求。

(一)泥浆浓度的表示方法和计算公式

泥浆浓度一般是用泥浆土水体积比(以下简称泥浆土水比 K_n)或泥浆含水率 ω_n 表示。前者能反映施工的经济性，后者则表示冲填的质量。

1. 泥浆土水比

泥浆土水比 K_n 是指泥浆中土的体积与水的体积之比。它能反映冲填工效，即用一立方米水能挟带土场几立方米土，或冲填形成几立方米坝体。可按式(10-2)计算，前者用土场自然干容重，后者用设计干容重进行计算。

$$K_n = \frac{\gamma_n - 1}{A_1 - B_1(\gamma_n - 1)} \tag{10-2}$$

式中　K_n——泥浆土水比；

A_1、B_1——计算常数，$A_1 = (1 - \frac{1}{G_s})\gamma_d$，$B_1 = (\frac{1}{G_s} + \omega_0)\gamma_d$；

γ_n——泥浆容重，g/cm^3；

γ_d——土的干容重，可用土料自然状态或坝体设计的干容重，g/cm^3；

ω_0——土料的自然含水率，用小数表示；

G_s——土粒相对密度，由试验测定，缺乏试验条件时可从表10-1经验值中选用。

表10-1 各种土料的土粒相对密度 G_s 经验值

土料名称	黏土	重粉质壤土	中粉质壤土	轻粉质壤土	沙壤土
相对密度	2.74	2.72	2.71	2.70	2.69

2.泥浆含水率

泥浆含水率 ω_n 是指泥浆中水的重量与干土重量比，用百分数表示，可用式(10-3)计算：

$$\omega_n = \frac{1 - \frac{\gamma_n}{G_s}}{\gamma_n - 1} \times 100\% \qquad (10\text{-}3)$$

式中符号意义同前。

泥浆容重可以用式(10-4)计算：

$$\gamma_n = \frac{g_n}{V_n} = \frac{g - g_0}{V} \qquad (10\text{-}4)$$

式中 g_n——泥浆净重，g；

g——泥浆加容器重，g；

g_0——容器重，g；

V_n——泥浆体积，监测时使 $V_n = V$，cm^3；

V——容器体积，cm^3。

根据上述成果，可以用式(10-5)计算泥浆干容重 γ_{nd}：

$$\gamma_{nd} = \frac{\gamma_n}{1 + \omega_n} \qquad (10\text{-}5)$$

式中 γ_{nd}——泥浆干容重，g/cm^3；

其余符号意义同前。

为了简化计算，可先根据各有关条件和数据，绘制相关图表，供施工控制之用。泥浆土水比 K_n 与泥浆重量 g_n 或泥浆容重 γ_n 关系图表，泥浆含水率 ω_n 与泥浆重量 g_n 或泥浆容重 γ_n 关系图表，如图 10-2、表 10-2 所示。但当容器体积或土料场自然含水率等数据有变动时，应另行绘制。

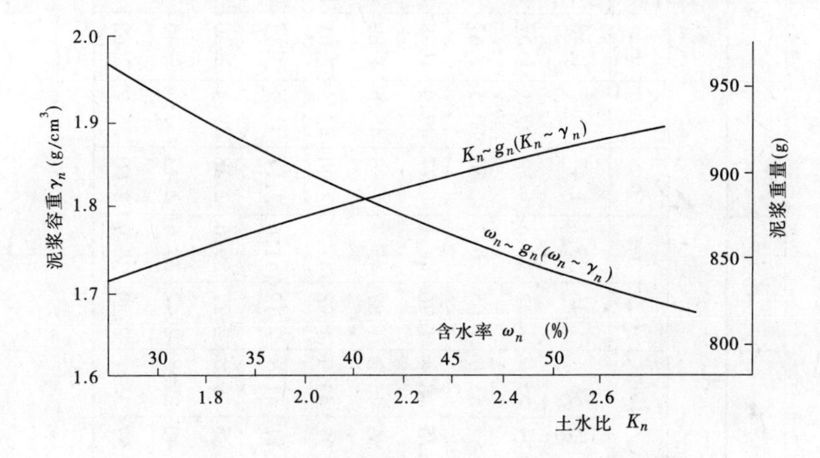

图 10-2　泥浆容重、重量与土水比、含水率关系线

注：(1)泥浆重量系按泥浆容器体积为 488cm^3 计；(2)土粒相对密度 2.7；(3)土料自然含水率 12%；(4)设计坝体干容重 1.5t/m^3。

【例】 某水库工地测得土料场自然含水率 $\omega_0 = 10\%$，自然干容重 $\gamma_d = 1.4\text{t/m}^3$，土粒相对密度 $G_s = 2.70$，测定泥浆浓度用的容器体积 $V = 488\text{cm}^3$，称得泥浆重量 $g_n = 898\text{g}$。要求计算此时泥浆的容重 γ_n、含水率 ω_n、干容重 γ_{nd} 和土水比 K_n 的数值。

解：先计算两个常数 A_1 和 B_1：

$$A_1 = (1 - \frac{1}{G_s})\gamma_d = (1 - \frac{1}{2.7}) \times 1.4 = 0.882$$

$$B_1 = (\frac{1}{G_S} + \omega_0)\gamma_d = (\frac{1}{2.7} + 0.10) \times 1.4 = 0.659$$

由式(10-2)～式(10-5)得：

泥浆容重　$$\gamma_n = \frac{g_n}{V_n} = \frac{898}{488} = 1.84(\text{g/cm}^3)$$

泥浆含水率　$$\omega_n = \frac{1 - \frac{\gamma_n}{G_s}}{\gamma_n - 1} = \frac{1 - \frac{1.84}{2.7}}{1.84 - 1} = 0.38 = 38\%$$

表 10-2 泥浆重量(g_n)与土水比(K_n)、泥浆含水率(ω_n)关系表

泥浆重量(g)	泥浆重量(g)																			
	0		1		2		3		4		5		6		7		8		9	
	项目																			
	K_n	ω_n	K_n	ω_n	K_n	ω_n	K_n	ω_n	K_n	ω_n	K_n	ω_n	K_n	ω_n	K_n	ω	K_n	ω_n	K_n	ω_n
800	1.41	57.8	1.41	57.5	1.42	57.2	1.43	56.9	1.44	56.6	1.45	56.4	1.46	56.1	1.47	55.7	1.48	55.5	1.49	55.2
810	1.50	54.9	1.50	54.7	1.51	54.4	1.52	54.1	1.53	53.9	1.54	53.6	1.55	53.3	1.56	53.1	1.57	52.8	1.58	52.5
820	1.59	52.2	1.60	52.0	1.61	51.7	1.62	51.5	1.63	51.3	1.64	51.0	1.65	50.7	1.66	50.5	1.67	50.2	1.68	49.9
830	1.69	49.6	1.70	49.3	1.71	49.1	1.72	48.8	1.73	48.6	1.75	48.4	1.76	48.1	1.77	47.9	1.78	47.7	1.79	47.5
840	1.80	47.2	1.81	47.0	1.82	46.8	1.83	46.6	1.84	46.4	1.86	46.2	1.87	45.9	1.88	45.6	1.89	45.4	1.90	45.2
850	1.91	45.0	1.92	44.7	1.93	44.5	1.94	44.3	1.95	44.1	1.97	43.9	1.98	43.7	2.00	43.5	2.01	43.3	2.03	43.1
860	2.04	42.9	2.05	42.6	2.07	42.4	2.08	42.2	2.09	42.0	2.11	41.8	2.12	41.6	2.14	41.4	2.15	41.2	2.16	41.0
870	2.17	40.8	2.19	40.6	2.20	40.4	2.22	40.2	2.23	40.0	2.25	39.8	2.27	39.6	2.28	39.4	2.30	39.2	2.32	39.0
880	2.33	38.8	2.34	38.6	2.36	38.4	2.37	38.2	2.39	38.0	2.40	37.8	2.42	37.6	2.43	37.4	2.45	37.2	2.47	37.0
890	2.49	36.9	2.51	36.8	2.52	36.6	2.53	36.4	2.55	36.2	2.57	36.1	2.59	35.9	2.60	35.7	2.62	35.5	2.64	35.3

注:本表计算基本依据:$G_s = 2.71$,$\gamma_d = 1.5t/m^3$,$V = 488cm^3$,$\omega_0 = 10\%$。

泥浆土水比　　$K_n = \dfrac{\gamma_n - 1}{A_1 - B_1(\gamma_n - 1)} = \dfrac{1.84 - 1}{0.882 - 0.659 \times (1.84 - 1)} = 2.55$

泥浆干容重　　$\gamma_{nd} = \dfrac{\gamma_n}{1 + \omega_n} = \dfrac{1.84}{1 + 0.38} = 1.33(g/cm^3)$

(二)泥浆浓度测定的设备和监测要求

1.泥浆浓度测定的设备

从满足水坠坝施工现场监测的简易(设备简单、操作容易)、准确(精度满足工程要求)、迅速(数据测得快)三个要求出发,目前大多数选用称重法测定。其主要设备为:

(1)采样勺。一般为铁勺,为便于从输泥渠中取样,勺把需接长约1.5m的把柄。

(2)调土刀。用以搅拌泥浆和刮平泥面的平口刀。

(3)容器。盛泥浆用,体积约为500cm^3的铝盒。

(4)天平秤。称量用的托盘天平,称量1～2kg,感量1～2g。

(5)其他辅助工具。如水桶、记录表等。

2.测定的要求

(1)配备专人负责测定。

(2)取样地点要在输泥渠的末端靠近冲填池进泥口处,采取输送中的泥浆。

(3)每隔20～30min取样一次,测记取样时间、泥浆重量、泥浆土水比或含水率(由图10-2或表10-2查取)。

(4)当泥浆浓度变化时要加密测次。测定中发现浓度低于质量控制规定时,应及时通知造泥工段,以便采取措施,提高泥浆浓度。

(5)应注意掌握料场土料性质和自然含水率的变化,及时调整修正测定成果,保证数据准确。

3.测定成果的整理

按日、旬、月分别统计出每一冲填池及全坝的泥浆浓度平均值。竣工后,应该统计每一级泥浆浓度的测次占总测次的分数,绘制全坝泥浆浓度的概率曲线和分布曲线,如图10-3所示,作为坝体冲填质量的评价。

二、坝体干容重与含水率监测

水坠坝是由碾压边埂与冲填泥浆组成的,两者性质不同,所以监测方法亦不同。现将水坠坝边埂干容重与冲填体泥浆含水率的监测方法分述如下。

(一)边埂的质量监测

边埂一般是采用分层铺土碾压,可以按照碾压坝的质量监测要求采用分层

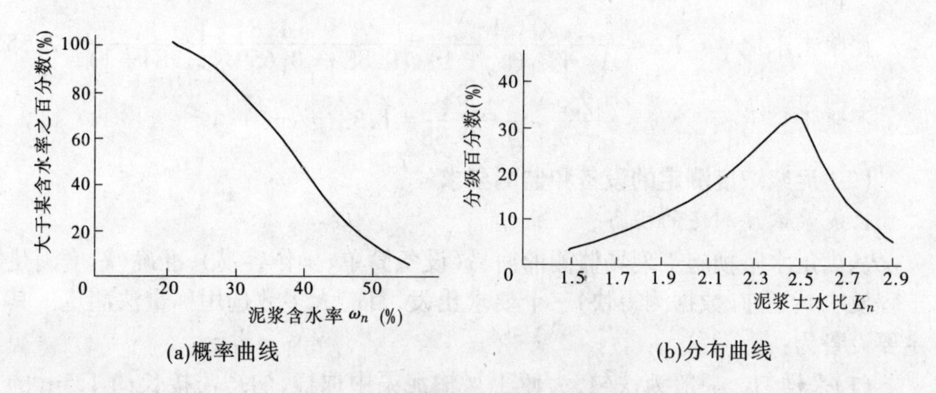

图 10-3　全坝泥浆浓度分析曲线

取样。取样数量的要求见第九章第一节工程质量检查与控制。这里仅介绍监测方法和计算。

1. 监测方法与监测工具

1)环刀法

用已知体积和重量的环刀,见图 10-4(a),在每一碾压层中取样,作容重、含水率试验,并计算干容重。测定含水率可以采用烘干法或酒精燃烧法等,视具体条件而定。

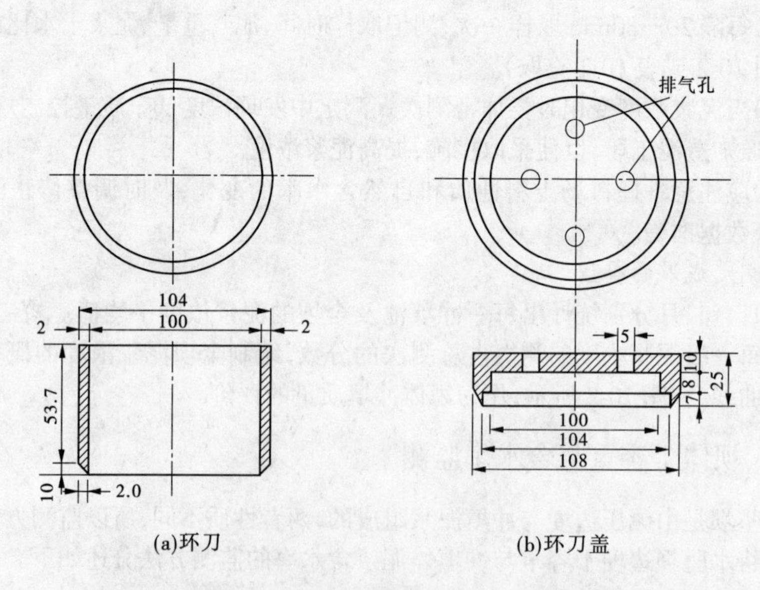

图 10-4　环刀与环刀盖图　(单位:mm)

环刀法的主要设备为：

(1)环刀，现场试验一般选用的环刀体积为 200～500cm^3。

(2)天平秤，称量 1 000g、感量 1g 和称量 100g、感量 0.01g 的天平各一架。

(3)铝盒，测含水率用，数量视试验工作量而定，一般不少于 10 个。

(4)辅助工具，如切土刀、击锤、镐、锹等。

(5)烘烤设备，如电热干燥箱或红外线烘箱等。

2)湿度密度计法

土建工程现场监测的定型仪器——湿度密度计(见图 10-5)，它是根据比重天平法试验原理和浮体原理制造的浮秤，刻有不同标尺，可分别直接读出土的容重和干容重，从而计算含水率。省去了称量和烘烤等步骤，是一种简便快速的方法。只要认真细心按照操作规程进行，其精度可以满足一般工程的要求。

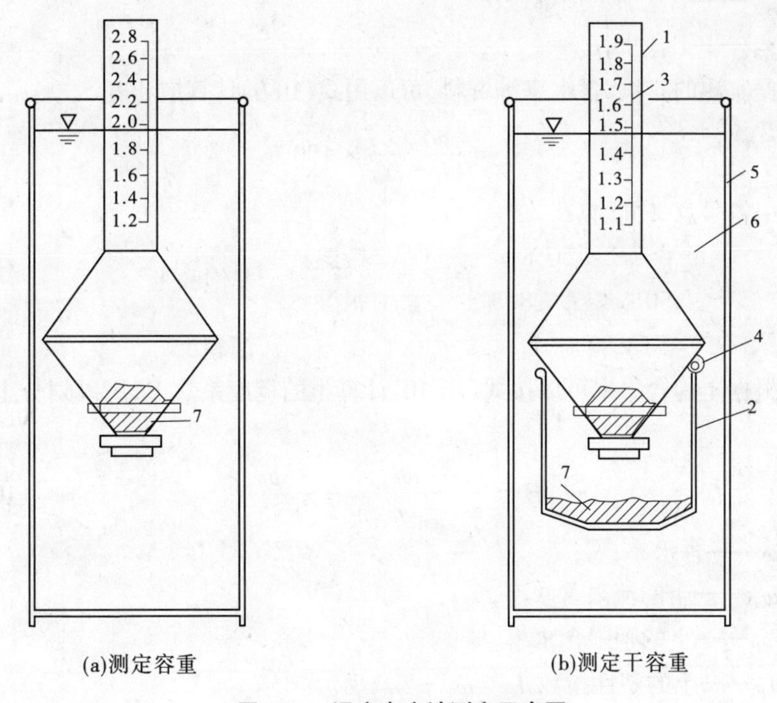

(a)测定容重　(b)测定干容重

图 10-5　湿度密度计测定示意图

1—浮秤；2—容器；3—标尺；4—连接钩；5—水桶；6—水；7—被测定的土

2. 计算方法

使用环刀法测定时，土的容重 γ、干容重 γ_d 按式(10-6)、式(10-7)计算；含水率 ω 按式(10-8)计算。其中式(10-7)也适用于湿度密度计法的含水率计算。

$$\gamma = \frac{g_4 - g_5}{V} \tag{10-6}$$

$$\gamma_d = \frac{\gamma}{1 + \omega} \tag{10-7}$$

式中　g_4——环刀加湿土重,g;

g_5——环刀重,g;

V——环刀体积,cm^3;

ω——土的含水率,以小数计。

$$\omega = \frac{g_1 - g_2}{g_2 - g_3} \times 100\% \tag{10-8}$$

式中　g_1——铝盒加湿土重,g;

g_2——铝盒加干土重,g;

g_3——铝盒重,g。

根据实测的容重、含水率等资料,可以用式(10-9)计算饱和度 S_r。

$$S_r = \frac{\omega \gamma_d G_s}{G_s - \gamma_d} \times 100\% \tag{10-9}$$

式中符号意义同前。

当　$0 \leqslant S_r \leqslant 50\%$　微湿 }
　　$50\% < S_r \leqslant 80\%$　很湿 } 非饱和土
　　$S_r > 80\%$　饱和土

又根据土的含水率可以按式(10-10)计算土的稠度系数 B,用以划分土的状态。

$$B = \frac{\omega - \omega_P}{\omega_T - \omega_P} = \frac{\omega - \omega_P}{I_P} \tag{10-10}$$

式中　ω——含水率,%;

ω_T——土的流限含水率,%;

ω_P——土的塑限含水率,%;

I_P——土的塑性指数 $I_P = \omega_T - \omega_P$,%。

当 $\omega < \omega_P$ 时,$B < 0$,土体为固体状态

$\omega_T \geqslant \omega \geqslant \omega_P$ 时,$1 \geqslant B \geqslant 0$,土体为可塑状态
- 半固态 $0.25 > B \geqslant 0$
- 硬塑的 $0.5 > B \geqslant 0.25$
- 软塑的 $0.75 > B \geqslant 0.5$
- 流塑的 $1 \geqslant B \geqslant 0.75$

当 $\omega > \omega_T$ 时，$B > 1$，土体为流动状态

(二)冲填体的质量监测

对冲填体的质量监测，在于掌握坝体的干容重、含水率的分布、流态区的大小、专用排水措施的效果等。不同阶段的监测成果能反映坝体的脱水固结、质量增长的情况，是进行稳定分析的依据。

1.监测方法与设备

1)泥浆取样钻监测法

它是根据水坠坝的特点设计的简便取样钻，专用于对冲填体的监测。可以对深度在10m以内的任意部位钻取泥浆试样，属于浅层质量监测工具。常用的泥浆取样钻，因取样器的构造不同分为活塞式取样器和锥式取样器两种，见图10-6所示，使用方法基本相似。

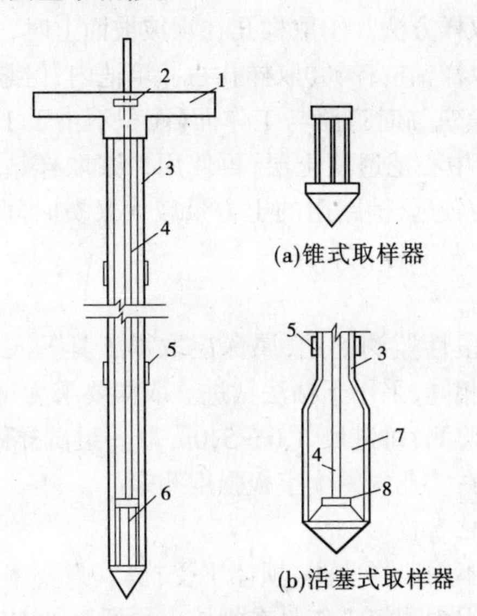

图10-6　泥浆取样钻简图

1—手柄；2—制紧螺栓；3—导管；4—压杆；
5—管箍；6—锥式取样器；7—取土筒；8—橡皮圈

(1)泥浆取样钻的结构。大体上可分为四个组成部分：①手柄，提拉、加压用，柄上附有制紧螺栓，用以固定压杆；②导管(直径为25cm钢管)，控制取样深度用，每节导管长1m共十节，一般用管箍连接(若条件许可改为平接头，减少入泥阻力则更好)；③压杆(直径为14～16mm的工具钢)，起传递压力作用，除与取样器连接的一节长为1.5m以外，其余九节均为1m长，采用内螺扣平接头连接；

④取样器,采取泥浆试样用。

(2)使用方法:由冲填体表面向下逐段取样,每隔0.5m或1.0m取样一次作含水率测定。具体步骤(以锥式取样器为例):①先在手柄上连接导管(1.0~2.0m);②将接有取样器的压杆(1.5~2.0m)插入导管内,并使取样器锥头的顶面与导管的底口紧密结合,近似密封,随即将制紧螺栓拧紧,使压杆固定;③由2~4人提起取样钻,对准取样孔,稳稳压入泥浆至要求取样深度(0.5~2.0m);④提住手柄,拉住压杆,松开制紧螺栓,缓慢向下压压杆约0.1m,保持压杆位置,待泥浆进入取样器;⑤按压手柄,使导管底口与锥头的顶面再度结合(此时取样器有整体下沉感觉),立即停压,同时拧紧制紧螺栓,使压杆固定;⑥提出取样钻,平放在地面松开制紧螺栓,推出取样器,从中采取试样,置于铝盒中留作含水率的测定。随着取样深度的增加,可加接导管与压杆,重复上述步骤逐段取样。

(3)不同条件的取样方法。①取样孔在坝坡坡面上时,先用洛阳铲打透碾压边埂,然后使用泥浆取样钻取样;②取样孔在冲填池内,但紧靠边埂时,则由边埂向冲填池铺填干土,填筑临时道路与工作面(面积不小于1m^2,高出泥面不小于0.3m),然后在工作面中心挖透填土层,再使用泥浆取样钻取样;③取样孔在冲填池内时,由于距边埂较远,铺路用的土方量较大又费时间,可改用监测船作为工作台,在船台使用泥浆取样钻取样。

2)土钻取样法

土钻取样法供阶段性监测使用,属深层取样工具。人力钻与机械钻均可。操作方法与一般钻探相同,采用干钻法钻进。取样要求为每进尺0.5~1.0m取样作含水率或干容重监测,每进尺3.0~5.0m取一组试样做力学特性指标的测定。还可以根据需要在钻孔内做十字板强度测定。

3)利用放射性同位素监测法

此法最大优点是不用取样监测,坝体不受扰动,只要率定曲线准确,测得数据的真实性也较高。因为测定工作是在坝体内预埋钢管中进行,所以可连续、定点监测。此法对预埋钢管(专用监测管)要求甚严,不仅要求管壁厚度保持一致(包括接头部位),而且要求管直、不弯曲,否则容易发生卡住探头事故,轻则使监测工作中断,重则使监测管报废。鉴于它的量测设备及放射源的限制,加之预埋管的定位较困难,目前应用还只限于重点工程。

上述三种方法对于取样孔(或监测管)的布置原则是一致的。一般按纵横断面控制,每个断面不少于三个孔(管),应以能够反映整体质量为准。泥浆取样钻法,由于它的使用比较简便,可以结合科研项目要求进行布置孔位,以获得更多的资料。

2. 监测成果的整理与分析。

各个施工阶段测得的成果应及时整理，可以分断面整理成如表 10-3 所示，来表示该断面的坝体质量分布情况，作为施工验算的依据。还可以用坝体含水率分布图和坝体流态区图反映出坝体脱水固结发展情况和流态区变化。

表 10-3　曲峪坝坝体质量监测成果

坝高 (m)	孔号									
	1		2		3		4		5	
	项目									
	ω (%)	γ_d (t/m^3)	ω (%)	γ_d (t/m^3)	ω (%)	γ_d (t/m^3)	ω (%)	γ_d (t/m^3)	ω (%)	γ_d (t/m^3)
32	17.8	1.52	18.6	1.63						
30			18.2	1.58			14.2	1.60		
29	20.7	1.55			19.9	1.59			14.7	1.48
28							17.4	1.57		
27	20.5	1.54	20.3	1.59						
26							18.8	1.58		
25									17.6	1.61
24					22.7	1.67				
23	24.4	1.59	22.8	1.67					22.4	1.55
22					24.5	1.58	23.0	1.65		
21									23.8	1.59
20	23.8	1.62			24.1	1.63				
18	22.9	1.66	24.3	1.57	16.0	1.61			22.5	1.59
16			23.1	1.59			23.0	1.59		
15	22.4	1.60					20.7	1.58		
13	19.3	1.69					19.9	1.56	18.1	1.51
11									25.8	1.59
10	22.4	1.67								
9							21.0	1.68	22.9	1.66
8	25.1	1.60								
7							23.1	1.59		
6	24.0	1.60							21.3	1.65
4	22.7	1.58					24.4	1.63		
2	24.5	1.60					23.1	1.64		

三、坝体变形监测

水坠坝坝体变形监测的目的是通过预先埋设在坝体和两岸的监测标点,确定坝体不同位置的水平位移和垂直位移的数量和发展趋势,在位移渐变阶段及早发现并采取相应措施,防止水坠坝施工期滑坡的发生。

(一)水平位移监测

水平位移一般采用经纬仪视准线法监测,坝坡面上位移桩的水平位移量直观地反映坝坡的稳定情况。

1.水平位移桩的布设

水平位移桩(可兼作表面沉陷桩)的布设,在下游坝坡通常是从反滤体以上每增加 3~5m 坝高时,就及时在坝坡上布设一排木桩,桩距 10~30m。上游坝坡亦作相应布设。在坝的两岸每一纵排标点的延长线上各布置一个工作基点(即固定桩),并且设置 1~2 个校核桩,供监测时校验用,见图 10-7。

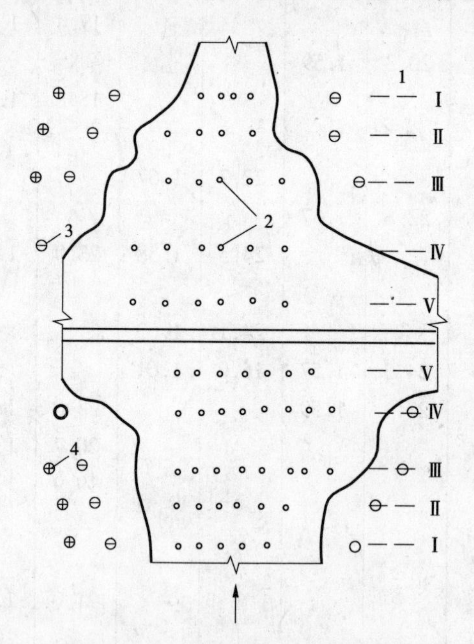

图 10-7　水平位移桩平面布置图

1—排编号;2—位移桩;3—固定桩;4—校核桩

2.监测要求

(1)施工期每 3 天左右监测一次,停工阶段也要照常监测,只有在变形稳定后,才可减少测次。

(2)施工期当变形超出规定时,要加密测次,甚至要固定仪器对变形量最大的一排木桩作连续监测(此时要注意监测人员的安全),直至变形稳定后,再恢复正常监测。

(3)根据已成工程实践经验,一般工程的水平位移的控制标准为:轻、中粉质壤土坝为1cm/d;重粉质壤土坝为1~1.5cm/d;小于此值属于正常位移范围。接近竣工阶段和进行封顶时,控制标准应当更加严格。

(4)当发生较大变形时,可加设临时位移桩,缩小排距及桩距,适应变形控制的要求。

3.监测成果的整理

(1)应及时将监测成果填表报送施工单位,报送频次按有关规定执行。遇有较大位移时应随测随报,作为调整施工安排、采取预防和处理措施的依据。

(2)应及时整理监测成果,绘制位移过程线,见图10-8。认真分析研究各个测点的位移变形与施工各因素的关系,对发现的问题要及时提出处理措施。

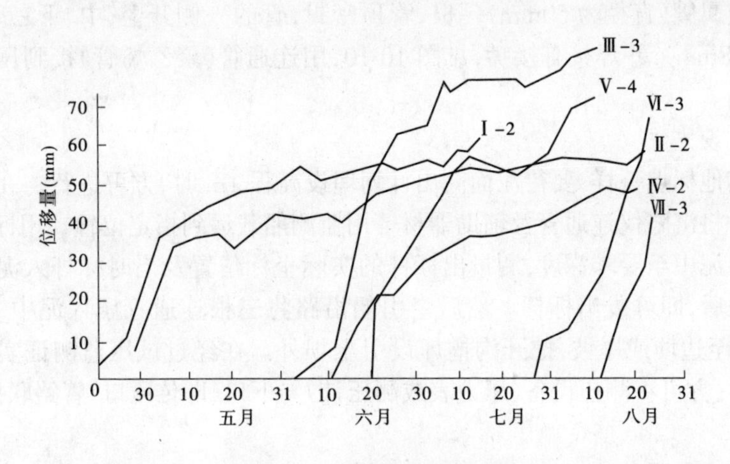

图10-8　坝坡位移过程线

(二)垂直位移监测

垂直位移监测(即沉陷监测)是用水准仪量测标点的高程变化,反映坝体的沉陷情况。采用的监测方法与碾压坝相同。但标点的埋没与水平位移桩的结构有所不同,比较适用的是深标点法和简易水管式沉陷仪。

1.深标点法

1)深标点的结构

深标点可作为单点或分层多标点成组埋设。每个标点主要由底板、标杆和套管三部分组成。底板采用方形铁板,边长500mm,厚度3~5mm。标杆用直径14~16mm 钢筋;将其焊接或螺栓固定在底板上。套管用直径25~38mm 的铁管套于标杆外部以防摩阻,如图10-9。

2)埋设方法

标点的埋设需待泥面超过计划埋设高程1m时,方可进行。在边埂上用尼龙绳将载有标点、量测工具及人员的船,牵引至标点坐标位置附近,将带有反滤砂包的第一节标点,放置泥面上大致对位后,用人力将它压入泥中,入深不小于1m,量取泥面外露的标杆长度(一般保持标杆超出套管上口不小于30cm)。然后测量泥面高程和标杆坐标位置,填写记录表。以后按规定监测沉陷量,随冲填泥面升高,及时加接标杆和套管,保持杆顶高出泥面0.5m以上。

2.简易水管式沉陷仪

1)仪器的结构

在250mm 见方的塑料或金属板(板厚3~8mm)的中心,焊接长为0.2m的塑料或金属管(直径为50mm)一根,管顶密封,管的一侧开上、中、下三个孔(直径为6~8mm),并焊接有接嘴,见图10-10,用连通管(聚乙烯管)接到压力表上进行监测。

2)埋设方法

同其他标点一样,要待泥面高出计划埋设高程1m时,方可进行。在冲填池中埋设时将沉陷仪连通管及辅助器材等用监测船载运到指定位置。用标杆将沉陷盒压入泥中至要求深度,测量出标杆的实际坐标位置及当时标杆入泥深度和泥面高程后,即可拔出标杆。然后牵引船沿路将三根连通管压入泥中,埋深约0.5m,直至边埂或岸坡,挖开沟槽埋设引至坝外。在经过试压监测证实管道通路正常时,方可将测压设备(压力表或测压计)与下口(即传压口)管路联接,供监测之用。

3)注意事项

(1)埋设前将仪器及管路全部充水,并监测在承压(2~3kg/cm^2)下,保证无漏水现象。

(2)管路要顺泥浆流向埋设。

(3)管路要留有适应沉陷、位移的长度。

(4)冲填池内的管路要尽量避免有接头。

(5)上、中、下口的连通管路要加标志,以免差错。

(6)管的出口要低于沉陷仪的埋设高程3.0~5.0m,并设有保护设施。

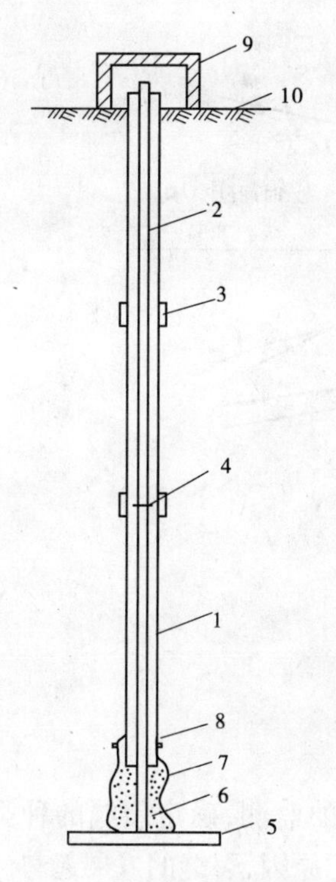

图 10-9　深标点结构示意图

1—护管;2—标杆;3—管箍;4—导环;
5—底板;6—砂;7—麻袋片;
8—铁丝;9—保护盖;10—坝面

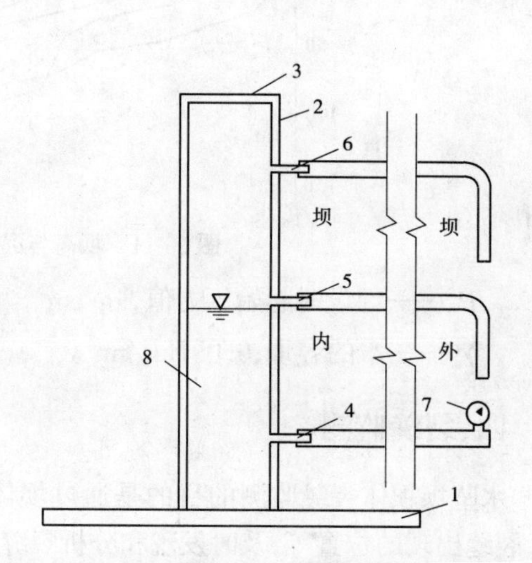

图 10-10　简易水管式沉陷仪

1—底板;2—ϕ5cm 圆管;3—顶盖;
4—传压孔; 5—排水孔;6—排气孔;
7—测压设备;8—水

(7)每次监测时要用水压和气压监测管路,并测记监测前后的压力表(测压计)的读数。

(8)监测次数在施工期一般为 5 天一次,随着相邻二次的沉陷差的减小,可延长为半月至 1 个月测一次,竣工后的测次可另行规定。

监测资料要及时整理分析,绘制过程线,如图 10-11,根据沉陷量进行坝体固结度分析和确定预留沉陷量。

水管式沉陷仪的沉陷量计算是根据每次测读的压力值与埋设时起始压力值之差按式(10-11)换算。

$$S = (P_t - P_0)/\gamma_w \tag{10-11}$$

式中　S——沉陷量,cm;

P_t——监测时压力值,kg/cm^2;

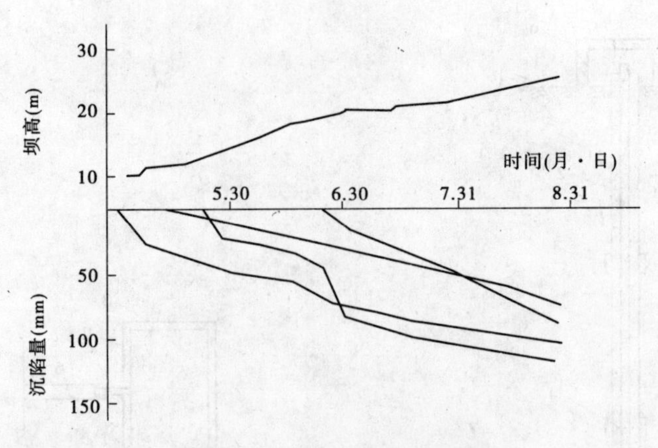

图 10-11　坝高与沉陷过程线

P_0——埋设时起始压力值,kg/cm^2;

γ_ω——水的容重,0.001kg/cm^3。

四、裂缝监测

水坠坝坝体裂缝监测的目的是通过坝体裂缝的监测,确定裂缝的种类、形式,裂缝出现的位置等,及时发现和分析裂缝产生的原因,裂缝的发展趋势,提出施工和运行中应预防和杜绝坝体事故的措施。

(一)裂缝类型和产生原因

1.龟裂缝

龟裂缝是因坡面及泥面表层干缩而产生。缝的方向没有规律性,纵横交错,缝距比较均匀,且垂直于表面,缝宽小于1cm,深度小于1m,上宽下窄,不会直接影响坝体安全,在泥面表层继续冲填时,泥浆能将裂缝灌实,不必作专门处理。

2.横向裂缝

由于不均匀沉陷而产生的裂缝,大都容易出现在坝肩变坡部位,近似垂直于坝轴线,缝口宽窄不一,可由几毫米至十几毫米,缝深几米至十几米,上宽下窄。这种裂缝危害较大,容易因渗水将裂缝冲刷扩大而导致险情。因此,在土坝的安全监测中,必须特别重视横向裂缝的监测。

水坠坝由于冲填体的塑性适应较好,一般不易发生贯穿性的横向裂缝,但横向裂缝一旦发现,必须谨慎处理。

3.栽头裂缝

栽头裂缝是重粉质壤土水坠坝施工中易出现的特殊裂缝。由于坝体流态区的深度较深,当边埂高出泥面较多而形成重力式埂时,则使上部边埂依附在冲填泥浆上的重量增大,而此时冲填泥浆的初期承载能力很小,致使上部边埂在自重作用下栽向冲填泥浆而产生裂缝,见图 10-12 所示。这种缝多呈弧形,弧向冲填池,缝的中间较宽,两端较窄,位置一般低于埂面 2m 左右。若使冲填池泥面升高,缩小埂面与泥面的高差时,由于泥浆推力增大,能使栽头缝有所收敛或闭合。这种裂缝在施工期中较难处理,所以在施工中应注意控制埂面与泥面的高差,一般为 0.5~1.0m,以防止栽头裂缝的发生。若上游边埂在施工中发生栽头裂缝时,则在竣工后或蓄水前应进行一次灌浆处理,以消灭可能存在的隐患。

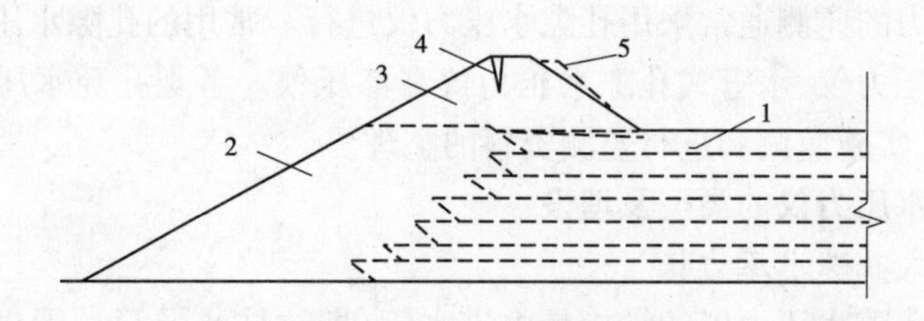

图 10-12 栽头裂缝示意图

1—冲填池;2—正常边埂;3—重力边埂;4—栽头裂缝;5—边埂的位移

4.纵向裂缝

这种裂缝基本上平行于坝轴。多因水坠坝体沉陷固结使边埂产生裂缝。一般可用开挖夯实回填处理。但要注意有些裂缝往往为护坡所覆盖,容易被忽略而引起事故。

5.水平错位裂缝

这是纵向裂缝的另一种形式,是由于边埂发生局部剪切破坏引起,使坝坡面上层土错过下层土,而在两端伴生有倒八字形裂缝。当水平错位严重时,有鼓肚性辐射缝,中心辐射缝近似垂直坝轴,通常此时坝体内靠裂缝附近有孔隙水压力的高压区存在,这种裂缝是水坠坝的特有裂缝。缝宽虽然很小,一般不超过 10mm,但却是发生滑坡的前兆,应特别引起重视,及时停冲监测或采用其他加快坝体孔压消散措施,改善边埂受力状况,保证坝坡稳定,同时加强对裂缝的监测工作。

(二)裂缝的监测要求

裂缝的监测工作有两方面:一是监测坝体各部位,特别是容易产生裂缝的部位有无裂缝迹象;二是对已发现的裂缝进行监测,掌握它的形状、性质、大小、位置和发展趋向,及时分析原因,提出相应处理措施。

(1)施工中应有专人负责经常巡视监测坝面各个部位的情况,发现裂缝要做详细记载,并及时研究,分析原因,提出处理措施。

(2)当发现裂缝后,立即监测裂缝的发展变化。一般可采用沿缝铲平、覆盖细土或白灰的办法,或者在裂缝两侧埋设固定木桩,量测桩距变化。

(3)除建立裂缝记载制度外,对较大裂缝应测绘裂缝平面图,标出坐标、缝宽、缝长、数量和发现日期等情况。

裂缝监测是一项很细致的工作,所需设备简单,容易进行,认真去做,可收到防微杜渐的效果。

五、坝体孔隙水压力监测

孔隙水压力的监测通常采用孔隙水压力仪进行。常用的孔隙水压力仪有测压管式孔隙水压力仪、水管式孔隙水压力仪和渗压仪。各类孔隙水压力仪应按要求进行埋设,实施监测和进行监测资料的整理。

(一)孔隙水压力仪的类型及埋设

1.测压管式孔隙水压力仪

测压管式孔隙水压力仪的结构是由进水管(即滤柱)、导管和管口保护设备三部分组成,在水坠坝中多适用于砂性较大的土质。重粉质壤土坝由于流态区深,测压管难以固定,一般较少采用。轻、中粉质壤土坝的流态区较浅,只要埋设时注意附加临时定位措施是可以固定的。坝基部位的孔隙水压力测点埋设方法与碾压坝相同。在冲填池中,须当泥面超过计划埋设高程 1m 以后再进行埋设。通过监测船将测压管载运到测点位置,压入泥中,在滤柱以上 0.5m 处设置十字臂(可兼作沉陷监测),以增加其稳定性。埋设好后量取管的外露长度,测量泥面高程和管的坐标位置,计算测点高程及十字臂高程。以后随着接管随时测量管的高程。埋设注意事项如下:

(1)测压管露出埂坡部分容易发生折断或撞断事故,应做好保护工作。保护方法是在测压管与边埂接触之前,在管周围 $2m^2$ 范围铺垫干土用人工夯实,筑成护管平台与埂连接。当测压管进入埂面时,要在管周围设立明显标记或设专人看管保护。

(2)测压管埋设后要进行灵敏度监测。

测压管内水位量测可以使用电测水位器或测钟。

2.水管式孔隙水压力仪

它是由测头、塑料水管、压力表和其他量测设备三部分组成。塑料管既作传压连通管,又作循环排气管用。一般要求测头高于测读压力表 3m 左右,但坝基测头低于压力表高程时要增设负压表量测。常用的测头有圆盒型(见图 10-13)、锥柱型(见图 10-14)和锥台式(见图 10-15)。塑料管的耐压要求不小于 $6kg/cm^2$。

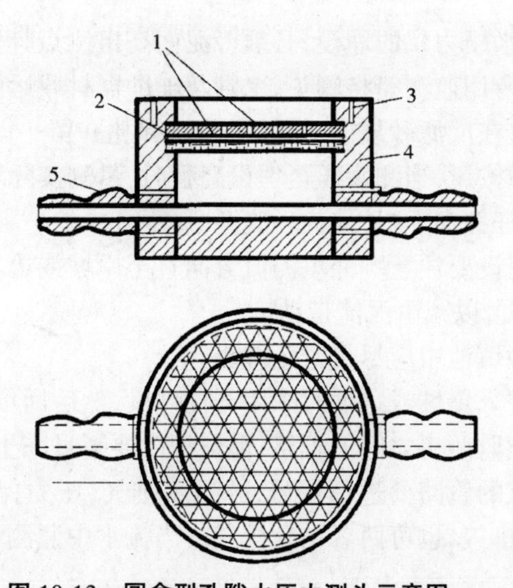

图 10-13　圆盒型孔隙水压力测头示意图

1—ϕ1mm 多孔铜板；2—100 号、150 号铜丝布各一层；3—镀铬套圈；4—镀铬承压盒；5—铜接嘴

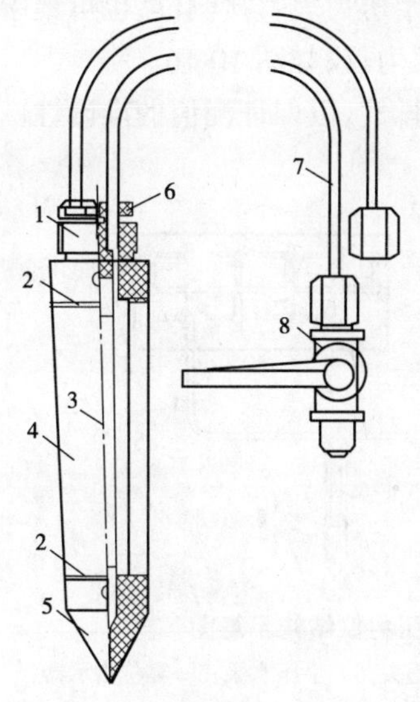

图 10-14　锥柱型孔隙水压力测头结构示意图

1—管座；2—垫圈；3—拉杆；4—透水锥体；5—锥体；6—空心螺栓；7—塑料管；8—阀门

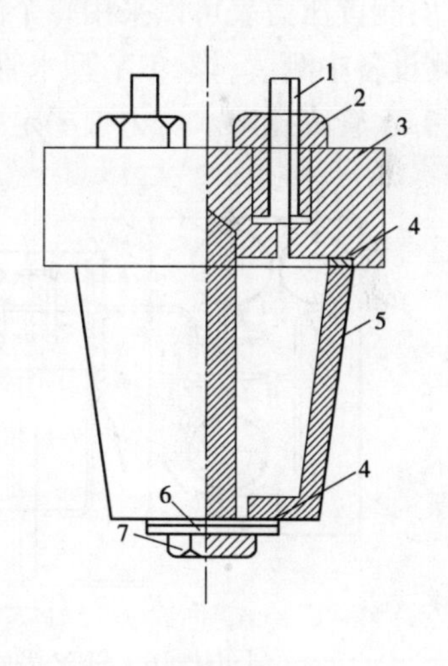

图 10-15　锥台型孔隙水压力测头结构示意图

1—塑料管；2—空心螺栓；3—管座；4—橡皮圈；5—锥台式透水石；6—垫圈；7—固定螺栓

水管式孔隙水压力仪的埋设,必须待泥面高出测点计划埋设高程 1.0m 后,才能进行。通过专用监测船将测头、水管及辅助器材载运到指定位置。

(1)将测头放在反滤砂袋中,袋外用铁丝绑扎并留一圆环,用带钩木(铁)杆钩住圆环,向泥中按压,当测头压至埋设高程时,量测实际埋深和测点位置,然后轻轻抖动木(铁)杆并向上提,使钩环脱开。

(2)塑料管埋设要注意顺冲填泥流方向直至岸坡或边埂,边铺边将管压入泥面以下 0.5m 左右,以减少泥流带动。

(3)管路在冲填池中应尽量避免接头。

(4)管路在进入岸坡或边埂时采用开沟埋设,然后回填人工夯实。

(5)出坝坡至监测房之间的管路,埋设深度要超过冻土深度。

(6)对各测点的管路要进行编号,并压水排气(压力保持在 1~2kg/cm^2)或用测头渗水自流排气,也可两者结合排气。当流水中监测无气泡后,即可进行测读。

(7)在重粉质壤土坝中埋设时,可在测头下加挂重物(如块石)等,作为相对锚固。

(8)测读压力表可以采用每个测点固定一个压力表直接测读,也可集中在一个量测设备中测读,像 SKY 型水管式孔隙水压力仪,如图 10-16。

(9)水管式孔隙水压力仪要定期进行压水排气,以保证测值的准确性。

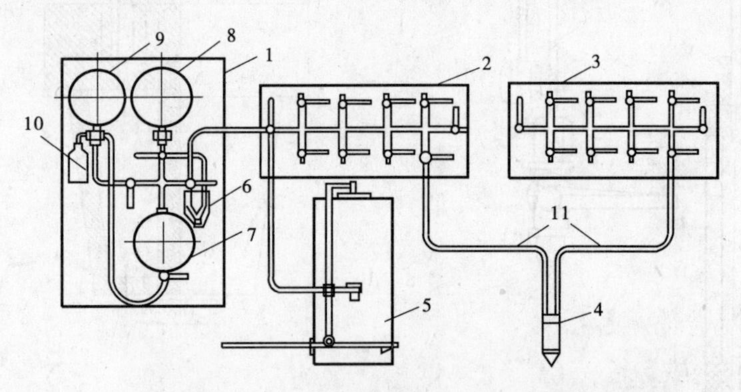

图 10-16 SKY 型水管式孔隙水压力仪结构示意图

1—测量部件;2—进水连接器;3—出水连接器;4—测头;5—手压水泵;6—零位指示器;7—活塞调压器;8—压力表;9—负压表;10—塑料瓶;11—塑料管

3.渗压计

目前常用的为 SZ 型渗压计,使用比例电桥,量取渗压计的电阻比与电阻值的变化,换算孔隙水压力。埋设方法与水管式相似,只是测头改为渗压计,塑料管改用电缆。该仪器的优点是灵敏度高,不受埋设高程限制,但使用期短,易失效,且费用昂贵,只是作为验证需要,配合其他类型测头同时埋设或在较大工程中使用。

(二)监测要求与成果整理

1.监测要求

(1)施工期每日监测两次,可根据施工情况具体确定时间。

(2)指定专人负责监测,并按规定认真记录,发现异常要及时汇报。

(3)对监测成果要及时分析计算和整理,并绘制孔隙水压力过程线(见图10-17),以及某一阶段的监测断面孔隙水压力分布等值线图(见图10-18)。

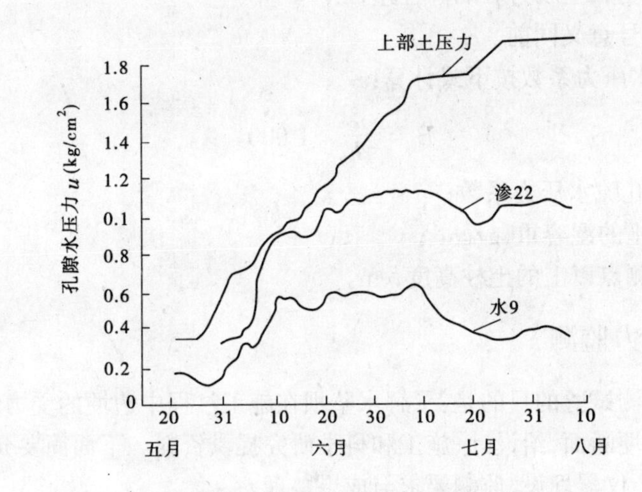

图10-17　孔隙水压力过程线图

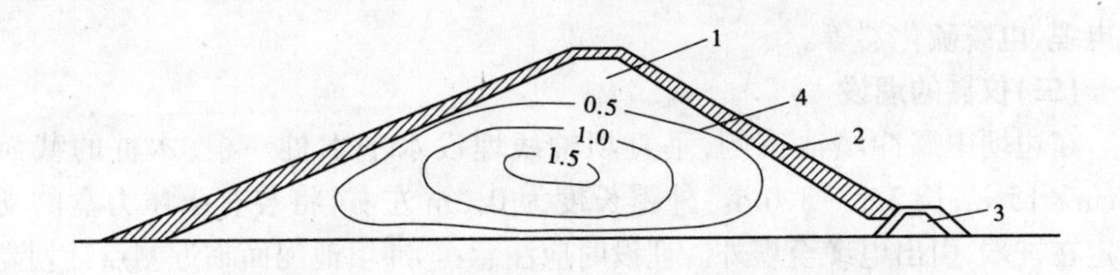

图10-18　坝体孔隙水压力等值线图

1—冲填坝体;2—边埂;3—反滤体;4—孔隙水压力等值线

2.测点的孔隙水压力计算

(1)测压管式的孔隙水压力按下式计算:

$$u = 0.1H\gamma_{\omega} \tag{10-12}$$

式中　u——孔隙水压力,kg/cm^2;

H——测压管内水位与滤柱中心的高程差,m;

γ_{ω}——水的容重,$\gamma_{\omega}=1$t/m^3。

(2)水管式孔隙水压力按下式计算:

$$u = P_{\omega} \pm 0.1H\gamma_{\omega} \tag{10-13}$$

式中　P_{ω}——压力表读数,kg/cm^2;

H——测点至压力表的高程差,m;

其他符号意义同前。

(3)孔隙水压力系数按下式计算:

$$B = \frac{u}{\gamma h} \times 1\,000 \tag{10-14}$$

式中　B——孔隙水压力系数;

γ——土的湿容重,g/cm^3;

h——测点以上的土柱高度,cm。

六、土压力监测

土压力监测试验的目的是:了解水坠坝在施工过程中边埂的受力情况,探求经济合理的边埂断面,给设计、施工和科学研究提供资料。下面简要介绍坝体土压力监测设备、仪器埋设、监测要求与成果整理。

(一)监测设备

土压力监测的主要设备有:钢弦频率测定仪、直流电桥、钢弦式土压力盒、四心电缆、电缆硫化器等。

(二)仪器的埋设

在边埂中靠冲填池一侧,垂直坝轴线埋设水平木桩一根,木桩的截面为15cm×15cm,长2.5~3.0m。外露长度为0.3m左右,将装有土压力盒的支架固定在桩端,引出电缆至坝外。埋设时应注意:①冲填池泥面临近测点计划高程时进行埋设;②应保证土压力盒的位置及方向满足设计规定;③电缆与回填土应结合好;④开沟埋设的深度,应以不受碾压工具影响为限;⑤电缆应留有适应变形的长度;⑥为满足防渗要求,对上游边埂的测点电缆可采用垂直铺设(即随冲填池升高而铺设),下游边埂的测点电缆可穿埂铺设;⑦外露的电缆线要有保护设施;⑧有条件时可同时埋设孔隙水压力仪。

(三)监测要求与成果整理

施工中,在埋设后第一个月内按每 1~2 天监测一次,以后视测值变化情况再具体规定。竣工后可在掌握土压力变化范围和规律后,每年监测二次。

将监测所得成果绘制土压力过程线,如图 10-19,并计算各测点的土压力系数的变化,列表如表 10-4,供设计需用。

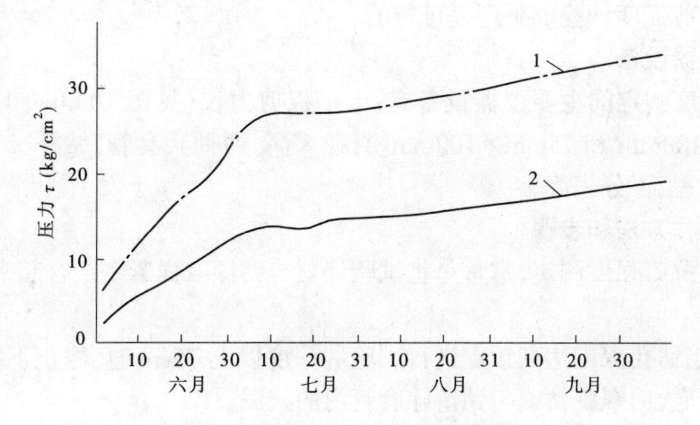

图 10-19 测点土压力过程线

1—垂直压力;2—水平压力

表 10-4 某测点土压力值实测计算

项目	历时(d)									
	1	2	6	7	13	18	22	37	60	99
测点以上土柱高 H (m)	0.21	0.37	1.33	1.49	2.87	5.17	6.68	7.70	9.22	12.68
水平压力 T(t/m²)	1.35	2.26	2.41	2.69	6.94	11.90	13.20	14.13	14.40	15.00
垂直压力 P(t/m²)	0.45	1.44	2.06	2.48	7.21	10.99	12.82	14.80	17.70	19.30
侧向压力系数 $\xi = T / P$	3.00	1.57	1.17	1.09	0.96	1.08	1.03	0.96	0.82	0.81
实测干容重 γ_d(t/m³)	1.32	1.34	1.41	1.43	1.45	1.47	1.52	1.54	1.65	1.67
含水率 ω_n(%)	38.6	38.0	34.0	33.1	32.1	31.0	29.0	27.9	23.9	23.2
孔隙水压力 u(t/m²)	0.427	1.295	1.75	1.73	4.60	6.70	6.50	6.80	2.90	1.50
有效压力 $\overline{P} = (P - u)$	0.023	0.145	0.31	0.75	2.64	4.27	6.32	8.00	14.80	17.80
固结度 $U = (P - u)/P \times 100\%$	5.1	9.0	15.1	30.1	35.5	39.0	49.3	54.1	83.7	92.3

七、冲填体的现场强度测定

黏性土水坠坝,在施工阶段坝体的饱和度高,大部分处于流塑状态,在现场可用十字板剪力仪测定它的总强度。从实例验算表明,十字板抗剪强度、无侧限抗压强度和三轴不排水总强度三者之间存在着一定关系,饱和黏性土的实际抗剪强度与三者结果是比较接近的。所以在原状取样强度试验值难以取得时采用现场十字板抗剪强度试验成果还是可行的。

(一)仪器设备

现场强度测定的主要仪器设备有:十字板剪力仪(见图 10-20)、十字板(分为 50mm×100mm 和 75mm×100mm[直径×高]两种)、套管、钻杆、螺旋钻、勺钻、击锤、秒表、百分表等。

(二)操作方法和步骤

十字板抗剪强度测定,常常是将试验计划与钻探取样紧密结合起来进行的。其方法是:

(1)每当钻孔深度达到预定进行试验的深度以上 75cm 时,停止下钻并将套管压下至孔底,用螺旋钻或勺钻清除套管内的残泥。

(2)将十字板的接杆、钻杆逐节接好放入钻孔内,直到十字板与孔底接触为止,接上导杆,压入或轻轻击入十字板到预定深度以上十余厘米的地方。

(3)在套管顶装上仪器底座,并用制紧轴固定,再将十字板压至要求的深度。

(4)装上上部传动部件,并使百分表对零。

(5)开动秒表,以 10s 转 1°的速度转动手轮。转盘每转动 1°记百分表的读数一次;需使土样在 3～10min 内剪损,记下百分表的最大读数值,并继续试验 1min。

(6)将导杆上提 10～15cm,使离合齿互相脱离,再按上述方法进行试验,求出轴杆与土之间摩擦扭力。

(7)卸下仪器、清洗干净,为下一次试验做好准备。

(8)钻取测点附近的土样,测定其含水率。

(9)当土层深度不超过 6～7m 时,如缺乏勘探设备时,可采用固定支架,如图 10-21,当做仪器固定基座进行试验。

(10)如测点是在冲填池中,则先用监测船搭好平台(或用干土垫成土台);如测点是在坝坡上,则先用洛阳铲或麻花钻打孔,孔深超过非饱和土。然后,放平固定支架进行试验。

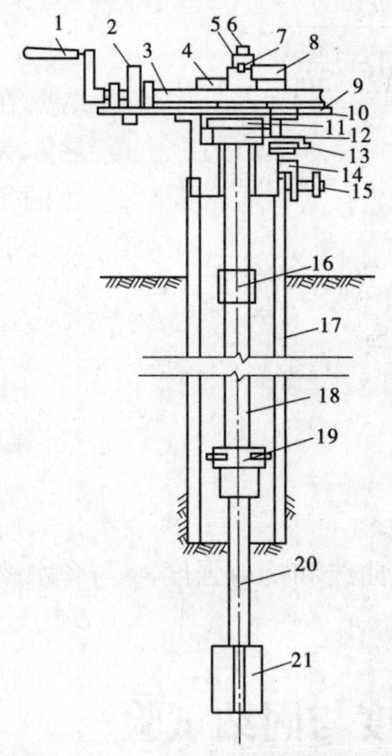

图 10-20　十字板剪力仪测定示意图

1—摇手；2—齿轮；3—蜗轮；4—开口钢环；5—固定套；6—导杆；7—特制键；8—百分表；9—底板；10—固定套；11—支圈；12—弹子盘；13—锁紧轴；14—底座；15—制紧轴；16—接头；17—套管；18—钻管；19—导轮；20—接管；21—十字板

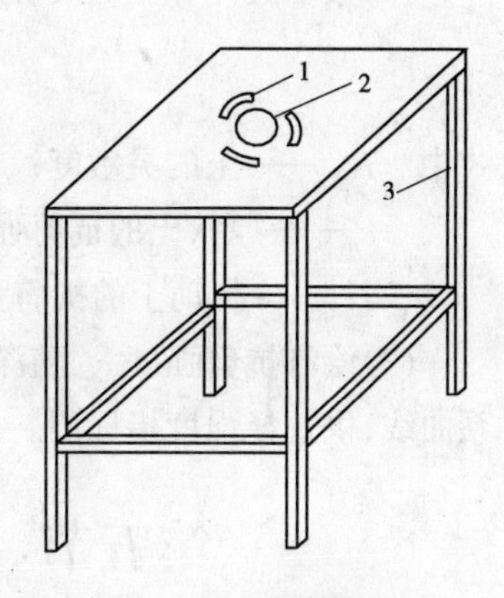

图 10-21　固定支架

1—固定底槽座小槽；
2—圆孔（通过钻杆）；
3—固定支架

（三）计算方法及成果整理

（1）按下式计算土的抗剪强度：

$$c_u = K_2(\rho_f - f) \tag{10-15}$$

式中　c_u——土的抗剪强度，kg/cm^2；

ρ_f——剪损时扭力；

f——轴杆摩擦扭力；

K_2——与开口钢环率定时扭力矩力臂长及十字板尺寸有关的一个系数，kg/cm^2。

ρ_f 和 f 值是根据百分表读数 R 的最大值，查开口钢环率定曲线求得，这种曲线和系数 K_2 常由制造仪器部门提供。

系数 K_2 按下式计算：

$$K_2 = \frac{2R_2}{\pi d^2 h(1 + \frac{d}{3h})} \tag{10-16}$$

式中 R_2——力臂长,cm;

d——十字板直径,cm;

h——十字板高度,cm。

(2)按下式计算土的灵敏度:

$$K_{cu} = \frac{c_u}{c'_u} \tag{10-17}$$

式中 K_{cu}——土的灵敏度;

c_u——原状土的抗剪强度,kg/cm^2;

c'_u——扰动土的抗剪强度,kg/cm^2。

(3)绘制抗剪强度 c_u 随深度 h 的变化曲线和抗剪强度 c_u 与含水率 ω 的关系曲线,供选择强度指标用。

第五节 室内强度与固结试验

在进行水坠坝坝体稳定分析和固结计算时,要用到一系列计算指标(主要是抗剪强度指标和渗透固结指标),这些指标可以结合实际工程进行现场监测再通过反算得出;也可通过室内试验求得。但对一项拟建工程的设计工作来讲,计算指标主要应由室内试验得出,其后工程施工时的现场监测资料只能用来进行校核,而已成相似工程的资料则可作为参考。

经验表明,不同的稳定分析方法对安全系数的影响可达 5%~10%,但强度指标选用不当可使安全系数相差 50%甚至更多,可见正确测定和选用计算指标对水坠坝设计有着十分重要的意义。由于试验仪器不同,试验方法有别,加之操作人员的熟练程度和技巧的差异,对同一种土的试验成果可相差 20%~30%,有时甚至更大。所以统一试验方法是十分必要的。根据《土工试验规程》及工程实践,本节对计算指标的测定原则和要求作一介绍。

水坠坝边埂土和一般碾压土体没有显著差别,仅在填筑质量要求上有所不同,此外还应考虑边埂吸收泥浆中的水分提高边埂含水率的影响,试验方法可按一般常规试验测定。

水坠坝冲填土即泥浆沉积土,是一种沉积初期的正常压密土,具有含水率高、饱和度大(一般均在 95%以上)、密度小、强度低的特点,随着土体的脱水固结，含水率会逐渐降低，干容重相应增加，强度才会有所提高，这就很难用常规方法测定。下面就冲填土的样品制备、强度指标和渗透固结指标等三个问题进行讨论。

一、样品制备

实验室进行土工试验的原则是使室内试验的条件尽可能模拟相似的野外条件。水坠坝与水中填土坝不同，土料加水后经过充分搅拌形成泥浆，含水率很高，远大于流限，一般可达40%左右，故冲填土很难用环刀来直接切取试样。

取代表性土样若干，放在容器内，加水充分搅拌成泥浆。为了提高泥浆饱和度，防止掺气，所加水量应使泥浆具有1.2～1.3倍的流限含水率，或接近冲填初期的含水率。加水量按下式计算：

$$\overline{W}_{\omega} = (1.2 \sim 1.3) \times \frac{\overline{W}_n}{1 + \omega_0}(\omega_T - \omega_0) \qquad (10\text{-}18)$$

式中　$\overline{W}_n$——代表性土样重，g；

ω_T——流限，用小数表示；

ω_0——自然含水率或风干含水率，用小数表示。

泥浆制好后，静置24h备用。对渗透性很大的土料，如沙壤土，由于土的自重作用，经初步固结，表面析出清水较多，在倒去清水后，可用环刀直接切取试样进行试验。

一般情况下，试样的含水率较高，不易成形，故可将泥浆直接装入试模内进行试验。三轴剪力试验制样时，在试样含水率大于流限的情况下，试样本身不易站立，须先有承膜筒支承，然后在很小的液压下固结，通常应小于0.5kg/cm^2，使试样能站立时，再拆模进行试验，此时试样含水率一般已降到流限以下。由于流限是流动状态和塑性状态的界限含水率，故含水率大于流限的土体是一种黏滞性液体，此时的强度已小到可忽略不计。制样时，用较大的含水率是用来模拟冲填土的脱水固结过程，并获得高饱和度的样品。

二、强度指标的测定

水坠坝稳定分析中，目前仍采用莫尔－库仑强度理论。所用强度指标即摩擦角 φ 及凝聚力 c。由于分析方法不同可分为有效强度指标和总强度指标。根据有效应力原理，饱和土体中某点所受的总应力 σ 可分解为有效应力 σ' 和孔隙水压力 u 两部分。即：

$$\sigma = \sigma' + u$$

有效应力即由土的骨架(固体部分)传递的应力,孔隙水压力是由骨架之间的孔隙水所传递的力,对于含水率超过流限的土体,由于固体颗粒间被自由水所包围,骨架尚未形成,此时应用有效应力原理是没有意义的。含水率低于流限时,用有效应力表示的土的抗剪强度为:

$$\tau_f = (\sigma - u)\tan\varphi' + c' = \sigma'\tan\varphi' + c' \tag{10-19}$$

用总应力表示的抗剪强度 τ_f 为:

$$\tau_f = \sigma\tan\varphi + c \tag{10-19'}$$

式中　φ'、c'——有效内摩擦角和有效凝聚力;

φ、c——总应力强度的内摩擦角和凝聚力。

显然,对某一特定条件下的土的抗剪强度 τ_f 是一定的,由于垂直应力的表示方法不同,所以抗剪强度的指标也就不同。

室内确定土的抗剪强度指标的试验方法很多,最常用的有直接剪力试验、无侧限抗压试验及三轴剪力试验等。在确定冲填土的抗剪强度时,一般多采用三轴剪力仪和直接剪力仪。

三轴剪力仪利用密闭的压力容器,给土样三向加压,由于是圆柱试样,所以 $\sigma_2=\sigma_3$,使土样沿斜面剪断,而直剪仪是在垂直方向加压水平方向剪切。由于直剪仪剪切面不能控制排水,又不能测定土样的孔隙水压力,工程界目前都以三轴剪指标为准。当缺乏三轴仪时,可以根据三轴剪与直接剪的经验关系,对直剪强度打一折扣。由于试样排水条件、剪切速率的不同,可以分为慢剪、固结快剪和快剪。可根据水坠坝的脱水固结条件加以选用。

由于土样含水状态的不同,有饱和土与非饱和土之分,在抗剪强度指标方面亦有“饱和”与“非饱和”之分,如饱和固结快剪等。

下面结合水坠坝设计总应力法,就冲填土的等压密剪和有效固结压力法总强度与固结度的关系的推算,做些简要介绍。

(一)等压密剪

对于重粉质壤土,可以采用直剪仪进行等压密剪试验。试验时,可在试样底部先放不透水膜,将一定量的泥浆装入盒内,几个试样加相同的小荷载,使向上排水固结,这样可得到相同容重和含水率的试样。然后将上透水石换成不透水板,再进行快剪试验。

(二)总强度与固结度测定方法

总强度与固结度的关系,可利用三轴剪力仪测定。为了节省试验工作量,可以根据三轴饱和固结不排水剪总强度 φ_{cu} 值用下述方法计算某一固结度 $\overline{U}$ 时的总强度指标。

$$\sigma_{3\overline{U}} = \frac{\sigma_3}{\overline{U}} \tag{10-20}$$

$$(\sigma_{1\overline{U}} - \sigma_{3\overline{U}})_f = (\sigma_1 - \sigma_3)_f \tag{10-21}$$

式中 $\overline{U}$——待求的固结度；

σ_1、σ_3——饱和固结不排水剪，剪损时的大主应力和小主应力；

$\sigma_{1\overline{U}}$、$\sigma_{3\overline{U}}$——待求固结度 $\overline{U}$ 的不排水剪，剪损时的大主应力和小主应力。

根据上式，可以得出某一固结度 $\overline{U}$ 时的相应的几个莫尔圆，定出强度包线，即可确定某一固结度时的总强度 φ、c，如图 10-22 所示。假定不同的固结度，就可以得出总强度与固结度的关系。

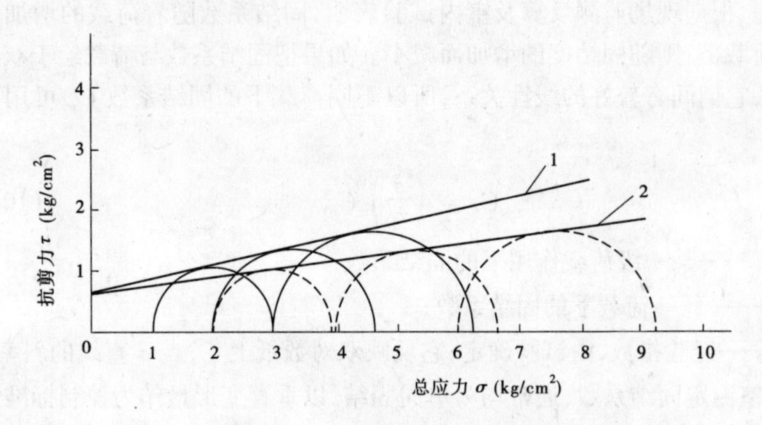

图 10-22　不同固结度与强度的关系

1—饱和固结不排水剪；2—某固结度的不排水剪

三、渗透固结指标的测定

饱和土体由于孔隙水的排出引起土体压密的现象叫渗透固结，进行渗透固结计算最主要的指标是固结系数。太沙基单向渗透固结理论的固结系数 C_v 是：

$$C_v = \frac{k(1+\varepsilon)}{\gamma_\omega a} \tag{10-22}$$

式中 k——渗透系数，cm/s；

a——压缩系数，cm^2/kg；

ε——孔隙比；

γ_ω——水的容重,0.001kg/cm³。

可以看出土的固结系数主要决定于土的渗透性和压缩性。土的渗透性越大,固结系数越大,土体越容易固结。相反,土的压缩性越大,越不易固结。土的渗透固结过程是一个孔隙水被排走、孔隙比减小的过程。孔隙比的减小必然引起渗透系数和压缩系数的减小,如果这两者是成比例减小的,从上式可看到固结系数接近于常数。如果土体的压缩性和渗透性是一个常量,那么固结系数也可当作常量看待,在土体密实度大,荷载变化范围小的情况下,如碾压坝或某些天然地基,把 C_v 值当作常量看待还是可以的。但对冲填土来讲,土体的压缩性和渗透性的变化幅度都很大,而且不成比例,故固结系数不能作为常量看待,而是随着荷载的变化而变化的。并且在同一级荷载下,不同固结度时的固结系数也是变化的。根据现场监测反算及室内试验表明,固结系数随着荷载的增加而增大,同一荷载下,则随固结度的增加而减小。如果把固结系数与荷载绘于双对数坐标纸上,它们间有较好的线性关系,所以不同荷载下的固结系数 C_v 可用下式表示:

$$C_v = \left(\frac{\sigma}{\sigma_1}\right)^n C_{v1} \tag{10-23}$$

式中　C_{v1}——某一级荷载作用下的固结系数;

C_v——任一荷载下的固结系数;

n——经验指数,由试验确定,它反映双对数纸上 C_v 与 σ 直线的斜率。

实验室测定固结系数,通常均为单向固结,以垂直变形量作为控制标准的称为固结试验,以孔隙水压力消散作为控制标准的叫孔隙水压力消散试验。有关固结试验及三轴消散试验方法在一般土工试验规范中都有详细介绍,这里结合水坠坝渗透固结的非线性特点,介绍一种固结-消散试验的方法。

消散试验的优点是能直接测出孔隙水压力的变化,但试验设备和操作技术要求都高,掌握不好,往往会得出偏离实际情况较远的结果。此外,消散试验的应力状态也与实际情况有较大的差别,特别是试样两端受摩擦力的影响,因之高含水率冲填土试验后的样品已不再是圆柱形,而是如图 10-23 所示上下大、中间小的锥体,所以实际排水条件已不再是严格的单向性质。陕西省水利科学研究所曾参考罗沃的固结仪作了一些改进,利用三轴仪的压力室及加荷量测系统,试样在有侧限条件下单向排水,进行固结和消散试验。

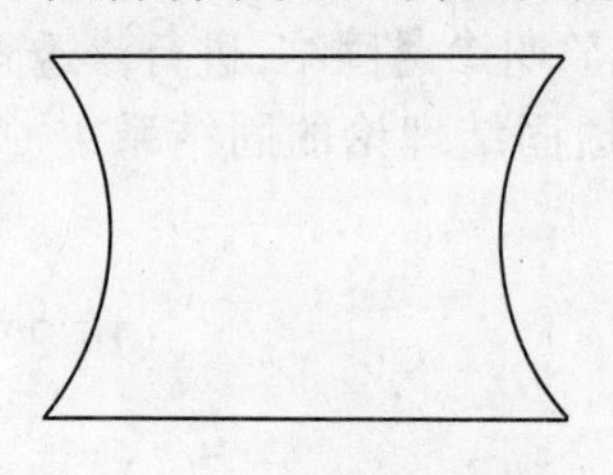

图 10-23　消散后试样

固结－消散试验装置如图 10-24，与消散试验的主要差别是用一个铝合金圆筒来代替橡皮膜和承模筒。试样筒内径 101mm，试样面积为 80cm^2，筒上下开口，下口套在压力室底盘的试样座上，用橡皮膜扎紧止水，先放透水石、滤纸；泥浆直接装入筒内，再放滤纸及透水石，再放加压盖；加压盖用橡皮膜与试样筒连接。橡皮膜应留一定余幅，使试样在沉降过程中有伸缩的余地。扎橡皮圈时一定要注意扎在加液压这一边，如图中所示，否则容易引起漏水。

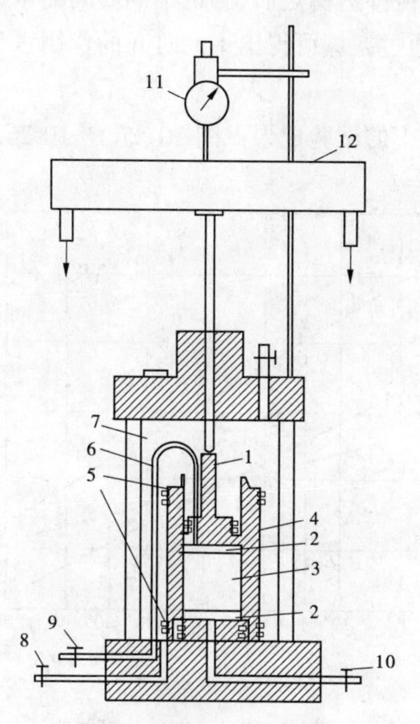

图 10-24　固结－消散装置

1—加压盖；2—透水石；3—试样；4—试样筒；5—橡皮膜；6—排水管；7—压力室；8—加压阀；9—排水阀；10—孔压阀；11—量表；12—加压框架

在压力罩的活塞上装一加荷梁担，两边为砝码盘，小荷重时可用砝码直接加荷，通过活塞传到加压盖作用于试样上，梁担中心装一测微表，测记试样的垂直变形量。

试样的垂直压力主要仍由液压恒压系统加荷；由于液压对活塞有一向上的反压力，故须加一定的砝码使之相互抵消。另外，活塞还多少有些摩擦力，为使垂直变形测量准确，应有一定的荷载通过活塞加压为宜，通常有 0.05～0.1 kg/cm^2 即可。

这个试验装置实际是综合了上述固结试验和消散试验的特点,故在试验方法和试验成果整理上可综合以上两种方法进行。同时它还可用来进行渗透试验,方法步骤是:先将测孔隙水压力的零位指示器的水银进入盲孔,使零位器暂时失效,用调压筒加上一个压力,在水银差压计上读出水银柱读数(压力表的读数精度不能满足要求),换算成压力水头,打开排水阀,试样在水头差的作用下产生自下而上的渗流。待渗透稳定后,测记不同时间的水银柱读数,同时随时调整排水管的水位高度,通过换算可得出不同时间的作用水头,按变水头试验方法计算出渗透系数 k。

几个水坠坝冲填土的试验成果见图 10-25、图 10-26。

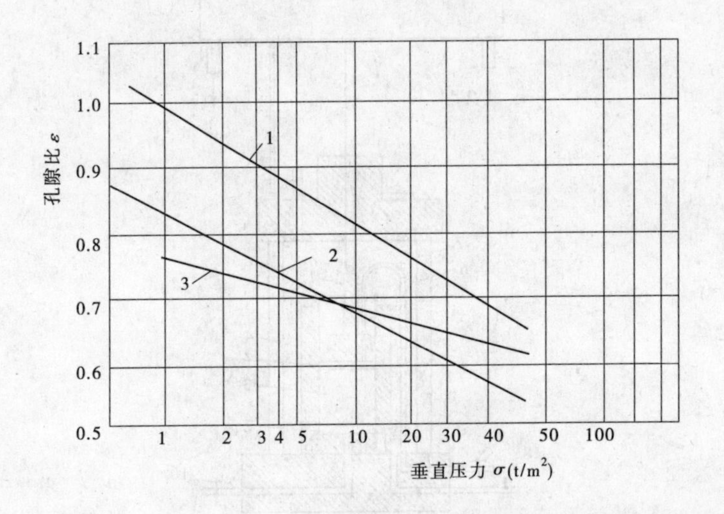

图 10-25 ε～lnσ 关系曲线

1—李家川坝;2—太仙河坝;3—胡家圪捞坝

从有效应力的原理来看固结度和消散度应该是一致的,对一点和一个微分体来讲,固结度也就等于消散度。但对一个试样或一个工程来讲两者往往不一致,它们之间有一个局部和整体的关系问题。以上述固结－消散试验为例,通过垂直变形量计算得出来的固结度,是代表整个试样的平均固结度,反映了整个试样的情况。通过测量试样底部不排水孔隙水压力变化得出的消散度,则反映试样底部的局部情况,因而两者之间是不一致的。通过理论计算,一端排水一端测孔隙水压力的试样,固结度与消散度之间有图 10-27 的关系,可以看出当固结度为 36%时,消散度只有 5%。但随着固结度的增加,两者之间的差别越来越小。

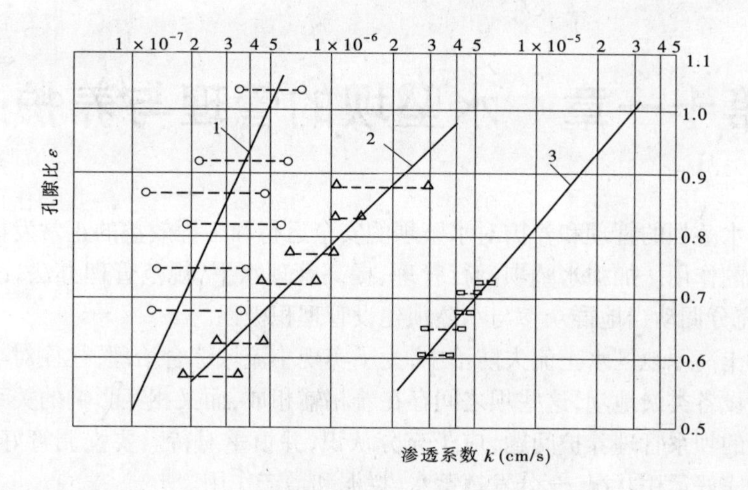

图 10-26 $\varepsilon \sim \ln k$ 关系曲线

1—李家川坝;2—太仙河坝;3—胡家圪捞坝

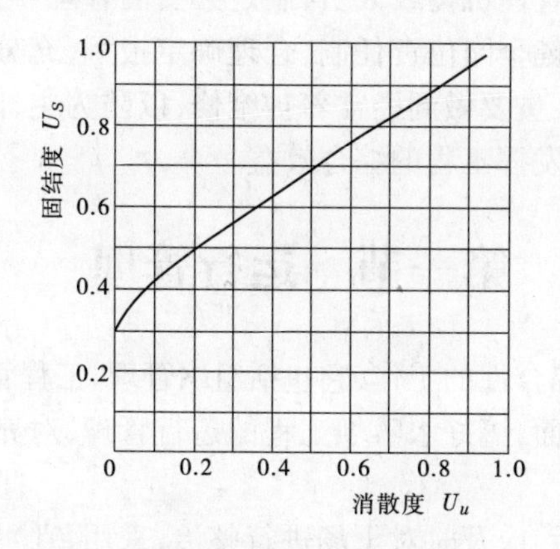

图 10-27 固结度与消散度关系

(一端排水,一端测孔隙水压力试样)

应当指出,高含水率冲填土消散试验,在第一级荷载作用时,即使是很小的压力,也能排出较多的水,而且较长时间孔隙水压力不见消散。这是由于试样含水率高,具有较多的自由水,土的骨架尚未形成,有效应力尚未起作用的缘故。此时固结度已较大,而消散度仍很小。

第十一章　水坠坝的管理与养护

搞好水坠坝的管理和养护对水坠坝的安全运行和工程效益的正常发挥具有十分重要的作用。加强水坠坝运行管理,提高管理水平,规范管理办法,改革管理机制,充分调动当地群众参与水坠坝建设管理积极性。

在黄土高原地区水土流失防治中,为了实现小流域综合治理,往往对小流域按坝系布设各类淤地坝,这些坝之间存在着相辅相成,而又相互影响的关系。所以流域内的坝系管理养护问题,应予充分认识,并慎重对待。要强调管好用好,始终保持完好运用状况,充分发挥蓄水、拦泥和增产作用。

修建在千沟万壑中的水坠坝工程,交通不便,管好用好工程更要依靠群众。应根据工程的重要性、效益大小和管理养护任务,按照专业管理与群众管理相结合的原则,设置相应的管理机构或人员,制定必要的管理养护制度,加强对管理人员的技能培训,建立健全岗位责任制,合理确定报酬,充分调动各级管理人员的管护积极性。管理人员要做到经常养护维修,以防为主,防微杜渐,在保证工程安全的前提下,充分发挥工程的综合效益。

第一节　运行管理

运行管理是一项综合性的工作,它包括组织管理、工程管理、用水管理、经营管理、防汛抢险等多方面,搞好水坠坝工程的运行管理,对充分发挥工程效益具有十分重要的意义。

水坠坝施工结束后,应及时对土场进行整治,采用鱼鳞坑、水平沟和水平梯田等工程措施造林种草,防止雨水集流对坝体产生不良影响。坝面及坝端要设置排水沟,防止雨水径流的冲刷。

一、运行管理的内容

水坠坝作为拦洪蓄水工程,其管理工作一般应由县级人民政府统一组织,县水利水保业务部门负责实施,并对各级管理人员进行技术培训与监督,根据水坠坝的工程规模不同,管理工作可分别由乡、村组建管理机构,落实管护责任人。目前黄土高原地区各有关省(区)均已出台了相关政策法规,制定了专门的管理办法。通过明确产权、经营权与管理权,落实管护责任。对已建工程应定期做好坝体、溢洪道及泄水涵洞的检查、观测,搞好维修养护,保证工程安全,充分发挥效益。

各工程管理单位和个人,在工程管理运用中应全面收集和掌握工程的规划设计、施工总结、验收鉴定书、历年的检查观测资料及运行中曾发生的问题和处理结果等,了解流域的治理现状、下游的防洪影响范围等,制订出可行的工程防洪、管理和运用方案。根据工程管理需要,经主管部门批准,明确划定工程管理的范围,设立标志,做好保护和宣传工作,制止一切人为破坏行为,保证工程安全。

(一)管理范围

(1)最高洪水位以下库区范围。

(2)大坝及下游坡脚以外 50m。

(3)放水、泄水等设施及其边线以外 10～15m。

(二)保护范围

(1)库区范围及库周与工程维护有密切关系的范围。

(2)大坝下游坡脚和坝端以外 100m。

(3)放水、泄水等设施边线以外 100m 及其因开发利用对工程正常运行造成威胁的范围。

(三)行为约束

为保证水坠坝的安全运行,在工程管理范围内应严格禁止下列活动:

(1)在工程管理范围内挖洞、放牧、铲草皮等;在工程保护范围内打井、建房(窑)、爆破、采石等。

(2)在库内炸鱼、毒鱼等。

(3)向库内倾倒弃石、废渣、垃圾和排放污水等。

(4)毁坏和盗窃放水、泄水建筑物及其他工程设施。

(5)在坝顶行驶超重机动车辆,以及其他可能对工程安全运行带来不利影响的行为。

下面分别就蓄水为主的水坠坝和拦泥淤地为主的水坠坝工程的管理作简要介绍。

二、以蓄水运行为主的水坠坝管理

以蓄水运行为主的水坠坝工程,其主要作用是拦蓄径流,抬高库水位,发挥水库发电、灌溉、供水、养殖等综合效益。因此,使工程保持良好状态,延长使用年限，确保蓄水安全，是科学管理的首要任务。应在实践中不断加强经营管理和科学研究，积累资料，总结经验，不断提高管理工作水平。

（一）加强运行期的坝体监测

水坠坝体的沉陷，含水率的降低，干容重的增长，孔隙水压力的消散，多是在运用期才趋于终止。因此，对施工期埋设的观测设备，运用中仍应继续进行观测，为水坠坝的设计、施工和运行管理积累科学数据。

（二）限制运行初期的水位与水位骤降

对脱水固结较慢的坝，建成后的前一两年内，不宜高水位蓄水运用，以利于坝体脱水固结的持续进行。即使被迫高水位拦洪，也只能是暂时的，随后通过放水设备降低库水位。放水时，要控制水位降落速度，以不致影响坝坡稳定为限，一般不要超过 1m/d。

（三）加强日常检查与维修

水坠坝的沉陷量比较大，在运用中要加强检查与维修。特别是在汛前、暴雨期间、高水位蓄水前后，都应对坝体和周围情况进行仔细检查。发现问题，要认真分析原因，探明情况，及时采取措施，进行有效处理。

（四）加强流域水土保持综合治理

在多泥沙河流内修建的以蓄水为主的水坠坝工程，应大力开展流域综合治理，搞好库区上游的水土保持工作，有条件的地方要通过坡改梯工程实现基本农田梯田化，扩大退耕还林还草，减少坡面水土流失；在库区上游的支毛沟内修建拦泥淤地坝工程，使水库与淤地坝联合运用，将泥沙拦截在上游，减少入库泥沙，延长水库寿命。

三、以拦泥淤地为主的水坠坝管理

以拦泥淤地为主的水坠坝的运行管理具有一定的特殊性。特别是骨干坝，一般设计淤积年限为 20 年左右，工程建成初期的 10～15 年内，在有常流水的沟道多按水库运行，利用淤地坝的设计淤积库容，调蓄径流，发展农业灌溉、水面养殖和其他多种经营；中小型坝和无常流水的沟道修建的骨干坝则以拦泥淤地为主。前者的管理要求与以蓄水运行为主的水坠坝相同，后者可按下述要求管理。

（一）健全管理机构，落实管理责任

工程竣工验收移交管理单位后，应及时建立健全管理机构，明确管理方式，落实管理责任，制定管理办法，签订管护合同。同时应依据水坠坝工程规模和重要程度，确定工程的管理和保护范围，明确在工程保护范围内要禁止一切影响淤地坝工程安全运行的人为活动，尤其对于在小流域坝系中起控制作用的骨干坝工程,应予极大的关注。

(二)强化系统协调,扩大工程效益

以拦泥淤地为主的水坠坝的作用是拦泥淤地、发展生产,减少下游水库和河道淤积。它是小流域治理中最后一道防线,能起到削减山洪、拦截泥沙、制止沟床下切和沟岸扩张、变荒沟为良田的作用。坝地是由山坡表土冲淤而成,具有土厚、地肥和保墒抗旱的作用,是山区高产稳产的基本农田,在群众中素有"打坝如修仓,拦泥如积粮","村有百亩坝,天旱也不怕"的说法。要使淤地坝充分发挥其蓄、排、淤、种的作用,除了在流域内对坝系进行全面合理安排,实现坝系的统一经营管理以外,还要强化坝系中各工程系统协调,妥善处理各单项工程的蓄、排、淤、种和水源保护,充分发挥坝系的综合效益,促进和完善水坠坝的管理、维修、养护等项工作。

(三)定期检查监督,及时处置隐患

应定期对水坠坝主体工程、主要配套设施及各项管理工作进行检查监督。检查坝身有无裂缝、塌陷、滑坡及隆起现象;迎水坡有无风浪冲刷;背水坡有无散浸和集中渗漏,坝头岸坡有无绕坝渗漏;坝址有无流土管涌迹象;排水导渗设施有无破坏失灵。检查溢洪道两岸有无滑坡迹象,衬砌工程是否损坏;泄水涵洞有无沉陷、断裂、堵塞;闸门和启闭设备是否运用灵活;交通、照明、通讯、观测设备是否完好等;每年汛前、汛后、蓄水前后,应对建筑物和设备进行定期检查;当发生特大洪水、暴雨、强烈地震,以及工程非常运用时,对工程的薄弱部位、重要部位、容易发生问题的部位应进行特别检查。对重点工程可根据工程规模和需要,设立土坝的沉陷、位移、裂缝、渗流、雨量、水位、淤积、泄水量、含沙量和库区塌岸等方面的观测。所有检查观测资料,均应做好原始记录,及时整理分析,定期整编存档;及时处置工程运行中隐患,确保各项设施及工程运行的安全。

(四)明晰产权归属,健全管理机制

在黄土高原地区,以拦泥淤地为主的水坠坝广布于千沟万壑中,工程数量多,布局分散,管理不便。工程的收益者主要是当地群众,工程的使用权和管理权是否明晰和落实,是影响淤地坝管理维护的重要因素之一。就目前而言,以拦泥淤地为主的水坠坝的产权确定,国家和地方尚无明确的规定,各地可以根据工程规模、投资、效益和运行方式等情况,分别采取设立专门管理机构、由县乡水利水保业务部门管理、委托村民委员会代管,坝地由农民分别耕种;或采取承包、租赁、拍卖等方式将水坠坝的使用、管理、维护完全交由农户管理等。只有使工程建成后的所有权和使用权完全明晰,形成良性的工程管理运行机制,才能使工程建成后的管理维护工作落到实处,使工程的运行和生产得到保证。

四、防汛管理

水坠坝的防洪度汛是水坠坝运行管理中一项非常重要的工作，它关系到工程设计效益能否正常发挥、坝区周围和工程下游群众生产生活及生命财产安全。一旦发生垮坝等工程防汛事故，会造成不堪设想的严重后果。因此，高度重视和落实各项防汛责任制，对水坠坝的管理具有极其重要的意义。

防洪度汛工作，要坚决贯彻落实“安全第一，预防为主，防重于抢，有备无患”的方针，明确任务，落实责任，保障度汛安全。

(一)防汛主要任务

水坠坝的防汛工作主要由各地水利水保部门负责，应在当地防汛指挥部的统一领导下，做好每条流域和每座坝的防洪工作，保证汛期安全。防汛的主要任务包括：

(1)进行宣传动员，提高防范意识。

(2)建立防汛机构，落实领导责任，强化组织协调。

(3)制定防汛、度汛计划。

(4)进行防汛检查，处理病险隐患。

(5)建立通讯联络系统，落实抢险物资。

(6)制订抢险应急方案，遇到险情，迅速组织抢险。

(二)防汛标准

水坠坝的防汛标准，应根据工程规模按照国标及水利部颁布的有关规范、规程、规定和标准执行；规范设计，严格监督，保证施工质量和工程安全。

1.施工期水坠坝的防汛标准

对跨汛施工的水坠坝工程，应根据工程规模选定不同的防汛标准。

(1)对库容在 50 万 m^3 以下的工程，其施工防汛标准一般为 10 年一遇洪水。

(2)对库容在 50 万～500 万 m^3 的工程，其施工防汛标准一般为 20 年一遇洪水。

(3)对库容在 500 万 m^3 以上的工程，其施工防汛标准应参考水库工程的防洪标准执行。

2.运行期水坠坝的防汛标准

(1)对库容在 10 万 m^3 以下的工程，其设计洪水标准一般为 10～20 年一遇洪水，校核洪水标准为 30 年一遇洪水。

(2)对库容 10 万～50 万 m^3 的工程，其设计洪水标准一般为 20～30 年一遇洪水，校核洪水标准为 50 年一遇洪水。

(3)对库容在 50 万～100 万 m^3 的工程，其设计洪水标准一般为 20～30 年一遇洪水，校核洪水标准为 200～300 年一遇洪水。

(4)对库容在 100 万～500 万 m^3 的工程，其设计洪水标准一般为 30～50 年一遇洪水，校核洪水标准为 300～500 年一遇洪水。

(5)对库容在 500 万 m^3 以上的工程，其防汛标准应参考水库工程的防洪标准执行。

(三)防汛职责

各级政府要贯彻落实防汛工作行政首长负责制，各省(区)、市(州)、县(旗)水利水保部门，要根据工程的管理要求，将水坠坝工程的防汛管理纳入当地防汛体系中，并有针对性地制定和完善各项防汛制度，组织防汛抢险队伍，负责工程汛期的防汛抢险工作。各地要做好工程的防汛检查，除对所有工程进行全面普查外，要对在建工程进行重点防汛检查督促，保证在汛期到来之前达到度汛安全高度；同时工程建设单位要配合各级防汛管理机构，于汛前对普查中确定的病险坝进行重点检查，提出抢险加固方案，限期完成抢险任务。出现较大洪水时，各级防汛人员必须坚守岗位，尽职尽责，密切注意雨情和水情变化，做好记录，视洪水发展情况，及时组织抢险队伍上坝抢险，力争做到抢早、抢小，避免险情扩大。

第二节　养护与处理

工程养护是平凡而仔细的工作，是工程管理的重要组成部分，必须持之以恒地抓好落实。水坠坝建成后，在长期运行中会受到各种自然和人为因素影响，遭受不同程度的损坏，如不及时维修养护，将影响工程的正常运用，严重时会导致垮坝事故的发生，给国家财产和人民群众生命安全带来巨大损失和严重威胁。因此，对水坠坝进行定期的养护维修，确保工程安全就显得特别重要。

工程养护维修应根据任务大小对水坠坝进行日常维修和局部修补；对汛期发生较大损坏的工程部位进行年度岁修；对建筑物某一部位达到使用年限或发生重大损坏时，要及时进行加固；当建筑物遭受突发性破坏或出现险情时，必须采取紧急措施，制止险情扩大，并尽早恢复工程的使用功能。

一、定期检查与维修

水坠坝工程要定期组织专人进行全面系统检查与维修，主要有下列几个方面：

(一)坝体及其结合部位的检查与维修

(1)加强检查,及时处理坝体运行中出现的坝面冲沟、裂缝及动物洞穴,填补和处置坝面因不均匀沉陷出现的陷坑、低洼等不良现象,保持坝顶、坝坡的完好。对检查发现的坝体裂缝,应查明裂缝部位、形状、宽度、长度、深度和走向;根据观测资料,结合土坝设计、施工资料,分析成因,针对不同性质的裂缝,采取相应的处理措施。

(2)土坝蓄水后,对坝的背水坡、坝体与岸坡接头部位、薄弱山脊、反滤体和下游其他渗透溢出部位,应检查有无散浸、漏水、塌陷、管涌和流土等,并根据具体情况,查明原因,及时采取维修处理措施。

(3)坝轴线两端山坡如有天然集流槽,应及时在坡面修截水沟、排水沟,防止坡面径流下泄,冲坏坝体及其他建筑物。

(4)清除排水沟内淤泥和杂物,保障坝面和岸坡排水设施的畅通。

(5)加强各种观测设施的检查与维修,保证各种观测设施的完好。应及时对观测资料进行整理分析。对异常监测数据及时进行分析,查明原因,并分别不同情况,针对监测设施和监测对象进行处置,确保工程的运行安全与监测资料的准确、完整。

(二)放(泄)水建筑物及其设备的检查与维修

(1)检查放(泄)水建筑物,包括输水洞、竖井、卧管与溢洪道有无裂缝、破损,并采取相应措施进行处理。泄水涵洞进出口及洞内的石块、杂土等阻水物应随时清除。及时处理泄水洞出现的渗漏、断裂等问题。在库区两岸、溢洪道两侧和泄水涵洞进出口附近,有松动的土石等坍塌滑动危险时,应根据情况采取清理、削坡或锚固等处理措施。

(2)检查放(泄)水建筑物与坝体结合处有无塌陷、裂缝、冲沟,启闭设备运转是否正常。如放水建筑物与土石结合不好导致泄水涵洞管壁漏水时,应将迎水坡开挖一段,回填黏土夯实,并在涵洞进口处加做几道截水环;如因基础不均匀沉陷发生涵管断裂,或因管道接头处理不好而漏水,应在迎水坡挖开漏水段进行翻修,并加筑截水环。同时在管内用水泥砂浆填缝、捣实、勾缝。里缝用沥青水泥砂浆回填,外缝用玻璃丝布粘贴。

(3)溢洪道两侧如有松动土石体坍塌滑动危险时,应根据不同情况分别采取清理、削坡或锚固等处理措施。如有坍塌土体及杂物堵塞水流时,应在汛期到来之前及时清除。用土工织物作护面修筑的溢洪道要覆土保护,防止护面材料老化;有条件时也可涂防老化剂加以保护。

(三)坝地维护

坝地维护是为了使坝地得到更好地利用,提高坝地的生产效益。管护单位或承包户,应定期对坝地进行平整维修,特别是在汛期之前,应做好溢洪道或排水管的检修,确保行洪顺畅;汛期过后对坝体和坝地进行检查维修,对冲损的坝坡进行修复;对坝地重新整平,对排水系统进行检查疏通,防止坝地盐碱化的发生,以保证坝地的种植利用。

(四)排水系统的检查与维修

检查坝面、坝体及放水建筑物各部位的排水系统有无堵塞或冲毁,对堵塞的部位及时进行清理,对水毁部位进行补修。保证各项排水设施的正常运行。

(五)水库库区的检查

水库放空时,应检查铺盖有无塌陷、裂缝、冲蚀等现象。已经处理的基岩溶洞露出水面后,应检查有无沉陷、穿孔等情况。

对以上各方面检查中所发现的问题,要及时分析原因,按轻重缓急制定维修计划,付诸实施。

二、常见问题的处理方法

(一)裂缝的处理

1. 开挖回填

对于缝深不超过 5m 的裂缝,大部都采用开挖回填处理。开挖时采用梯形断面,使回填部分与原坝体结合好。为了开挖方便和安全,对较深的槽可挖成阶梯形坑槽,在回填时自下而上逐级剥去台阶,保持梯形断面。处理的深度应比裂缝的尽头深 0.3～0.5m;开挖长度应比裂缝扩展 1.0～2.0m;开挖槽底宽为 0.8～1.0m;槽壁坡度 1:0.4～1:1。在开挖期间,特别是开挖后尚未回填之前,要尽量避免日晒、雨淋或冰冻等。开挖后要及时分层夯实回填,对新旧土结合处和夯打不到的地方,要用铁锤木棒捣实,严格控制回填质量。

2. 裂缝灌浆

对于更深的裂缝或内部裂缝,可采用灌浆或上部开挖回填与下部灌浆相结合的办法处理。深层灌浆通常配有泥浆泵和钻孔机具,大多采用压力灌浆处理。没有泥浆泵时,可采用抬高泥浆桶的办法取得一定的灌浆压力。灌浆前必须将裂缝表面开挖回填 2m 左右,形成阻浆盖,防止泥浆向外渗漏。灌浆的浆液,可采用纯黏土或黏土水泥浆。纯黏土浆与坝体土的性能比较适应,但掺入 8%～15%的水泥后,可以加快浆液凝固和减少浆液的体积收缩,保证灌浆质量。灌浆时,先用清水冲洗裂缝,然后灌入浆液,掌握先稀后稠的原则。灌浆的浓度一般为3∶1～2∶1(指水土体积比,下同),可根据灌浆压力大小选择,当压力在0.5～1.0kg/cm^2 时,采用3∶1～1∶1的浆液;当压力在1.0～3.0kg/cm^2 时,采用1∶1～1∶2的浆液;经灌浆处理后,还应进行钻孔检查,检查灌浆的效果和质量,如果发现结合不够严密时,可在原灌浆孔之间再钻孔补灌,直至达到质量要求为止。

(二)渗漏的处理

渗漏常发生的部位主要有坝基、坝身和绕坝三种渗漏,要分析原因,按照“上堵下排”的原则进行处理。

1. 上堵

上堵即在上游封堵渗流的通道,采用的办法有修筑防渗墙、防渗帷幕、翻压渗漏坝体、加修铺盖或天然落淤铺盖等,主要起到防止渗漏或延长渗径、减小渗透压力的作用。

2. 下排

下排即在下游采取加筑排水反滤、开挖导渗沟、减压井等办法,主要起排水留土、防止管涌的作用。

对散浸现象,在陕北水坠坝工程中常采用“踩草压石、消灭浸润”的办法处理也颇能收效。具体的做法是:当坝体背坡出现洇湿渗水,使土软化成泥时,可在软泥上先铺一层厚约0.1m的芦苇,再在上面压一层薄泥,泥上再垒块石,如此顺坡垒上几层,宽度、高度视浸水情况决定。

(三)滑坡的处理

1. 开挖导渗沟,加快滑坡体脱水

开挖导渗沟,回填砂砾料或石渣等,加快滑坡体的脱水,然后再做分层夯实回填处理。

2. 填土固基,放缓坝坡

对于因坝坡过陡而产生的的轻微滑坡情况,可以用填土固基、放缓坝坡的办法处理。先清除部分滑坡土,在沟底挖深0.5m左右,填土夯实,在临地面一层铺砂石滤料加宽坡脚,放缓坝坡,再重新铺土夯实。

3. 压脚盖重,稳固坝坡

在有石料的地方可考虑用堆石盖重压脚,限制坡脚的活动。无石料的地方也可用草袋装沙铺筑压脚。然后再按放缓坝坡办法用土分层夯实回填。

4. 水中倒石,积压回填

当迎水面出现滑坡时,可以采用往水中倒石渣或其他砂砾料等回填,挤压滑动土体,直至石渣回填趋于稳定并露出水面后,再用土补坡夯实回填。

参考文献与资料

[1] 中华人民共和国水利部.水坠坝技术规范(SL302—2004).北京:中国水利水电出版社,2004
[2] 中华人民共和国水利电力部.水坠坝设计及施工暂行规定(SD122—1984)
[3] 中华人民共和国水利部.水土保持治沟骨干工程技术规范(SL289—2003).北京:中国水利水电出版社,2003
[4] 中华人民共和国水利部.水利水电工程天然建筑材料勘察规程(SL251—2000).北京:中国水利水电出版社,2000
[5] 中华人民共和国水利部.土工试验规程(SL237—1999).北京:中国水利水电出版社,1999
[6] 中华人民共和国国家标准.水土保持综合治理技术规范 沟壑治理技术(GB/T16453.3—1996).国家技术监督局.北京:中国标准出版社,1996
[7] 中华人民共和国国家标准.防洪标准(GB50201—1994).国家技术监督局 中华人民共和国建设部联合发布.北京:中国计划出版社,1994
[8] 中华人民共和国能源部 水利部标准.水利水电工程施工组织设计规范(SDJ338—1989)(试行).北京:中国水利水电出版社,1989
[9] 中华人民共和国水利部.碾压式土石坝设计规范(SL274—2001).北京:中国水利水电出版社,2002
[10] 中华人民共和国水利部.小型水利水电工程碾压式土石坝设计导则(SL189—1996).北京:中国水利水电出版社,1997
[11] 中华人民共和国水利部.碾压式土石坝施工技术规范(SDJ213—1983).北京:中国水利水电出版社,1984
[12] 中华人民共和国国家标准.土工试验方法标准(GB/T50123—1999).国家质量技术监督局 中华人民共和国建设部联合发布.北京:中国计划出版社,1999
[13] 黄河上中游管理局.淤地坝规划.北京:中国计划出版社,2004
[14] 黄河上中游管理局.淤地坝设计.北京:中国计划出版社,2004
[15] 黄河上中游管理局.淤地坝施工.北京:中国计划出版社,2004
[16] 周月鲁,等.水土保持治沟骨干工程技术规范应用指南.郑州:黄河水利出版社,2006
[17] 周月鲁,等.水土保持治沟骨干工程设计技术.郑州:黄河水利出版社,2002
[18] 阎文哲,等.水土保持治沟骨干工程技术讲座.中国水土保持,1997(1)~(11)
[19] 汤茗辉,曹善和.阳洼水坠坝聚乙烯微孔波纹管排渗试验研究.中国水土保持,1992(5)~(6)
[20] 王启睿,史海荣.聚乙烯微孔波纹管在堡子沟水坠坝排渗中的应用及效果.中国水土保持,1994(3)
[21] 吴祥林.聚乙烯微孔波纹管排水系统在播山沟水坠坝施工中的应用研究.中国水土保

持,1996(12)
[22] 陕晋水坠坝试验研究工作组.水坠坝.北京:水利出版社,1980
[23] 林昭.碾压式土石坝设计.郑州:黄河水利出版社,2003
[24] 王英顺,等.淤地坝防洪保收技术.郑州:黄河水利出版社,1997
[25] 郭文元,等. 晋西淤地坝试验研究文集.郑州:黄河水利出版社,2000
[26] 陕晋两省水坠坝试验研究工作组.水坠坝研究成果汇编(第一集).1973~1979
[27] 陕晋两省水坠坝试验研究工作组.水坠坝研究成果汇编(第二集).1973~1979
[28] 陕晋两省水坠坝试验研究工作组.水坠坝研究成果汇编(第三集).1973~1979
[29] 黄河流域水坠坝科研协调组.水坠坝研究成果汇编(第四集).1980~1982
[30] 黄河流域水坠坝科研协调组.水坠坝研究成果汇编(第五集).1982~1985
[31] 黄河流域水坠坝科研协调组.水坠坝的现场观测.1981
[32] 黄河水利委员会黄河上中游管理局.黄河水土保持志.郑州:河南人民出版社,1993
[33] 刘殿中.工程爆破实用手册.北京:冶金工业出版社,1999
[34] 黄河上中游管理局,西安理工大学,等.麻地壕治沟骨干工程定向爆破-水坠筑坝试验研究.1998